# LA QUESTION IRAKIENNE

DU MÊME AUTEUR

*La Formation de l'Irak contemporain. Le rôle politique des ulémas chiites à la fin de la domination ottomane et au moment de la création de l'État irakien,* Paris, Éditions du CNRS, 1991 ; nouvelle édition 2002, CNRS Éditions.

*Maghreb-Machrek, Monde Arabe* (dir.), n° 163, « Mémoires d'Irakiens : à la découverte d'une société vaincue... », Paris, La Documentation française, janvier-mars 1999.

Ali Babakhan, *L'Irak, 1970-1990 : déportation des chiites,* préface de Pierre-Jean Luizard, Noisiel, A. Babakhan, 1994.

Pierre-Jean Luizard

# La question irakienne

Fayard

Les cartes ont été réalisées par Études et cartographies (Lille).

# INTRODUCTION

L'Irak fait la une de l'actualité depuis si longtemps ! C'est à peine si l'on se rappelle qu'avant l'embargo et la guerre qui ont suivi l'occupation du Koweit, en 1990, l'Irak et l'Iran s'étaient livrés pendant huit longues années un combat sans merci. Si l'on a si vite oublié les tragédies à répétition qui ont ravagé le pays du Tigre et de l'Euphrate depuis plus de vingt ans, n'est-ce pas parce qu'on ne saisit pas le fil qui les relie ? Or ce sens ne se découvre que si l'on prend en considération un temps plus long que celui de l'actualité. Certes, il y a Saddam Hussein, une figure bien connue des médias et du grand public à force de diabolisation. Mais tant de coups d'État, de retournements, de complots, de rivalités entre civils et militaires ! Sans parler des chiites, des sunnites, des Kurdes et d'autres ! En entamant la lecture de ce livre, peut-être sera-t-on conforté dans l'idée que tout cela est décidément bien difficile à comprendre. N'est-ce pas là cet Orient si compliqué qu'il ne peut intéresser que les spécialistes ?

La question irakienne se rappelle régulièrement à notre bon souvenir. Aujourd'hui, elle explose à la face du monde et ne peut être éludée. Mais Saddam Hussein n'est ni le diable ni un extraterrestre. Il est le produit d'une société et d'une histoire. L'Irak a, pour son malheur, l'insigne privilège de concentrer toutes les contradictions du monde. Faire un retour sur l'histoire ne permet pas seulement de prendre conscience de l'origine des conflits actuels, car l'Irak ne pose aucune question qui nous soit étrangère. Le rapport entre démocratie et identité, comme le pluralisme ethnique et confessionnel, sont des problèmes auxquels nous sommes également confrontés en Europe. Et ces questions universelles sont une invitation à de multiples interrogations sur nous-mêmes. Dans quelle mesure

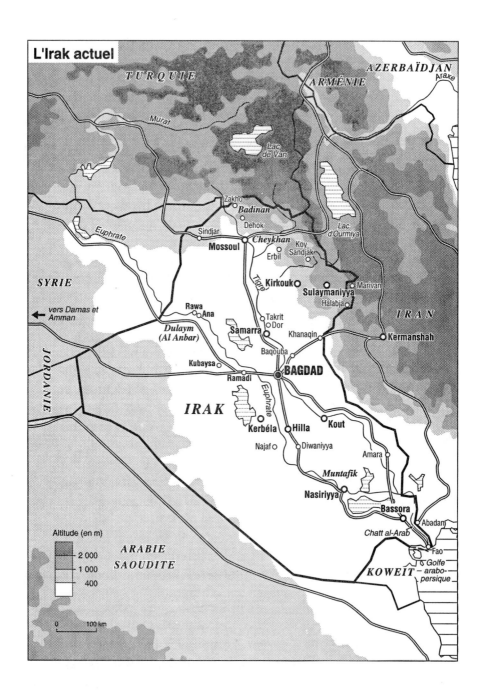

L'Irak actuel

l'aventure coloniale européenne est-elle responsable des conflits du présent ? Les idéologies « progressistes » héritées des Lumières, qui dominent nos sociétés occidentales, n'ont-elles pas aussi été le support de cette « mission de civilisation » qui a légitimé les appétits coloniaux ? Lorsque, en 1920, la Société des Nations attribua à la Grande-Bretagne un mandat sur l'Irak, c'était au nom des idéaux émancipateurs exprimés dans les Quatorze Points du président américain Thomas Woodrow Wilson. Droit des peuples à disposer d'eux-mêmes et à la souveraineté en étaient les maîtres mots. Aujourd'hui, c'est au nom des principes démocratiques et des droits de l'homme que les États-Unis légitiment un interventionnisme tous azimuts. Ne devons-nous pas réfléchir sur ce retournement qui consiste à faire d'idéaux émancipateurs la caution d'entreprises de domination ? Les universalismes, quels qu'ils soient, ne tendent-ils pas, en fin de compte, vers une même intolérance ?

C'est au nom de tels idéaux que l'histoire de l'Irak a été occultée pendant des décennies. L'histoire est écrite par les vainqueurs. Cette assertion ne se vérifie nulle part mieux que dans ce pays. La défaite, en 1923, du mouvement indépendantiste conduit par les dirigeants religieux chiites, a inauguré une période d'illusions nationales. Celles-ci étaient liées à l'existence d'un État-nation inspiré par la pratique européenne, qui fut imposé par la force des armes. Désormais, seules étaient considérées comme légitimes les idées porteuses à la fois de modernité et de sécularisation. Ainsi commença l'occultation d'une partie du passé irakien. La mémoire des chiites, en particulier, fut effacée, des acteurs, mis aux oubliettes, tandis que certains événements étaient passés sous silence, ou au contraire « revisités ». Dans les années 1960, 1970 et même 1980, des chercheurs irakiens présentaient la révolution de 1920 comme la première révolution nationaliste arabe, oubliant simplement qu'elle avait été dirigée par un ayatollah iranien, et que le sentiment nationaliste arabe était à cette époque-là quasi inconnu en Irak ; d'autres y voyaient un mouvement essentiellement social, réunissant les paysans contre les « féodaux ». Qu'ils soient nationalistes ou marxistes, tous considéraient alors que les mouvements religieux étaient rétrogrades et qu'ils allaient rapidement disparaître dans les poubelles de l'histoire. On chercherait en vain, par exemple, une mention de Khomeiny, pourtant en exil depuis treize ans en Irak, dans le livre encyclopédique de Hanna Batatu, *The Old Social Classes and the Revolutionary Movements of Iraq*. Ce livre ne parle pas non plus de Muhammad Baqer al-Sadr[1] ou du parti Da'wa[2]. Cette bible de l'histoire contemporaine de l'Irak, dont l'érudition est inégalée, a été publiée en 1978, alors que l'affrontement entre le gouvernement d'Ahmad Hassan al-Bakr[3] et le mouvement religieux prenait les allures d'une guerre civile larvée et que la révolution islamique en Iran était déjà en marche. Mais son auteur n'a d'attention que pour les mouvements qui sont, à ses yeux, portés vers la modernité : le Parti communiste, les baassistes et les Officiers libres. En aucun cas, pour lui, des religieux ne pouvaient prendre la tête de « mouvements révolutionnaires ».

La révolution islamique en Iran, en 1979, prit tout le monde de court, comme si l'événement avait été imprévisible. Rarement les chercheurs en sciences sociales auront été autant mis en contradiction avec leurs propres convictions et leur environnement, au point d'être aveugles sur une réalité qui n'avait pourtant rien d'occulte. Lors d'une première visite en Irak, en 1973, je fus moi-même prisonnier des idées de l'époque. J'étais de passage dans la ville sainte de Najaf, à un moment où le deuil chiite battait son plein, juste avant le point culminant des commémorations d'Achoura. La ville était investie

---

1. Surnommé le « Khomeiny d'Irak », Muhammad Baqr al-Sadr fut l'un des principaux animateurs du mouvement de renaissance islamique chiite qui aboutit, au cours des années 1970, à un affrontement violent avec le gouvernement baassiste, avant de s'étendre à un conflit généralisé avec la guerre déclenchée par Bagdad contre la jeune République islamique d'Iran. Il fut exécuté le 8 avril 1980.

2. Né en 1957, le parti Da'wa est le plus ancien parti islamiste chiite d'Irak.

3. Parent de Saddam Hussein, dont il fut le protecteur et la caution militaire, le général Ahmad Hassan al-Bakr fut président de la République irakienne de 1968 à 1979. Saddam Hussein le força à la retraite en 1979 et s'empara alors de toutes ses fonctions.

par une marée humaine de pèlerins qui, pour certains, vivaient sur les trottoirs depuis plusieurs jours dans une chaleur étouffante, tandis que les lamentations fusaient de toutes parts. Les miliciens baassistes, qui nous avaient pris sous leur « protection », nous mettaient en garde : « Attention, ce sont des fanatiques ! » disaient-ils en désignant la foule. La tension était perceptible. Le contraste était saisissant entre ces jeunes miliciennes, cheveux courts et tenue militaire, ouvertes et souriantes, et les femmes disparaissant derrière leur voile noir. Imprégnés comme nous l'étions des idéaux gauchistes qui dominaient la jeunesse française, cela ne faisait pas de doute à nos yeux : nous étions bien en présence d'une manifestation « rétrograde » de la « réaction religieuse », « encouragée par la CIA et par le chah d'Iran », comme nos anges gardiens baassistes nous l'expliquaient. Loin de nous l'idée de reconnaître qu'une religion, l'islam, pouvait avoir été l'élément structurant et positif d'une lutte anticoloniale. Prendre conscience que cette religion pouvait redevenir un facteur de libération au lendemain de la décolonisation ne nous effleurait pas. Du haut de notre supériorité de sécularisés, nous nous offusquions de cette insistance que les Moyen-Orientaux ont à vous faire dire votre religion. Ce que nous prenions pour des questions déplacées n'était en fait qu'une attention de nos interlocuteurs, pour qui ne pas avoir de religion était synonyme de ne pas avoir d'existence. Je me rappelle qu'un jour, excédé, j'avais fini par lâcher que j'étais « communiste ». La nouvelle se répandit aussitôt que ma religion était le « communisme » ! À ma grande surprise, cela ne fit pas scandale, car, aux yeux de mes compagnons musulmans, mieux valait encore être « communiste » que rien.

C'est la révolution islamique en Iran qui a contribué à exhumer cette mémoire occultée, avant que la question irakienne ne revienne sur le devant de la scène internationale de façon violente. Le parallélisme de certains aspects importants de l'histoire des deux pays n'est pas un leurre : les Britanniques n'avaient-ils pas installé au même moment Faysal sur le trône de Bagdad et Reza Khan à la tête des nouvelles forces armées d'Iran, avant que celui-ci fonde la dynastie des Pahlavi ? Dès lors, pour expliquer le présent, il ne fallait plus se contenter des sources du vainqueur. En effet, des générations entières de chercheurs ont puisé dans les archives britanniques une vision qui ne pouvait être que partiale ; même ceux qui manifestaient leur désir d'émancipation à l'égard de la tutelle britannique sacrifiaient au voyage à Londres. Or le contrôle de la mémoire est un élément essentiel dans les rapports de domination : en s'imposant comme sources principales dans l'écriture des histoires « nationales » de nombreux pays, les archives britanniques ont été une pièce maîtresse des rapports de l'après-colonisation. C'est dans les sources irakiennes qu'il convenait de revenir pour comprendre ce qui arrivait. Et, parmi ces sources, celles du vaincu, le mouvement religieux, étaient les plus précieuses. Mais, à l'inverse des archives britanniques, elles n'étaient pas d'accès facile. Souvent conservées dans les bibliothèques des familles religieuses dans les ville saintes, beaucoup d'entre elles étaient manuscrites et en arabe. De plus, elles ont été l'objet d'une campagne de destruction systématique de la part du régime de Saddam Hussein. Manifester un intérêt pour tel ou tel document risquait de le mettre en danger. Toutefois les témoignages des acteurs des événements du début du siècle n'avaient pas tous disparu, et certains ont été régulièrement réédités à Bagdad ou dans les villes saintes. Il y avait enfin la presse arabe et persane de l'époque. À partir des années 1980, un nombre croissant de chercheurs irakiens puisèrent dans cette mémoire oubliée. Certes, l'historien Abd al-Razzaq al-Hasani et le grand sociologue Ali al-Wardi avaient, dès les années 1930 et jusqu'aux années 1970, déjà évoqué cette mémoire dans leurs travaux. Mais, en raison de leurs conceptions nationalistes et marxisantes, il leur était plus difficile de faire le lien avec la période qu'ils vivaient[1].

---

1. Abd al-Razzaq al-Hasani (mort en 1997) est considéré comme le grand historien de l'Irak moderne. Ali al-Wardi (1913-1995) a utilisé l'approche sociologique pour écrire l'histoire de son pays. Il est l'auteur du livre en arabe, en six parties, *Lamhât ijtimâ 'iyya min târîkh al-'Irâq al-hadîth* (Aspects sociaux de l'histoire moderne de l'Irak), d'abord publié à Bagdad au cours des années 1970. Cette somme unique de l'histoire irakienne a été rééditée à Londres en 1991 (Kufaan Publishing).

Cette occultation de l'histoire irakienne a abouti à un résultat surprenant : les Irakiens ne commémorent aucun de ses grands événements. Ni le djihad de 1914-1916, ni la révolution de 1920, ni l'*intifâda* de mars 1991, c'est-à-dire les soulèvements armés les plus massifs du pays, ne sont l'occasion de se retrouver entre Irakiens. Aucune date n'est arrêtée pour en exalter le souvenir. Le djihad ? Trop chiite, diront les uns, trop religieux, diront d'autres ! Le soulèvement de 1991 ? Trop chiite et trop kurde ! Certains Arabes sunnites iront même jusqu'à affirmer que l'Iran était le grand instigateur des événements. Pourtant, notre révolution de 1789 ne fut pas, loin s'en faut, l'expression d'une plus grande unanimité. Les Vendéens en savent quelque chose. Cela n'a pas empêché le 14 juillet de devenir une date fondatrice du patriotisme français.

*La Question irakienne* ne prétend pas clore ni donner une version unique de l'histoire de l'Irak. L'histoire sert d'abord à justifier le présent. Comme elle est vouée à une réécriture constante, on comprendra aisément que ce livre n'ait pas de conclusion. Les Irakiens sont aujourd'hui à la recherche d'un nouveau contrat de coexistence. Replacer l'actualité irakienne dans son contexte historique ne peut-il pas aider à la réappropriation par les Irakiens de ce qu'il y a de commun dans leur histoire ?

*
* *

Un grand merci à mes collègues à qui j'ai faussé compagnie pendant la rédaction de ce livre et qui ont su se montrer patients. Et à Agnès Fontaine dont le professionnalisme et l'énergie ont permis qu'il soit prêt en quelques mois.

*Paris, septembre 2002*

Transcription : *nous avons adopté un parti de simplification pour la transcription des noms arabes et persans. Les mots les moins usités sont transcrits selon les règles de la Royal Asiatic Society, communément utilisées dans les pays arabes influencés par l'usage anglo-saxon.*

# CHAPITRE 1

# Des Ottomans
# aux Britanniques

Fils, cousins, gendres et « compagnons »... Le régime de Saddam Hussein évoque irrésistiblement un remake arabe de la série américaine *Dallas*. À la différence que la version irakienne est incomparablement plus sanglante : le maître de Bagdad dirige tout un pays de la même façon que JR gère les pétroles Ewing. On pense aussi aux *Vies des douze Césars* de Suétone, mais sans la bonne gouvernance, ou aux Borgia, mais sans la Renaissance. Rivalités, assassinats, jalousies, mariages entre membres de la même famille et excès de toutes sortes, le tout dans un luxe de cruautés, y sont courants. De quoi ravir les tabloïds américains ou britanniques, qui, dans leur exercice de diabolisation, n'ont pas eu à forcer le trait. Car ici la réalité dépasse souvent la fiction.

L'Irak actuel correspond à l'ancienne Mésopotamie, berceau des civilisations de Sumer, d'Akkad, de Babylone et de l'Assyrie, auxquelles l'humanité doit l'écriture, le calcul et ses premières villes. Mais l'Irak de Saddam Hussein n'est pas plus l'héritier de la gloire de Nabuchodonosor que celui de la fastueuse cour de Haroun al-Rachid. Immortalisé par *Les Mille et Une Nuits*, ce calife est resté le symbole légendaire du raffinement culturel des Abbassides, cette dynastie qui régna à Bagdad ou à Samarra jusqu'au milieu du XIIIᵉ siècle. C'est alors que le petit-fils de Gengis Khan, Houlagou, fondit sur le pays. Selon les historiens arabes, les cavaliers mongols réduisirent à néant le grand centre de civilisation qu'était le pays du Tigre et de l'Euphrate : les habitants de Bagdad furent massacrés et le système d'irrigation qui assurait la fertilité des terres mésopotamiennes, entièrement détruit. En 1409, Tamerlan mit Bagdad à sac, achevant de ruiner le pays.

Un bon siècle plus tard, en 1534, Suleymân Qânûnî, Suleymân le Législateur, notre Soliman le Magnifique, qui voulait prendre la Perse à revers, conquit l'Irak, qui fut définitivement incorporé à l'Empire ottoman en 1638. Enjeu des rivalités entre les Ottomans et les Séfévides d'Iran, disputé entre le sultan sunnite et le chah chiite, le pays devint un « trou noir » qui n'intéressait ses voisins que dans des perspectives géostratégiques. C'est d'abord parce que l'Irak se trouve sur la route des Indes que, beaucoup plus tard, les Britanniques vont conquérir le pays du Tigre et de l'Euphrate pendant la Première Guerre mondiale.

Les Irakiens d'aujourd'hui ne sont que pour une part les descendants des Mésopotamiens de l'Antiquité. Une majorité d'entre eux sont issus des tribus arabes bédouines qui, dès l'aube des temps, ont quitté les déserts d'Arabie pour faire paître leurs troupeaux dans les vastes plaines irriguées du Tigre et de l'Euphrate. Au fil des siècles, les migrations nomades n'ont jamais cessé, la dernière vague remontant au début des années 1920, après la défaite de la grande confédération des Shammar face aux Saoudiens. À en croire le grand sociologue irakien Ali al-Wardi (1913-1995), le choc permanent entre nomades et sédentaires serait la clé pour comprendre l'histoire du pays.

Les grandes tribus arabes se sédentarisèrent les unes après les autres, mais leur sédentarisation symbolisait une déchéance dans l'échelle des valeurs bédouines, où les grands chameliers, du fait même de leur mobilité, étaient les seigneurs. Une fois installées, elles devinrent la proie des tribus demeurées nomades et durent payer le tribut de protection sous peine d'être régulièrement pillées et rançonnées. Réduites au travail de la terre, à l'élevage ou, pis encore, à la pêche dans les marais du Sud, toutes activités méprisées des seigneurs du désert, leur sort justifiait le dicton arabe selon lequel « si le Yémen est le berceau des Bédouins, l'Irak est leur tombeau ».

## Le berceau du chiisme

Les descendants des tribus nomades, encore imprégnés des valeurs égalitaires des Bédouins, supportaient difficilement le despotisme des chefs locaux, et beaucoup commencèrent à abandonner le sunnisme pour se convertir au chiisme. Cette branche de l'islam ne pouvait que séduire des hommes attachés à une certaine proximité entre les différents membres de la tribu et rebelles à toute autorité extérieure à leur groupe. Par son dogme, qui refusait toute légitimité à l'État et glorifiait la lutte contre l'oppression, comme par ses rites – en particulier la célébration du martyre de Hussein, petit-fils du Prophète de l'islam et symbole de la souffrance rédemptrice –, qui permettaient d'exprimer la douleur de façon collective, le chiisme leur offrait un cadre pour manifester leur opposition aux cheikhs qui se comportaient en véritables tyrans. Mais si les conversions se multiplièrent, c'est aussi parce que, en 1831, les Ottomans s'engagèrent dans une politique de centralisation de l'empire en éliminant les Mamelouks géorgiens, ces anciens esclaves qui gouvernaient l'Irak au nom du sultan depuis 1749. Dès lors, le gouvernement leva l'impôt ; puis il tenta d'imposer la conscription militaire.

Rite officiel de l'État ottoman, le sunnisme était associé à l'oppression de l'occupant, là où la foi chiite représentait une sorte de patriotisme local. Amorcé au XVIII$^e$ siècle, le mouvement de conversion s'amplifia lorsque les Ottomans, dans la seconde moitié du XIX$^e$ siècle, attribuèrent à un nombre croissant de grands cheikhs tribaux d'immenses domaines fonciers, espérant ainsi renforcer leur contrôle sur leurs provinces arabes. En étendant une forme de propriété privée dans un pays où la terre était traditionnellement considérée comme le patrimoine de la tribu, ils ne pouvaient qu'encourager les divisions à l'intérieur d'une même tribu. L'antagonisme s'aggrava entre les grands cheikhs de tribus, promus propriétaires terriens, et les paysans sans terre. Ceux-ci devinrent plus réceptifs aux discours des prêcheurs chiites envoyés dans les campagnes. En revanche, les grands chameliers, qui constituaient l'aristocratie arabe, restaient sunnites. Rapidement, un pays chiite homogène vit le jour : il s'étendait des portes de Bagdad jusqu'au Golfe, où les sunnites ne constituaient plus que d'infimes minorités. Au début du XX$^e$ siècle, les chiites représentaient près des trois quarts de la population arabe du pays.

Ce mouvement de conversion, qui renforçait la prépondérance des chiites, déjà bien établie dans le centre et le sud de l'Irak, n'a pas seulement pour origine des causes sociales et politiques. Il s'explique aussi par le fait que l'Irak est le berceau du chiisme. C'est là, en effet, qu'eurent lieu les événements fondateurs de la seconde branche de l'islam : c'est à Koufa, près de Najaf, qu'Ali, cousin et gendre du Prophète, transporta le siège du califat en 656, et c'est là qu'il fut assassiné en 661, alors qu'il faisait valoir son droit au califat face au clan des Omeyyades. C'est à Kerbéla, en 680, que son fils Hussein mourut en héros, dans des circonstances que les chiites continuent à commémorer rituellement lors d'impressionnantes cérémonies de deuil. À partir de ce moment, les chiites ont considéré les califes comme des usurpateurs, le seul pouvoir légitime, à leurs yeux, étant la lignée de douze Imams descendants du Prophète et réputés infaillibles.

Selon la tradition chiite, le douzième Imam disparut en 874 dans les souterrains de la ville de Samarra. Pour les croyants, il n'était pas mort, mais simplement « occulté », et continuait à diriger sa communauté par l'intermédiaire de quatre agents qui se succédèrent jusqu'en 941, date à laquelle a commencé la période dite d'Occultation majeure. Ce douzième Imam était promis à un retour triomphal sur terre et réapparaîtrait en tant que Mahdi (« Guide ») au moment choisi par Dieu. En l'absence de l'Imam, seule autorité légitime aux yeux des chiites, le pouvoir était frappé du sceau de l'illégitimité. L'attente messianique du retour de l'Imam caché dure toujours. Depuis le X$^e$ siècle, elle a suscité toute une série de constructions dogmatiques, visant d'abord à préserver une communauté alors menacée dans son existence même.

Le dogme chiite fut élaboré d'abord à Bagdad, puis à Hilla, au sud de Bagdad, à Koufa, et, enfin, dans les quatre villes saintes édifiées autour des tombeaux des Imams. Najaf, Kerbéla, Kazimayn et Samarra devinrent des lieux de pèlerinage vénérés et des centres d'études religieuses. Au cours des

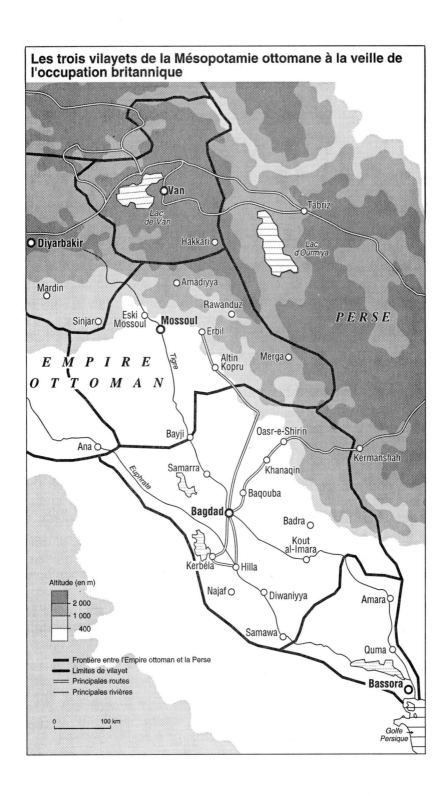

**Les trois vilayets de la Mésopotamie ottomane à la veille de l'occupation britannique**

siècles, le chiisme oscilla entre une forme de quiétisme, hérité de la pratique de la dissimulation légale (*taqîya*), qui autorise les musulmans à ne pas exposer leur foi quand ils se trouvent en position de faiblesse, et une tendance favorable à l'étude critique des textes sacrés (*ijtihâd*) par une élite de savants en religion (*mujtahid*)[1]. Cette dernière tendance l'emporta à la fin du XVIIIe siècle. Najaf a été le berceau de ce chiisme moderne qui devait aboutir bien plus tard à la révolution islamique menée par Khomeiny en Iran et à la revendication du pouvoir par les oulémas.

À partir du XIXe siècle, les villes saintes chiites devinrent ainsi le siège d'une autorité qui disputa de plus en plus ouvertement sa suprématie au pouvoir politique. Les oulémas se posèrent dès lors comme une direction à la fois temporelle et spirituelle. À la fin du XIXe siècle, les *mujtahid* commencèrent à apostropher les souverains et les sultans musulmans, les mettant en demeure d'agir conformément aux lois de l'islam et de lutter contre l'expansionnisme européen. Les religieux chiites étaient alors sur tous les fronts : face à la Russie, au Caucase et en Iran, face à l'Italie, en Tripolitaine, et surtout dans les terres d'islam où la Grande-Bretagne tentait de s'installer. À Samarra, l'ayatollah Mirza Shirazi promulguait en 1891 une célèbre fatwa qui interdit aux musulmans de fumer tant que le chah d'Iran n'aurait pas annulé la concession attribuant à une société britannique le monopole du commerce du tabac. Unanimement respectée en Iran, cette fatwa déclencha une mobilisation sans précédent, considérée comme le premier mouvement populaire anti-impérialiste du pays.

Les sultans ottomans, porte-drapeau du sunnisme, considéraient volontiers les chiites d'Irak comme une « cinquième colonne » persane. Car il faut rappeler que l'Iran s'était massivement converti au chiisme au XVIe siècle, devenant ainsi la première puissance chiite du monde. Dans les faits, les chiites et la Porte s'ignoraient, parce que les dirigeants chiites consi-

---

1. Les *mujtahid*, les religieux qualifiés par leur science pour pratiquer l'*ijtihâd*, sont chez les chiites les seuls autorisés à interpréter les textes sacrés. Suivre leur avis est une obligation absolue pour les croyants, qui peuvent choisir parmi les *mujtahid* celui qu'ils imiteront, leur *marja'*.

déraient les souverains ottomans comme des usurpateurs, mais aussi parce que les autorités ottomanes se trouvaient dans les villes et que plus des trois quarts des Irakiens vivaient dans les campagnes, donc loin du pouvoir central. À la différence des communautés chrétiennes ou juives, qui bénéficiaient d'une certaine autonomie grâce à leur statut de minorité, les chiites n'étaient pas reconnus par le pouvoir ottoman.

Toutefois, le sultan d'Istanbul et Najaf se rapprochèrent lorsque la menace européenne devint plus pressante. Les grands *mujtahid* chiites allèrent même jusqu'à trouver quelques qualités au sultan calife quand celui-ci semblait vouloir tenir tête aux Européens. Convaincus, comme les réformistes sunnites, que l'éloignement à l'égard de l'islam était la cause de la faiblesse des musulmans face à une Europe conquérante, ils se firent les hérauts du constitutionnalisme au nom de la lutte contre le despotisme, considéré comme contraire à l'islam. Ils permirent, par leur action, la victoire de la révolution constitutionnelle en Perse (1906-1908) et apportèrent leur soutien aux Jeunes-Turcs de l'Empire ottoman lors de la révolution de 1908. Cependant, la lune de miel entre Najaf et Istanbul s'acheva quand les religieux chiites s'aperçurent que la première ambition des constitutionnalistes ottomans était de turquiser les non-Turcs de l'empire.

## L'occupation britannique et le djihad de 1914-1916

Au début du XXᵉ siècle, les trois provinces de l'Empire ottoman qui vont former en 1921 le « royaume d'Irak » passent pour particulièrement sous-développées vues d'Istanbul. Ces territoires excentrés, au climat réputé torride et malsain – au centre, Bagdad, Bassora au sud et Mossoul au nord – constituent une simple marche face à la Perse, l'ennemi et rival traditionnel de la Porte.

Mais les puissances européennes, et plus particulièrement la Grande-Bretagne, s'y intéressent de près. Dès novembre 1914, les troupes britanniques commencent à occuper la

Mésopotamie, débarquant à Fao, à l'embouchure du Chatt al-Arab, sur le Golfe. Attaqué de toutes parts, l'Empire ottoman appelle les musulmans à résister. Les autorités religieuses ottomanes promulguent une fatwa proclamant le djihad contre les Alliés. Au même moment, de toutes les villes saintes chiites, les plus grands *mujtahid* promulguent des fatwas similaires, appelant à la résistance armée contre les infidèles au nom de « la défense de l'État islamique ».

Les oulémas, dont un certain nombre se transforment pour l'occasion en chefs militaires, mobilisent une armée tribale d'une ampleur sans précédent[1]. Ce sont ces moudjahidin chiites qui contraignent la garnison britannique de Kout el-Imara à capituler en 1916. Les Anglais ont le plus grand mal à venir à bout de combattants tribaux qui leur font subir les pertes les plus importantes jamais enregistrées à l'occasion d'une conquête coloniale : Londres reconnaît officiellement quatre-vingt-dix-huit mille morts. Le djihad continue jusqu'en 1917, mais les Ottomans vont eux-mêmes de défaite en défaite. Les exactions des soldats en déroute finissent par faire ressortir les vieilles haines, à tel point que Najaf chasse les troupes du sultan avant même l'arrivée des Britanniques.

L'armée britannique occupe Bagdad le 11 mars 1917. Ainsi se terminent quatre siècles de domination ottomane. C'est aussi la fin du règne de l'islam. Les trois anciens vilayets de Mésopotamie passent sous le contrôle d'une puissance européenne chrétienne. Les nouveaux maîtres du pays ont une façon de gouverner radicalement différente de celle des Ottomans. Ils s'y conduisent aussi brutalement que ces « Turcs » dont ils prétendent libérer les populations. En 1918, Najaf s'insurge contre les troupes d'occupation. Les autorités britanniques

---

1. Les dirigeants religieux chiites envoyèrent sur les champs de bataille des centaines d'oulémas, dont leurs propres fils. Certains *marja'*, comme cheikh Mahdi al-Khalisi, partirent à la tête des moudjahidin, les combattants tribaux mobilisés à l'appel des chefs religieux chiites. À la bataille qui opposa entre le 11 et le 14 avril 1915 à Shu'ayba, près de Bassora, l'armée ottomane aux troupes britanniques, les moudjahidin chiites étaient même plus nombreux que les soldats de l'armée qu'ils étaient venus aider.

reprennent la situation en main et font exécuter en public plusieurs dirigeants et notables de la ville, pour l'exemple. Peu après, elles organisent un simulacre de référendum, officiellement pour consulter la population irakienne sur ses souhaits quant à l'avenir du pays. Les oulémas chiites saisissent l'occasion pour réclamer la création d'un État irakien indépendant arabe et islamique, incluant Mossoul et sans lien de dépendance avec une puissance étrangère. Mais, le 25 avril 1920, la conférence de San Remo confirme les craintes des oulémas : le Moyen-Orient est divisé entre la France et la Grande-Bretagne, cette dernière se voyant attribuer un mandat sur l'Irak par la Société des Nations, l'ancêtre de l'ONU.

## Entre utopie émancipatrice et appétits coloniaux

Conçue au lendemain de la Première Guerre mondiale, la politique des mandats correspondait à une période à la fois de conquête coloniale et d'affirmation du principe du droit des peuples à disposer d'eux-mêmes. Ce principe constituait l'un des Quatorze Points du président américain Thomas Woodrow Wilson. Créateurs de la Société des Nations (SDN), qui préfigurait ce qu'il est convenu d'appeler aujourd'hui la « communauté internationale », les États-Unis faisaient alors figure, sous son impulsion, de garants et de recours potentiels face à des puissances dont les visées coloniales étaient visibles.

Les Quatorze Points, énoncés le 8 janvier 1918, devinrent rapidement une référence pour les sociétés cherchant à s'émanciper de la tutelle européenne, en particulier dans les futurs territoires sous mandat. Ils valurent au président américain la sympathie des Arabes. C'est à lui aussi que s'adressèrent les dirigeants chiites hostiles à l'occupation britannique, invoquant le douzième point qui affirmait : « La partie turque de l'actuel Empire ottoman devrait se voir reconnaître une complète souveraineté, mais les autres nations qui sont aujourd'hui sous domination turque devraient recevoir une entière assurance pour la sécurité de leur existence et se voir accorder l'occasion, en dehors de toute pression, d'un développement autonome[1]. » Sollicitant le soutien du président Thomas Woodrow Wilson contre la Grande-Bretagne, les deux ayatollahs Muhammad Taqi al-Shirazi et Shaykh al-Shari'a al-Isfahani lui envoyèrent deux lettres, l'une par l'intermédiaire de l'ambassadeur américain à Téhéran, l'autre destinée à la conférence de la paix, tenue le 29 janvier 1919 à Paris, où se trouvait Faysal, le futur roi d'Irak. Dans la première lettre, ils en appelaient au respect des Quatorze Points : « Nous vous écrivons, au regard de l'espoir suscité grâce aux États-Unis par les principes énoncés par vous-même, afin que nos droits soient reconnus. Vous n'ignorez pas qu'une nation soumise à la loi d'une force militaire étrangère et à un régime d'occupation totale n'a pas la possibilité d'exprimer librement son opinion sur l'indépendance. Quant à la prétendue liberté d'opinion qu'on nous fait valoir, le peuple irakien n'y accorde aucun crédit ; la majorité craint d'afficher ses véritables opinions et préfère cacher ce qu'elle pense à cause des conditions difficiles qui prévalent dans ce pays. Pour cette raison, il pense qu'il doit demander l'aide du gouvernement des États-Unis pour obtenir ses droits[2]. »

La seconde lettre, une semaine plus tard, affirmait : « Tous les peuples se sont réjouis des objectifs liés à leur participation aux guerres européennes, à savoir l'octroi aux nations opprimées de leurs droits, ouvrant la voie à l'autodétermination et à l'indépendance, selon les conditions que vous avez énoncées, vous qui avez été le premier à parler d'un projet de bonheur et de paix pour tous. Il est naturel que vous nous apparaissiez comme un recours face aux obstacles auxquels nous sommes confrontés, dans la mesure où nous sommes en présence d'un refus catégorique de laisser les Irakiens exposer leurs souhaits, en dépit des déclarations de la Grande-Bretagne selon lesquelles elle respecterait leur avis. Les Irakiens, dans leur ensemble – en tant que nation musulmane –, souhaitent

---

1. Foreign Office, *British and Foreign State Papers*, volume CXI (1918), p. 950 (traduit de l'anglais par l'auteur).

2. Muhammad Ali Kamal al-Din, *Thawrat al-'ishrîn fî dhikrâhâ al-khamsîn* (La révolution de 1920 dans son cinquantième anniversaire), Bagdad, 1975, pp. 181-182 (traduit de l'arabe par l'auteur).

qu'on les laisse libres de choisir un nouvel État arabe indépendant et islamique, dirigé par un souverain musulman assisté d'une assemblée nationale. Quant à la question du protectorat[1], il revient à cette assemblée nationale, après la tenue d'une conférence de la paix, de l'accepter ou de le refuser. Notre espoir, en tant que responsables des Irakiens et interprètes de leurs volontés, est d'éliminer les obstacles visant à les empêcher de s'exprimer, afin qu'ils puissent informer l'opinion de la réalité de leurs aspirations dans une complète liberté, et que votre nom soit associé pour toujours dans l'histoire à la liberté de l'Irak et à sa nouvelle citoyenneté[2]. »

Les dirigeants chiites en appelaient donc au président américain pour combattre la mainmise britannique sur l'Irak. Mais les États-Unis, en signe d'impuissance face aux ambitions britanniques et françaises, allaient quitter la conférence de la paix.

Les mandats devaient établir le droit des peuples à disposer d'eux-mêmes et « accompagner » leur marche vers la souveraineté. Mais ils furent confiés à des grandes puissances déjà engagées dans la colonisation des territoires qui leur furent ensuite attribués au titre des mandats. Les Alliés et les associations arabes clandestines étaient entrés en guerre contre les Turcs sans s'entendre sur la structure politique des territoires qu'ils arracheraient à la domination d'Istanbul. À l'issue de la guerre, aucun accord concernant l'administration des territoires arabes issus du démembrement de l'Empire ottoman ne fut ratifié. Les Britanniques étaient eux-mêmes divisés. Le Bureau des Indes (India Office) était réticent à l'idée de soulever des populations musulmanes contre le sultan ; craignant des répercussions dans le sous-continent, il préférait miser sur Ibn Saoud, à qui il laissait espérer une suzeraineté sur le Hedjaz et les Lieux saints de l'islam. Le Bureau arabe du Caire, au contraire, s'appuyait sur Hussein, le chérif de La

---

1. Le mot *wisâya*, ici traduit par protectorat, fut abandonné pour *intidâb*, traduit par mandat, peu de temps avant l'attribution du mandat en 1920, après le tollé qu'il suscita en Irak du fait de sa connotation coloniale.

2. Muhammad Ali Kamal al-Din, *op. cit.*, p. 182 (traduit de l'arabe par l'auteur).

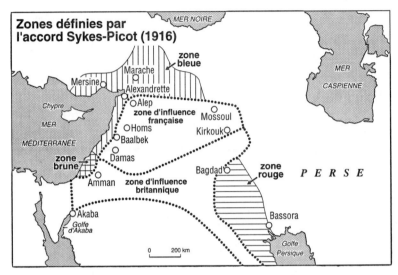

**Zones définies par l'accord Sykes-Picot (1916)**

Mecque[1]. Finalement, le 1er janvier 1916, il fut convenu entre sir Henry McMahon, le haut-commissaire au Caire, et le chérif Hussein, que la Grande-Bretagne aiderait les Arabes à « établir dans les différentes contrées les formes de gouvernement les plus adéquates », et que « la situation et les intérêts acquis par elle dans les vilayets de Bagdad et Bassora nécessitaient des mesures spéciales de contrôle administratif ». En vertu de quoi, le 27 juin, le chérif de La Mecque se lança dans la révolte du désert aux côtés des Alliés et se proclama, le 6 novembre, « roi des Arabes ». Mais entre-temps, à la mi-mars, Londres et Paris avaient entamé des pourparlers qui aboutirent aux accords secrets Sykes-Picot du 16 mai, lesquels étaient en grande partie inconciliables avec les promesses faites par McMahon au chérif Hussein[2]. Cet accord divisait en effet le Moyen-Orient arabe en trois zones : la zone bleue (Levant,

---

1. Ce dernier avait envoyé son deuxième fils, Abdallah, négocier avec les Anglais la perspective d'un califat arabe au profit de sa famille, et son troisième fils, Faysal, s'entendre avec les sociétés arabes secrètes de Damas.

2. Les promesses informelles faites aux Arabes avant guerre avaient certes déjà été tempérées dans la correspondance entre McMahon et le chérif Hussein. Celui-ci avait déjà dû accepter des « arrangements » par lesquels il semblait faire en partie son deuil du rêve chérifien d'établir un royaume arabe unifié dans toutes les anciennes provinces arabes de l'Empire ottoman.

Cilicie) devait revenir à la France ; la zone rouge (vilayets de Bagdad et Bassora) reviendrait à la Grande-Bretagne ; entre ces deux zones, donc dans des régions largement désertiques, un royaume arabe incluant Alep, Mossoul, Damas et Amman serait établi, ce royaume étant lui-même divisé en zone A d'influence française, et B, d'influence britannique[1].

Après l'effondrement de l'Empire ottoman, les mandats vinrent consacrer la violation des promesses des Alliés, même si celles-ci étaient restées en partie informelles. Présentés comme une mission de « libération des peuples » et de « civilisation », puisant aux sources de l'universalisme des Lumières, ils reprenaient à leur compte la pratique héritée des « despotes éclairés », visant à faire le bonheur des peuples malgré eux, et souvent contre eux. Mais les appétits des grandes puissances faisaient passer au second plan le droit des peuples à l'autodétermination. Le caractère à première vue paradoxal de la politique des mandats ne fut nulle part plus manifeste qu'en Irak. Les Britanniques avaient envahi la région pour contrôler le Golfe et la route des Indes, et aussi parce qu'ils pensaient que le pays se révélerait un riche gisement pétrolier[2]. Malgré l'hostilité de la population, ils n'eurent de cesse de justifier leur conquête en se référant à l'esprit des Quatorze Points, qui allait légitimer par la suite le mandat.

La proclamation du général Maude en est une illustration. S'adressant aux habitants du vilayet de Bagdad, le 19 mars 1917, peu après l'entrée de ses troupes dans la ville, le commandant des armées britanniques en Irak affirmait : « Nos opérations militaires ont pour objectif de vaincre l'ennemi et de le chasser de ces territoires. Pour mener à bien cette tâche, j'ai

---

1. La zone A incluait Damas, Homs, Alep et Mossoul. Avant le rattachement du vilayet de Mossoul à l'Irak, en 1925, celui-ci avait été « cédé » par la France à la Grande-Bretagne en 1918 contre des garanties pétrolières qui ne furent pas respectées. La Turquie kémaliste revendiquait également ce vilayet.

2. Avant la guerre, les Allemands avaient obtenu une concession de la Porte, leur donnant « l'exploitation des gisements de pétrole situés des deux côtés de la Bagdadbahn » qui devait relier Berlin à Bagdad et au Golfe. Les Britanniques réagirent en 1911 en fondant, avec des capitaux privés, la Turkish Petroleum Company.

été investi d'une autorité absolue et suprême sur toutes les régions où les forces britanniques opèrent, mais nos armées ne sont pas venues dans vos villes et dans vos campagnes comme conquérants ou comme ennemis, mais comme libérateurs. Depuis le temps de Houlagou [le conquérant mongol de Bagdad], vos concitoyens ont été victimes de la tyrannie des étrangers, vos palais sont tombés en ruine, vos jardins ont sombré dans la désolation, vos ancêtres et vous-mêmes avez été asservis. Vos fils ont été enlevés pour participer à des guerres qui n'étaient pas de votre fait, vos richesses vous ont été volées par des hommes injustes qui les dilapidaient loin d'ici. Depuis l'époque de Midhat Pacha[1], les Turcs ont parlé de réformes, mais les ruines et le gâchis d'aujourd'hui ne témoignent-ils pas de la vanité de ces promesses ? [...] Ô habitants de Bagdad, rappelez-vous que, durant vingt-six générations, vous avez souffert à cause des tyrans étrangers qui ont toujours tenté de monter une famille arabe contre une autre afin de mieux profiter de vos dissensions. En conséquence, j'ai reçu l'ordre de vous inviter à participer, par vos notables, vos anciens et vos représentants, à la conduite de vos affaires civiles, en collaboration avec les représentants politiques de la Grande-Bretagne, qui accompagnent l'armée britannique, afin que vous puissiez vous unir avec ceux de votre race dans le nord, l'est, le sud et l'ouest, pour réaliser leurs aspirations[2]. »

Le général victorieux occultait simplement le fait que les troupes britanniques avaient dû vaincre le mouvement armé le plus important que le Moyen-Orient ait connu à cette époque avant de pouvoir entrer dans Bagdad, et que les chefs religieux avaient appelé à la « défense de l'État musulman », c'est-à-dire l'État ottoman, et au djihad face à l'invasion d'une armée « infidèle »[3].

---

1. Le pacha réformateur ottoman Midhat Pacha fut gouverneur du vilayet de Bagdad de 1869 à 1872.

2. Foreign Office, *Proclamations, 1914-1919 – Proclamation n° 9*, pp. 5-6 (traduit de l'anglais par l'auteur).

3. Cf. les fatwas des dirigeants religieux chiites en novembre et décembre 1914, in Pierre-Jean Luizard, *La Formation de l'Irak contemporain. Le rôle politique des ulémas chiites à la fin de la domination ottomane et au moment de la création de l'État irakien,* Paris, Éditions du CNRS, 1991, pp. 319-321.

La déclaration franco-britannique du 8 novembre 1918 allait dans le même sens que celle du général Maude, mais elle fixait des buts encore plus ambitieux : « L'objectif que poursuivent la France et la Grande-Bretagne dans leur engagement en Orient dans la guerre, qui est le résultat néfaste des ambitions allemandes, est la libération complète et définitive des peuples si longtemps opprimés par les Turcs et l'établissement de gouvernements nationaux et d'administrations locales puisant leur autorité dans l'initiative et le libre choix des populations autochtones. Afin de réaliser ces intentions, la France et la Grande-Bretagne sont convenues d'encourager et d'assister l'établissement de gouvernements locaux et d'administrations autochtones en Syrie et en Mésopotamie, qui ont déjà été pratiquement libérées par les Alliés, ainsi que dans les pays qu'ils s'efforcent de libérer, et de reconnaître ceux-ci dès qu'ils seront installés de façon effective. Loin de vouloir imposer une forme particulière d'institution sur ces territoires, elles n'ont d'autre souci que d'assurer, par leur soutien et leur assistance effective, le fonctionnement normal des gouvernements et des administrations que leurs habitants auront adoptés de leur propre volonté[1]. »

Ces bons sentiments étaient démentis chaque jour aux yeux d'une population qui, de Bagdad à Bassora en passant par Mossoul, ne pouvait que constater la rigueur du régime d'occupation militaire et la multiplication des mesures de bannissement à l'encontre des dirigeants de l'opposition. Mais les Britanniques voulaient à tout prix faire légitimer leur conquête par les Irakiens eux-mêmes, au nom des principes énoncés dans leur déclaration commune avec les Français. Certes, les déclarations des Alliés avaient suscité bien davantage d'espoirs au Levant qu'en Irak, où la population avait été témoin de la politique de la force menée par la Grande-Bretagne dès 1914. Toutefois, c'est en se fondant sur les principes de la déclaration franco-britannique que le Foreign Office conseilla à sir Arnold Wilson, le Résident britannique à

---

1. Foreign Office, *Proclamations, 1914-1919 – Proclamation n° 32*, 8 novembre 1918, p. 21 (traduit de l'anglais par l'auteur).

Bagdad, de permettre la tenue d'un référendum général dans les trois vilayets. Ce fut le sens du référendum organisé en 1918-1919, où, dans l'esprit des Quatorze Points, les Britanniques entendaient « consulter la population irakienne sur ses souhaits concernant l'avenir du pays ». La population était donc invitée à répondre à trois questions :

– Êtes-vous favorable à la constitution d'un État arabe sous contrôle britannique comprenant les vilayets de Mossoul, Bagdad et Bassora ?

– Si oui, désirez-vous qu'un émir arabe dirige cet État ?

– Qui est cet émir que vous appelez de vos vœux ?

Farouche partisan de la présence anglaise et futur premier chef de gouvernement irakien, cheikh Abd al-Rahman al-Gaylani s'étonna lui-même auprès du Résident britannique de ce qui lui semblait une coquetterie. « Vous êtes les vainqueurs et vous avez payé le prix pour cela. Nous sommes vos obligés. Le vainqueur n'a pas besoin de l'approbation du vaincu. Avec votre référendum, vous allez au-devant de graves troubles. Méfiez-vous surtout des chiites[1]. »

L'apparence démocratique de l'opération était évidemment contredite par la réalité de l'occupation, et les oulémas mirent aussitôt en cause la formulation des questions posées, qui ne dissociait pas l'institution d'un gouvernement arabe de la protection britannique. Le mot indépendance n'était même pas prononcé. Par ailleurs, les questions posées par les autorités d'occupation laissaient présager que l'Irak serait traité comme une entité à part entière, donc séparé des autres provinces arabes, alors que les Britanniques avaient promis au chérif Hussein un royaume arabe uni, et que le vilayet de Mossoul serait détaché de la zone française et attribué aux Anglais (donc à l'Irak)[2]. Mais cette vision « irakienne », si elle était contraire au projet du chérif de La Mecque, rencon-

---

1. Arnold T. Wilson, *Mesopotamia, 1917-1920, A Clash of Loyalties,* Londres, 1939, annexe III A, *Political Views of the Naqîb of Baghdad.*

2. L'arrangement entre Lloyd George et Clemenceau, le 1er décembre 1918, par lequel la France « cédait » Mossoul à la Grande-Bretagne n'était pas connu quand les questions du référendum furent soumises à la population irakienne.

trait les aspirations de toutes les communautés du pays, qu'elles fussent favorables ou non aux Britanniques.

Le référendum eut lieu, malgré les réticences de sir Arnold Wilson, qui représentait les thèses du gouvernement des Indes au sein de l'administration coloniale britannique. Hostile à toute consultation, il n'organisa ce référendum, sous la pression de Londres, que dans le but de légitimer l'occupation britannique. Les oulémas chiites s'emparèrent de l'occasion pour populariser le mot d'ordre de l'indépendance de l'Irak et du refus de tout mandat ou protectorat. Suivant les avis des *mujtahid*, les oulémas, les *ashrâf*[1], les notables et les dirigeants locaux envoyèrent aux Anglais de nombreuses pétitions en ce sens. La pétition de Najaf illustrait un sentiment général : « Nous désirons que l'Irak s'étende du nord de Mossoul au golfe Persique, avec un gouvernement arabe et islamique dirigé par un souverain arabe musulman qui pourrait être l'un des fils du roi Hussein à condition que son pouvoir soit limité par une assemblée législative[2]. »

Les pétitions des villes saintes chiites appelaient de leurs vœux l'établissement d'un « gouvernement arabe et islamique », tandis que celles envoyées par les représentants de Bagdad prônaient l'avènement d'un « État arabe ». Cette formulation traduisait le caractère multicommunautaire de la ville, mais peut-être déjà aussi l'influence des idées « arabistes », même si celles-ci étaient limitées, en Mésopotamie, à des cercles très restreints. Toutefois, elle ne manifestait alors aucune divergence consciente avec les revendications des villes saintes, l'idée nationaliste étant trop récente pour apparaître en contradiction totale avec les vues des oulémas. Il y avait unanimité autour de la revendication de l'indépendance immédiate et sans condition, la mention « arabe » se référant à l'identité de la majorité de la population et non à un nationalisme ethnique idéologique. Les religieux qui étaient à la tête du mouvement

---

1. Les descendants du Prophète. Les sunnites, parmi eux, bénéficiaient, à l'époque ottomane, d'un statut privilégié.
2. Abd al-Razzaq al-Hasani, *Al-'Iraq fî dawray al-ihtilâl wa al-intidâb* (L'Irak, entre l'occupation et le mandat), Saïda, Liban, 1935, tome 1, p. 72 (traduit de l'arabe par l'auteur).

indépendantiste étaient d'ailleurs dans leur majorité persans. Ils ne parlaient plus de défendre l'État musulman ottoman[1], mais prônaient désormais un « gouvernement arabe et islamique », expression qui ne renvoyait pas à un type de régime précis : tout au plus s'agissait-il d'un système politique régi par la *sharî'a* et par les avis des *mujtahid*, accompagné d'une forme de souveraineté populaire (le constitutionnalisme avait profondément imprégné les milieux chiites depuis la révolution constitutionnelle de Perse de 1906-1909).

Comprenant que l'opinion publique était nettement hostile à l'occupation militaire, les autorités britanniques suscitèrent des contre-pétitions en leur faveur qu'elles présentaient comme la manifestation de la volonté populaire[2]. En fait, ces contre-pétitions émanaient de groupes religieux minoritaires ou de personnalités peu représentatives. Depuis le moindre village jusqu'aux grandes villes, les officiers locaux empêchèrent les pétitions hostiles aux occupants d'arriver à la connaissance du public ; travestissant pour leurs supérieurs l'état de l'opinion, ils envoyaient à Bagdad des rapports laissant croire à une opinion favorable aux Britanniques, si bien que ceux-ci se laissèrent abuser par leur propre propagande. Les rapports des officiers britanniques montrent que ces derniers étaient sincèrement dupes de leur propre vision des choses : la Grande-Bretagne étant convaincue d'apporter la modernité aux Irakiens, ses adversaires ne pouvaient être qu'une minorité d'« extrémistes » ou de « fanatiques religieux », « réactionnaires », « hostiles à tout progrès », « ignorants » ou « mal intentionnés ». La répression ne tarda pas à s'abattre sur ceux qui, prenant les Anglais au mot, avaient librement exprimé leur souhait de les voir partir du pays.

---

1. L'État ottoman avait alors cessé d'exister. Mais l'abandon de toute référence à celui-ci montre à quel point la solidarité manifestée par les *mujtahid* chiites avec le calife d'Istanbul avait été circonstancielle et motivée par la lutte contre les Anglais, plutôt que par une quelconque allégeance au souverain ottoman.

2. Dans son livre *'Iraq, A Study in Political Development*, New York, Russell & Russell, 1970, pp. 174-175, Philip Ireland admet que les résultats du référendum étaient passablement décevants pour les Britanniques, alors que les autorités d'occupation affirmèrent qu'elles se sentaient confortées par les contre-pétitions en leur faveur.

## La révolution de 1920

Malgré l'hostilité déclarée des Irakiens et les revendications de Faysal et des nationalistes en Syrie, le 25 avril 1920,
à San Remo, la France et la Grande-Bretagne sont donc dési-
gnées comme puissances mandataires. L'annonce de l'attribution d'un mandat sur l'Irak à la Grande-Bretagne déclenche
un mouvement armé d'une plus grande ampleur que le djihad
de 1914-1916. Connu comme la « révolution de 1920 », les
Irakiens y voient toujours un événement patriotique fédérateur, à l'instar de la Révolution française de 1789. En quelques
jours, les Britanniques perdent le contrôle des régions situées
entre Bagdad et Bassora, tandis que les oulémas instaurent un
gouvernement islamique provisoire à Kerbéla. À nouveau, les
chefs chiites réclament l'indépendance totale, revendiquant un
État irakien arabe et islamique : « arabe » renvoyait toujours à
un patriotisme local et au constat que la population du pays
était en majorité arabe, et non pas à un nationalisme exclusif,
comme le sera plus tard le nationalisme arabe, en particulier
celui du parti Baas. L'ayatollah Muhammad Taqi al-Shirazi,
que les insurgés considèrent comme leur dirigeant, est
d'ailleurs un Persan de nationalité iranienne. Pour l'heure,
face aux Britanniques, l'identité islamique de l'Irak semble
garantir une union plus large qu'un nationalisme ethnique
étroit, alors pratiquement inexistant[1].

Il faut plusieurs mois à l'armée britannique pour restaurer
son contrôle sur les larges territoires qui lui ont échappé. Toutefois, la révolution de 1920 sonne le glas du projet d'annexion
de la zone rouge (Bagdad et Bassora) à l'empire des Indes,
alors colonie britannique. Le Bureau arabe du Caire, qui
prônait la création d'États locaux « à visage arabe », voit ses
thèses triompher. Préoccupé par les rapports de clientélisme
qu'il entretenait avec la famille du chérif Hussein de La
Mecque, il avait lui-même été partagé sur l'avenir de l'Irak.
Le colonel Lawrence (d'Arabie) avait prévu à un moment (ce

---

1. Voir Pierre-Jean Luizard, *La Formation de l'Irak contemporain...*,
*op. cit.*

projet avait été présenté le 4 novembre 1918) le partage de la Mésopotamie en deux royaumes, l'un au nord autour de Mossoul, l'autre au sud autour de Bagdad, attribué aux émirs Abdallah et Zayd, les deuxième et quatrième fils du chérif Hussein.

Cette pléthore de projets, de promesses et d'engagements illustrait les intérêts contradictoires qui s'étaient constitués au sein de l'immense empire colonial britannique[1]. C'était aussi la conséquence des changements de rapport des forces en Europe et au Moyen-Orient, en particulier dans les trois vilayets mésopotamiens où les Britanniques rencontraient une résistance inattendue.

Sauver les apparences légales et démocratiques, conformément à l'esprit des Quatorze Points et à la déclaration franco-britannique, restait une constante de la politique britannique en Irak. Cela explique la façon dont le nouvel État irakien va être édifié. La puissance mandataire eut en effet systématiquement recours à la force la plus brutale. Mais de façon tout aussi systématique, elle s'efforçait ensuite de faire légitimer par les victimes de celle-ci la victoire du plus fort.

---

1. Parmi les projets britanniques qui ne virent jamais le jour, il y avait le transfert massif en basse Mésopotamie de colons indiens, afin d'alléger la pression démographique en Inde et en considération du sous-peuplement de l'Irak.

# CHAPITRE 2

# Un État construit contre sa société
## (1921-1958)

Pour comprendre les tragédies à répétition que connaît l'Irak depuis des décennies, il faut remonter à la naissance de l'État irakien. Son origine coloniale n'est certes pas en elle-même un péché originel, puisque d'autres États créés par des puissances coloniales ont acquis par la suite une réelle légitimité. Mis en place par la Grande-Bretagne, qui affirmait son souci de respecter le principe du droit des peuples à disposer d'eux-mêmes, il n'en a pas moins été fondé sur un double paradoxe : Londres a joué la carte du nationalisme arabe, alors que celui-ci était peu répandu dans le pays, en s'appuyant sur les élites du défunt Empire ottoman, c'est-à-dire sur les grandes familles sunnites, mais en écartant du pouvoir les chiites qui s'étaient opposés par les armes au mandat. Peu après, le pétrole découvert dans la région de Kirkouk amena les Britanniques à s'intéresser de près au Kurdistan inclus dans le vilayet de Mossoul, malgré les promesses d'indépendance faites aux Kurdes par les Alliés. Les Kurdes furent ainsi rattachés, contre leur gré, à un État-nation arabe.

Ce nouvel État, dont les frontières ont été artificiellement définies, portait donc en lui les germes de la division. Dans l'esprit de l'époque, les institutions politiques conçues par les Britanniques faisaient apparaître l'Irak comme un pays moderne, et nul, sans doute, ne pouvait imaginer quelles seraient les conséquences de ces divisions, à la fois confessionnelles et ethniques, qui constituent actuellement la « question irakienne ». Aujourd'hui, le pouvoir est aux mains d'élites arabes sunnites, alors que les Arabes chiites sont beaucoup plus nombreux (respectivement 25 % contre 75 % de la population arabe), tandis que les Kurdes (près d'un quart de la population irakienne) cherchent désespérément à faire reconnaître leur propre identité. Depuis 1921, en effet, les régimes qui se sont succédé à Bagdad n'ont trouvé d'autre solution que de recourir à la force quand les exclus du système politique en place faisaient entendre trop fortement leurs revendications.

## La monarchie hachémite (1921-1958)

C'est sous les auspices de Churchill, qui préside la conférence du Caire, que les Britanniques définissent le profil du nouvel État irakien. La conférence a lieu en mars 1921 et réunit notamment sir Percy Cox, le haut-commissaire britannique à Bagdad, où il a installé un gouvernement provisoire, ainsi que Lawrence d'Arabie, qui a rallié à ses thèses l'administration coloniale. Conçu sur le modèle européen de l'État-nation, l'État irakien devient une monarchie arabe constitutionnelle. Faysal, l'un des fils de Hussein, le chérif de La Mecque, que les Français ont chassé de son éphémère royauté en Syrie, est choisi pour en occuper le trône ; un autre fils de Hussein, Abdallah, est placé sur le trône de Transjordanie. Deux royaumes hachémites voient ainsi simultanément le jour sous le patronage de Londres.

Dans les villes saintes d'Irak, les dirigeants chiites, qui viennent d'essuyer une défaite militaire décisive face aux troupes britanniques, sont obligés de prendre en compte le nouveau rapport des forces. Tentant de rallier le roi à ses aspirations en faveur de l'indépendance, cheikh Mahdi al-Khalisi, le premier *marja*[1] des chiites, accepte de prêter

---

1. *Mujtahid* pris comme référence ou source d'imitation par les croyants.

serment d'allégeance à Faysal, à condition que le souverain jure publiquement sur le Coran qu'il refusera tout lien de dépendance de l'Irak envers la Grande-Bretagne. Mais Faysal n'est pas en position de résister très longtemps à ceux à qui il doit son trône : le 10 octobre 1922, il est contraint de signer avec la puissance mandataire un traité aux termes duquel le royaume d'Irak devient pratiquement un protectorat britannique : de Londres, l'action des fonctionnaires britanniques au sein de l'appareil d'État irakien devient institutionnelle, ainsi que l'extraterritorialité judiciaire et financière des Britanniques sur le territoire irakien. Le haut-commissaire britannique obtient le droit de veto dans tous les domaines de la vie politique irakienne, et le pays doit accepter la présence sur son territoire de deux bases de la Royal Air Force – l'une près de Bagdad, à Habbaniyya, l'autre près de Bassora, à Shu'ayba ; les Britanniques s'engagent à fournir conseillers, instructeurs, armes et équipements. L'ayatollah Mahdi al-Khalisi retire alors sa confiance à Faysal en proclamant : « Nous avons fait acte d'allégeance pour qu'il soit roi d'Irak, mais ces conditions n'ayant pas été respectées, il n'existe plus pour nous ou pour le peuple irakien aucune allégeance. »

Un nouvel affrontement se prépare à l'annonce des élections. Désireuse de sauver les apparences pour se maintenir en Irak d'une façon qui semble refléter le souhait des Irakiens, les autorités mandataires veulent en effet faire ratifier le traité par une Assemblée constituante. Mais l'ayatollah Mahdi al-Khalisi, relayé par les grands oulémas, promulgue une fatwa interdisant aux musulmans de voter tant que les Britanniques seront présents militairement. Cet appel au boycottage ne fait pas reculer la Grande-Bretagne, qui recourt à une méthode radicale pour le contourner : en juin 1923, l'ayatollah Mahdi al-Khalisi est exilé vers les Indes, puis à Aden. Le gouvernement irakien le présente comme un « étranger » de « nationalité iranienne » – en réalité, il est alors le seul Arabe au sein d'une direction religieuse chiite où tous les autres sont iraniens. En signe de protestation, tous les grands *mujtahid* des villes saintes décident de partir pour l'Iran, où l'ayatollah al-Khalisi vient les rejoindre. En l'absence des principaux opposants, les élections se déroulent sous la menace des armes britanniques.

**Formation politique de l'Irak**

*TURQUIE*

Djoulamark

Amadya

*Kurdistan*

Euphrate

Sindjar

Mossoul

Grand Zab

Kirkouk

Petit Zab

1914

*SYRIE*

zone A

zone B

*Djezireh*

Abou Kemal

Takrit

Tigre

*IRAN*

1920

Samarra

Khanaqin

*Hamad*

Hit

Bagdad

1922-1923

*IRAK*

Kerbéla

Djebel Anézé

*TRANSJORDANIE*

Najaf

Euphrate

1914

*ARABIE SAOUDITE*

1922-1923

*Muntafik*

Bassora

**1920** Frontières, avec date de leur fixation

Zone rouge réservée à l'influence britanique

Limite des zones A (influence française) et B (influence britannique)

Territoires réclamés par l'Irak et laissés à la Turquie

Limite sud du territoire revendiqué par la Turquie jusqu'en 1925

Territoires neutres

*Nejd*

*KOWEIT*

**Koweit**

*Golfe Persique*

1922-1923

0        100 km

C'est également sous la menace des armes que l'Assemblée, à peine élue, ratifie le traité anglo-irakien et approuve la première Constitution du royaume d'Irak, de même qu'un code de la nationalité dont le caractère discriminatoire à l'égard des chiites est patent. Nous sommes en 1924. Quelques mois plus tard, une partie des oulémas exilés est autorisée à revenir, mais ils doivent s'engager par écrit à ne plus jamais intervenir dans les affaires politiques. Seul est exclu de l'arrangement l'ayatollah Mahdi al-Khalisi, qui reste en Iran. Celui-ci refuse d'ailleurs de rentrer en Irak tant que le pays est sous occupation étrangère et continue son combat anti-britannique depuis la ville sainte de Mechhed, où il meurt en 1925. Le système qui se met en place consacre donc la défaite du mouvement religieux chiite, mais aussi celle des tribus qui ont soutenu les grands *marja'* contre le gouvernement et les Britanniques. Les chiites sont exclus des rouages de l'État, ceux-ci étant investis par les élites sunnites qui se mettent au service des Britanniques après avoir été au service des Ottomans. Le sort de Mossoul est scellé cette même année 1925, quand la Société des Nations, sous la pression de Londres, décide de rattacher l'ancien vilayet ottoman à l'Irak, bien que les Kurdes aient manifesté en 1919-1921 leur refus d'être incorporés à un État arabe.

Tels sont les principaux faits qui président à la naissance de l'Irak moderne. La monarchie hachémite va réussir à se maintenir à Bagdad tant bien que mal pendant plus d'un quart de siècle, mais elle reste sous l'influence de la Grande-Bretagne : en 1930, Londres signe un traité d'alliance qui remplace celui de 1922, grâce auquel les Britanniques conservent leurs bases militaires en Irak. En 1932, le pays acquiert une indépendance formelle et devient membre de la Société des Nations. Dans les faits, les ministres irakiens sont toujours flanqués de conseillers britanniques ; ceux-ci changent simplement de titre, et leur nombre est réduit. Un an plus tard, Faysal meurt, et son fils Ghazi lui succède. Le jeune roi est assez populaire, car beaucoup d'Irakiens espèrent qu'il va les libérer de la tutelle de Londres.

L'armée entre bientôt en scène et tente de s'imposer comme l'arbitre du pouvoir. En 1936, le chef d'état-major de l'armée irakienne, Bakir Sidqi, réussit à prendre les rênes du pays. Soupçonné de sympathies proallemandes, il est renversé peu après par un autre putsch militaire. En cinq ans, l'Irak connaît six putschs : les officiers tentés par l'indépendance sont systématiquement éliminés par d'autres officiers probritanniques. Durant ces mêmes années, le Parti communiste irakien, qui a été fondé en 1934, récupère à son profit une partie de l'influence des religieux chiites. Les paysans réduits à un quasi-servage dans les campagnes de Mésopotamie, ainsi que l'apparition des premiers éléments d'un prolétariat urbain, lui offrent une base qui semble immense. En 1939, le roi Ghazi, play-boy réputé pour sa passion pour les voitures de luxe, se tue dans un accident d'automobile, événement dans lequel l'opinion est prompte à voir « la main des Anglais ». Faysal II lui succède, mais, du fait de son jeune âge, le pouvoir est assuré par le régent Abdulillah, qui est aux ordres de Londres. Faysal II ne montera officiellement sur le trône qu'en 1953.

Pendant la Seconde Guerre mondiale, en Irak comme partout au Moyen-Orient, beaucoup se tournent vers l'Allemagne hitlérienne, avec l'espoir qu'une défaite des Alliés leur permettra de se libérer de la domination britannique ou française. En 1940, Rachid Ali al-Gaylani, suspecté par Londres de vouloir favoriser les forces de l'Axe, s'empare du pouvoir en s'appuyant sur un groupe d'officiers. Cette fois, les Britanniques interviennent militairement et remettent en selle le vieux routier de la politique, Nouri Saïd, qui jouera un rôle éminent jusqu'à la fin de la monarchie hachémite : anglophile convaincu, il sera Premier ministre une quinzaine de fois, cumulant parfois les fonctions de chef du gouvernement, de ministre de la Défense, de ministre de l'Intérieur et de ministre des Affaires étrangères.

Au lendemain de la guerre, le renouvellement du traité d'alliance avec la Grande-Bretagne suscite un mouvement d'opposition où se mêlent aspiration à l'indépendance et revendications sociales. La première guerre israélo-arabe, consécutive à la proclamation d'Israël en 1948, ne fait qu'exacerber les passions : l'opinion accuse les Britanniques d'avoir empêché l'Irak de se porter au secours des Arabes.

Communistes, nationaux-démocrates et nationalistes arabes commencent à se regrouper, et deux insurrections éclatent en 1948 et en 1952, illustrant l'exaspération de la population. Le parti Baas voit le jour en Irak en 1951, à l'initiative de militants venus de Syrie, où est né ce parti qui conjugue socialisme et nationalisme panarabe. En 1955, sous la houlette de Nouri Saïd, et sur l'insistance des États-Unis et de la Grande-Bretagne, l'Irak rejoint le pacte de Bagdad, vaste coalition militaire visant à contrer le « danger soviétique », à laquelle participent également la Turquie, l'Iran et le Pakistan. Nasser, qui est en train de prendre la tête du panarabisme au Proche-Orient, réagit trois ans plus tard, en formant une République arabe unie qui regroupe l'Égypte et la Syrie. Nouri Saïd réplique aussitôt par la création d'une « Fédération arabe » qui réunit les royaumes hachémites d'Irak et de Jordanie. Cette Fédération dure quelques mois à peine : le 14 juillet 1958, le Comité des Officiers libres proclame la République à Bagdad.

## L'armée, « colonne vertébrale de la nation »

Les Britanniques ont voulu faire de l'Irak un État « moderne » selon les critères européens. La monarchie hachémite est dotée d'une Constitution dûment ratifiée par une Assemblée ; il existe un Parlement, des partis, et donc une vie politique. Par son ouverture sur l'Occident, elle est l'archétype du royaume arabe que les Britanniques appelaient de leurs vœux dans les provinces issues du démembrement de l'Empire ottoman. Ses institutions politiques peuvent alors la faire apparaître comme l'antithèse de l'Arabie où Ibn Saoud fondera quelques années plus tard un royaume tribal reposant sur un islam wahhabite puritain.

Parmi les institutions qu'ils ont mises sur pied, les Britanniques ont soigneusement veillé à l'organisation de l'armée irakienne, dont la première mission est d'intervenir à leurs côtés contre tous les opposants au nouveau système politique. À l'époque du « gouvernement arabe provisoire », proclamé le 11 novembre 1920, Londres disposait sur place de trente-trois bataillons, en grande partie composés de soldats indiens, et d'un détachement de la Royal Air Force ; les Britanniques avaient aussi enrôlé quatre mille Assyriens[1] dans les « lévies », milices d'auxiliaires qui se révéleront vite insuffisantes. Ce sont ces lévies que les forces irakiennes sont appelées à remplacer. La SDN, comme la Grande-Bretagne, voulait éviter que l'armée irakienne puisse intervenir dans le jeu politique, et le traité anglo-irakien de 1922 prévoyait son encadrement par les Britanniques. Les nouveaux officiers furent formés à l'Académie militaire royale ; ouverte dès 1924, celle-ci était conçue sur le modèle anglais, et sa réputation se répandit dans tout le Proche-Orient. Un grand nombre d'officiers passèrent également par les collèges militaires de Guetta, aux Indes, de Sandhurst et de Camberley, en Angleterre. Le même traité attribuait un quart du budget de l'État aux dépenses militaires, ce qui montre l'importance que les Britanniques accordaient à cette armée qui resta longtemps marquée par leur façon de penser, comme plus tard les armées des émirats arabes du Golfe.

Symbole du rôle primordial qui revenait à l'armée irakienne dans la construction de l'État, le premier ministère formé fut celui de la Défense, mis en place dès 1921. Les

---

1. Les Assyriens sont une des communautés chrétiennes d'Irak. Héritiers de l'ancienne Église d'Orient, aussi connue comme l'Église de Perse, ils représentent ce qui reste de l'hérésie nestorienne, l'un des premiers grands schismes du christianisme, au début du Ve siècle, avant même le concile de Chalcédoine qui sépara les monophysites (coptes, syriaques, arméniens) du christianisme byzantin. Leur langue vernaculaire est le soureth, une version moderne orientale du syriaque, lui-même issu de l'araméen. En se proclamant les descendants des Assyriens de l'Antiquité, les tribus nestoriennes trouvaient, en tant que premiers occupants de la région où ils vivaient, une légitimité historique à leur particularisme. Ils vivaient dans les montagnes en symbiose avec les Kurdes, dont ils partageaient la structure sociale fondée sur le tribalisme. Les Britanniques les utilisèrent comme force auxiliaire, notamment dans la répression de la révolution de 1920. En 1933, le ministre de l'Intérieur somma le patriarche assyrien de renoncer à son pouvoir temporel. Devant son refus, l'armée irakienne fit massacrer un millier d'Assyriens, forçant les survivants à un exil massif vers l'Iran, la Syrie et les États-Unis.

Britanniques le confièrent à l'un de ceux qui avaient accompagné Faysal dans sa révolte arabe au Levant, Ja'far al-Askari, et placèrent Nouri Saïd, le beau-frère de ce dernier, à la tête de l'état-major. Le roi considérait que l'armée était la « colonne vertébrale pour former une nation ». Dans les faits, l'institution militaire devint tout de suite le pivot de l'État, d'autant que les élites politiques étaient très peu nombreuses. Un certain nombre d'officiers furent donc appelés à plusieurs reprises à des postes de responsabilité dans le gouvernement : Ja'far al-Askari fut Premier ministre en 1923-1924, puis en 1926-1928 ; Nouri Saïd fut Premier ministre en 1938-1939-1940, puis en 1941-1942-1943, en 1946, en 1949, en 1954-1955 et encore en 1958. Citons également Yasin al-Hashimi, Premier ministre en 1924-1925 et en 1935-1936, Abd al-Muhsin Sa'adoun, ministre de la Justice, puis de l'Intérieur, avant d'être Premier ministre en 1922-1923, en 1925-1926 et enfin en 1928-1929. Jamil al-Midfaï prit la tête du gouvernement en 1933-1934, et à nouveau en 1935-1936, en 1937-1938, puis en 1941 et en 1953. Ali Jawdat al-Ayyoubi fut pour sa part Premier ministre en 1934-1935, en 1949-1950 et en 1957.

Pendant toute la monarchie hachémite, l'armée resta dominée par les officiers chérifiens qui, à l'instar de Nouri Saïd et Ja'far al-Askari, avaient servi dans l'armée mise sur pied au Levant et au Hedjaz avec l'aide des Britanniques et s'étaient donc facilement ralliés à eux à leur retour en Irak[1]. Arabes sunnites originaires de Bagdad ou du nord de l'Irak, ils étaient membres de grandes familles qui avaient fait carrière dans l'armée ottomane (comme les Umari de Mossoul, les Suwaydi, Daghestani et Rawi de Bagdad, les Sa'adoun des Muntafik). D'autres étaient les fils de familles religieuses sunnites (les Shawwaf, les Tabaqshali). D'autres encore appartenaient aux

---

1. Parmi ces officiers chérifiens, seuls quelques-uns adoptèrent une attitude antibritannique une fois rentrés en Irak. Tel était le cas de Mawloud Mukhlis, qui fut à plusieurs reprises vice-président du Sénat dans les années 1930 et 1940. Il était originaire de Takrit, et c'est sous sa protection que de nombreux Takriti entrèrent dans l'armée et investirent le corps des officiers.

classes moyennes citadines ; fils d'officiers ou de petits commerçants, ces derniers formeront le gros des Officiers libres qui mettront à bas la monarchie. Quant aux hommes du rang, ils étaient issus des basses strates de la société rurale et urbaine. Pendant tout le mandat, ils étaient volontaires ; ce n'est qu'en 1934 que le service militaire devint obligatoire. La conscription obligatoire provoqua le soulèvement des tribus chiites du bas et du moyen Euphrate et des Yézidis[1].

Officiellement, tout comme le système politique qu'elle défendait, l'armée irakienne ne reposait pas sur un critère confessionnel ou ethnique. Toutes les communautés s'y côtoyaient : les Kurdes s'y enrôlèrent en masse, mais les chiites furent tenus à l'écart de la hiérarchie, comme sous l'Empire ottoman, et les officiers étaient pratiquement tous sunnites. L'armée ne trouvera jamais la possibilité de s'émanciper du cadre politique qui l'enfermait dans un rôle confessionnel et ethnique. Le lien originel qu'elle avait avec l'État-nation lui interdit de jouer le rôle patriotique dans lequel certains officiers rêvaient de s'illustrer. Dès les Hachémites, l'habitude fut prise d'envoyer des officiers kurdes sunnites réprimer le pays chiite et des officiers arabes au Kurdistan.

Cette armée, à qui il revenait d'édifier la nation irakienne, avait pour mission de préserver le système politique mis en place par la puissance mandataire. Beaucoup d'officiers étaient acquis aux idées modernistes venues d'Europe et portées vers la laïcité qui avaient gagné l'armée du sultan ottoman dès le milieu du XIXe siècle, à l'époque des réformes (les Tanzimat). En Irak, comme dans tout le Moyen-Orient, le réformisme militaire exprimait les aspirations d'une caste militaire « éclairée », pour qui l'armée devait être le principal

---

1. Appelés à tort « adorateurs du diable », les Yézidis sont une secte syncrétique kurde (mêlant chiisme, soufisme, manichéisme et mazdéisme, les religions des anciens Perses). Ils vivent notamment dans le djebel Sindjar, à l'ouest de Mossoul, ainsi que dans les vallées boisées du Cheykhan, entre le Tigre et le Grand Zab. Les Ottomans les avaient dispensés du service militaire en 1872 en raison des tabous alimentaires qu'observe la communauté. En 1935, une colonne de chars, appuyée par des avions britanniques, ravagea le Sindjar et le Cheykhan.

artisan de l'émancipation nationale et du progrès. Orabi Pacha en Égypte, les Jeunes-Turcs dans l'Empire ottoman, puis Mustafa Kemal en Turquie et Reza Khan en Iran avaient tous puisé aux mêmes sources de ce réformisme militaire. Mais ces aspirations se heurtaient en Irak à un système de domination confessionnelle et ethnique dont l'armée était le principal acteur.

L'armée irakienne mit un certain temps à s'imposer comme la principale force du pays : à la mort de Faysal, en 1933, les tribus disposaient de 100 000 fusils, alors qu'elle-même ne pouvait en aligner que 15 000. En même temps que l'armée menait des opérations contre les diverses dissidences, tribales, confessionnelles ou ethniques, des officiers commencèrent à s'opposer ouvertement à une politique d'amitié trop exclusive avec la Grande-Bretagne. Comme l'armée était devenue le recours indispensable à tout changement politique, ces aspirations étaient souvent mêlées à des appétits de pouvoir dont il est difficile de les distinguer. Bakir Sidqi, grand admirateur de Mustafa Kemal, s'imagina pouvoir être son émule dans l'œuvre de rénovation nationale que celui-ci avait menée en Turquie. Il réalisa en 1936 le premier coup d'État militaire que connut l'Irak. Son échec – il fut tué l'année suivante – ne découragea pas d'autres candidats à un pouvoir militaire, puisque l'Irak connut ensuite cinq putschs dirigés par des officiers. À chaque fois, leurs protagonistes découvraient vite l'étroitesse de leur marge de manœuvre par rapport à Londres. Quand l'un d'eux s'écartait trop des voies de l'arabisme de l'État ou de l'amitié avec la Grande-Bretagne, d'autres officiers, avec l'assentiment des Britanniques, reprenaient la situation en main. Ce fut le cas en 1941. L'armée de l'ancienne puissance mandataire s'engagea directement pour renverser Rachid Ali al-Gaylani. Lui-même était un civil, mais il avait pris le pouvoir avec le soutien d'officiers nationalistes regroupés dans une association secrète du nom de Carré d'or. Ses sympathies allemandes présumées fournissaient un bon prétexte à Londres pour ramener au pouvoir son protégé, Nouri Saïd. À l'issue d'une courte guerre anglo-irakienne, la Grande-Bretagne décida de décimer la hiérarchie militaire – les trois quarts des officiers furent alors limogés. Ainsi mise sous contrôle, l'armée continuera à mater les révoltes endémiques que connaissait l'Irak et à réprimer le mouvement contre la tutelle britannique.

En 1958, l'institution militaire finit par se joindre à la rue, du moins en apparence. Elle prit la tête d'un mouvement qu'elle avait réprimé dans le sang depuis sa fondation. La défaite de Palestine, attribuée à l'inactivité des troupes irakiennes sur intervention britannique, et le ressentiment contre la famille hachémite, liés à l'aggravation de la situation économique, conduisirent en 1956 un noyau d'officiers à se constituer en Officiers libres sur le modèle de l'Égypte, où un groupe d'officiers s'étaient emparés du pouvoir quatre ans plus tôt. La signature du pacte de Bagdad, en 1955, dont une annexe autorisait la Grande-Bretagne à conserver ses bases militaires en Irak, puis, l'année suivante, les manifestations de solidarité avec l'Égypte de Nasser, à la suite de l'« agression tripartite » anglo-franco-israélienne, donnèrent à ce mouvement une impulsion décisive. Le Comité suprême des Officiers libres établit bientôt des contacts avec les partis d'opposition, réduits à la clandestinité.

Après s'être illustrée contre les opposants au mandat, puis à la présence britanniques, l'armée semblait devenir l'instrument de l'indépendance de l'Irak. Mais, garante d'un État dont la légitimité n'était pas assurée, elle devait rapidement être confrontée à des contradictions insolubles.

## Un « gouvernement local à visage arabe »

Avant la fin de la Première Guerre mondiale, les Alliés avaient multiplié les promesses aux différents peuples de l'Empire ottoman pour encourager les Arabes, mais aussi les Kurdes, les Arméniens et les Grecs, à se révolter contre les « Turcs ». Ils trahirent la plupart de leurs promesses, à commencer par celle d'établir un royaume arabe unifié, mais c'est en grande partie sur des critères ethniques que furent bâtis les États nés de la ruine de l'Empire ottoman. Pour ce qui est du royaume hachémite d'Irak, les Britanniques l'avaient défini lors de la conférence du Caire comme un État-nation qui devait succéder au « gouvernement local arabe » proclamé par sir Percy Cox l'année précédente. C'était la concrétisation des propositions du colonel Lawrence, qui souhaitait constituer des « gouvernements locaux à visage arabe » dans les provinces arabes arrachées à la loi ottomane. Mais dans quelle mesure la population irakienne se considérait-elle, au début des années 1920, comme une partie de la nation arabe, ou même seulement comme une nation ? Près des quatre cinquièmes des habitants vivaient en dehors des villes et se définissaient avant tout par rapport à leur tribu d'origine et à leur religion, l'islam. Les idéaux nationalistes ne dépassaient guère alors les cercles des officiers qui avaient accompagné Faysal dans sa remontée vers Damas, et qui avaient auparavant servi dans l'armée ottomane, laquelle avait été le réceptacle privilégié des idées européennes[1]. Le sentiment et la fierté d'être arabe n'étaient sans doute pas absents chez un grand nombre d'Irakiens, mais ils s'identifiaient alors plus à un patriotisme local qu'à un véritable nationalisme ethnique. Et, surtout, l'islam chapeautait les identités, de telle sorte qu'il semblait inconcevable d'en séparer l'arabisme.

Les élites sunnites se rallièrent pourtant vite au nationalisme arabe, troquant, parfois du jour au lendemain, leur allégeance islamique au sultan-calife pour se mettre au service d'un État fondé par les « infidèles » et d'une idéologie qui leur était quasi inconnue. Depuis des générations, les grandes familles sunnites d'Irak se partageaient les fonctions, titres et privilèges que leur distribuaient les autorités ottomanes, et redoutaient les changements, craignant d'y perdre des positions acquises et héritées de père en fils. Mais ces mêmes familles, bien que

---

1. Ces officiers chérifiens étaient surtout représentés par l'association Al-Ahd (le Serment), fondée avant la Première Guerre mondiale. Prenant le parti des Anglais en 1920, ses dirigeants, à l'instar de Nouri Saïd et de Ja'far al-Askari, leur conseillèrent même davantage de rigueur contre le mouvement indépendantiste largement assimilé aux dirigeants chiites. Al-Ahd disparut dans la tourmente de la révolution de 1920. Les partis nationalistes arabes revendiqueront plus tard sa paternité.

réputées pour leur conservatisme, accueillirent les Britanniques comme leurs nouveaux protecteurs, alors que les dirigeants chiites refusaient tout lien de dépendance envers la puissance mandataire et qu'ils prônaient, depuis la disparition de l'État ottoman, un « État irakien indépendant, arabe et islamique ». Détenant traditionnellement le pouvoir, ces élites considérèrent le nouvel État comme leur propriété, et cela d'autant plus facilement qu'elles furent rapidement intégrées au gouvernement. Une illustration en est la nomination, dès 1920, au poste de chef du premier gouvernement provisoire d'Irak, d'un riche dignitaire sunnite de Bagdad, Abd al-Rahman al-Gaylani, qui était le cheikh de l'une des plus grandes confréries soufies du monde musulman, la Qadiriyya. Le dirigeant d'une autre confrérie soufie, la Rifa'iyya, Taleb al-Naqib, principal notable de Bassora, tenta d'extorquer aux Britanniques la reconnaissance d'un rôle local, mais il échoua, Londres ayant opté pour un royaume d'Irak unifié à partir de Bagdad.

Que ces élites soient passées aussi facilement d'une identité islamique à une identité ethnique arabe s'explique aussi par la propension du sunnisme à considérer que l'État peut avoir une légitimité en matière de gestion de l'islam. Selon une conception sunnite du pouvoir alors répandue, plutôt que de risquer l'anarchie et la sédition, il était préférable de reconnaître la légitimité d'un prince, quel qu'il soit, à condition que celui-ci fasse régner l'ordre, la sécurité, agisse pour le bien public et protège l'islam. À ses débuts, la monarchie hachémite ne manquait pas de mettre en avant son identité islamique. La personnalité du roi l'y aidait. N'était-il pas un Hachémite, descendant du Prophète à travers une lignée de chérifs qui régnaient sur les Lieux saints de l'islam depuis le X$^e$ siècle ? Comme dans les autres ex-provinces arabes de l'Empire ottoman, l'islam sunnite fut mis au service du nationalisme du nouvel État, ce qui permit à la monarchie hachémite de conserver une part de légitimité islamique. Dès ses origines, l'État irakien se définit donc comme un État arabe, partie intégrante de la nation arabe, où les sunnites sont majoritaires. Les élites au pouvoir occultaient d'autant plus facilement la trahison de l'idéal chérifien d'établir un royaume arabe unifié qu'elles étaient en fait surtout intéressées par le contrôle de l'État local. La référence à l'arabisme, qui tentait au Levant de faire oublier un tel abandon, servait surtout en Irak à légitimer la domination confessionnelle des sunnites sur les chiites.

Les élites arabes sunnites constituèrent donc la classe dominante de la hiérarchie hachémite. Outre les officiers, elles comprenaient les chefs religieux (cheikhs des confréries soufies, *sayyid* et *ashrâf*), ainsi que les *effendi* (anciens fonctionnaires de l'Empire ottoman), qui formèrent les cadres de la nouvelle administration. Les Britanniques encouragèrent également l'émergence d'une classe de grands cheikhs tribaux dans lesquels ils cherchaient un contrepoids à l'autorité de Faysal. C'est l'un d'entre eux, Abd al-Muhsin Sa'adoun, alors à la tête du gouvernement, qui, accomplissant le dernier acte de la lutte des Britanniques contre les dirigeants chiites, exila l'ayatollah Mahdi al-Khalisi en 1923, après que celui-ci eut renouvelé sa fatwa interdisant aux musulmans de voter sous un régime d'occupation militaire. En faisant endosser au gouvernement irakien la honte que constituait aux yeux d'une majorité d'Irakiens l'exil de la plus haute autorité religieuse chiite, il permit à Faysal de se dédouaner de cette action. Cette responsabilité fut probablement à l'origine du suicide de Sa'adoun, en 1929.

Les Britanniques trouvèrent ainsi dans les chefs de tribu, dont une bonne partie étaient chiites, un puissant levier leur permettant de diviser la société tribale, et plus particulièrement le pays chiite. Car ces cheikhs tribaux, promus propriétaires d'immenses domaines fonciers, en étaient souvent arrivés à considérer les paysans qui cultivaient leurs terres comme leur propriété. L'Irak a sans doute été l'exemple le plus abouti de la constitution au XX$^e$ siècle d'un féodalisme au sens européen du terme. Ce nouvel asservissement des paysans, encore inconnu à l'époque ottomane, fut illustré par la discussion d'un projet de loi, en 1933, visant à leur interdire de quitter le domaine de leur cheikh si ce dernier ne leur avait pas remis au préalable un certificat attestant qu'ils étaient « libérés » de leurs dettes envers lui. Pour échapper à l'esclavage, les paysans sans terre fuirent en masse vers les grandes villes. Les campagnes tribales, qui avaient été la base politique des *mujtahid* des villes saintes, se vidèrent littéralement à partir des années 1930. L'exode rural se poursuivit après la Seconde Guerre mondiale. Le développement fondé sur le « tout pétrole » achèvera ce que les problèmes sociaux avaient initié, au point que l'Irak devra importer, à partir des années 1970, une main-d'œuvre non qualifiée, essentiellement égyptienne, pour cultiver des terres largement laissées à l'abandon.

En apparence, toutefois, rien ne laissait deviner que le système politique moderne mis en place par la puissance mandataire cachait la plus implacable des discriminations.

## La défaite des chiites

L'avenir de l'Irak dépend en grande partie de l'issue du face-à-face entre chiites et sunnites. Les uns et les autres appartiennent à la même société, partagent souvent les mêmes valeurs d'origine bédouine, mais, jusqu'à aujourd'hui, seuls les sunnites détiennent le pouvoir, alors qu'ils sont minoritaires. Il faut ici faire un retour en arrière pour comprendre la genèse de ce qui constitue la spécificité de l'identité irakienne par rapport aux autres pays arabes.

C'est à l'époque ottomane, on l'a dit, que de nombreuses tribus sunnites avaient adopté le chiisme, pour certaines au XIX^e siècle seulement. Les chiites d'Irak reconnaissaient l'autorité, à la fois religieuse et politique, des grands *marja‘* des villes saintes, alors en grande majorité persans. Mais ces *marja‘* ne reconnaissaient pour leur part aucune légitimité au sultan-calife d'Istanbul, ne voyant en lui qu'un usurpateur. Pour les tribus, jalouses de leur indépendance et farouchement opposées au monde citadin où siégeaient les représentants du gouvernement sunnite, les cités saintes constituaient l'unique ouverture sur le monde extérieur. Au début du XX^e siècle, Najaf, Kerbéla, Kazimayn et Samarra étaient plus que jamais réputées hostiles à l'égard des autorités ottomanes, à qui les tribus interdisaient par ailleurs pratiquement tout contrôle sur les campagnes. Depuis le XIX^e siècle, la *marja‘iyya* se posait de façon croissante comme une direction à la fois spirituelle et politique. L'émergence de cette autorité concernait des fidèles bien au-delà des frontières de l'Irak et même de l'empire. Depuis les villes saintes, les chefs religieux voulaient mettre les rois et les sultans musulmans dans l'obligation de combattre sans plus tarder la menace grandissante du colonialisme européen. Les grands *marja'* prirent la tête de la lutte contre la domination européenne, d'abord économique, puis directement militaire, et se retrouvèrent donc dans la position du principal adversaire des Britanniques à l'époque de l'occupation, puis du mandat. On connaît les grandes étapes de cette lutte : le djihad en 1914-1916 en riposte au débarquement des troupes britanniques, l'insurrection de Najaf en 1918, la révolution de 1920 contre l'attribution du mandat à la Grande-Bretagne et pour l'indépendance de l'Irak, et enfin le boycottage des élections organisé en 1922-1923. Lors de tous ces épisodes, les chefs religieux pouvaient compter sur une base sociale dont le poids démographique était écrasant : les tribus, disait-on alors, sont « l'armée des *mujtahid* ». Davantage qu'un régime précis, même s'ils insistaient sur le caractère constitutionnel et l'indépendance du nouvel État, les dirigeants chiites mettaient en avant une certaine identité de l'Irak centrée autant sur l'islam que sur un sentiment patriotique arabe. Leur combat s'acheva par l'exil forcé des plus hautes autorités religieuses chiites en 1923. Alors commença pour la *marja'iyya* chiite une traversée du désert qui devait durer jusqu'à la fin de la monarchie hachémite.

À l'exception de l'ayatollah Mahdi al-Khalisi, la plupart des oulémas revinrent en Irak. Mais ils étaient désormais contraints au silence, sous peine d'être à nouveau exilés. La défaite du mouvement religieux était celle de toute une communauté. Depuis la fondation de l'État irakien, les chiites étaient exclus du gouvernement, de la carrière militaire et, d'une manière générale, de tout poste de pouvoir, comme ils l'avaient été à l'époque ottomane. Marqués par des siècles d'exclusion, ils avaient développé une culture qui leur faisait considérer avec méfiance tout ce qui venait du gouvernement, dont ils récusaient généralement la légitimité : ainsi, ce n'est qu'à partir des années 1940 qu'ils commencèrent à fréquenter de façon significative les écoles gouvernementales. En revanche, ils se rattrapaient dans le seul domaine où leur activité ne posait pas problème, le commerce. Des familles comme les Chalabi ou les Kubba[1] à Bagdad illustraient cette aptitude aux affaires. Lorsque les juifs, qui formaient une communauté démographiquement et économiquement très importante à Bagdad, émigrèrent vers Israël dans les années 1940, les chiites prirent leur place, s'imposant encore davantage dans le commerce. Les chiites avaient un autre terrain de prédilection, l'écriture : poètes et hommes de lettres irakiens étaient alors en majorité chiites. Mais ce sont les seuls domaines où ils purent se manifester, sans doute parce qu'ils relevaient de l'initiative privée. Sur les vingt-trois Premiers ministres que compta la monarchie, seuls quatre furent des chiites, et ce n'est qu'en 1947 que le premier d'entre eux put accéder à la fonction de chef du gouvernement.

Les textes constitutionnels votés en 1924 ne faisaient officiellement aucune distinction entre les citoyens irakiens, et semblaient considérer de la même façon sunnites et chiites. En réalité, le code de la nationalité irakienne, adopté en 1924, recelait une évidente discrimination confessionnelle. Selon ce code, en effet, seuls les Irakiens qui avaient eu la nationalité ottomane, ou dont les parents ou les grands-parents l'avaient eue, étaient considérés comme des citoyens irakiens de plein droit. Les autres durent faire la « demande » de la nationalité irakienne, et pour cela, « prouver » leur « irakité », même si leur famille avait vécu en Irak depuis des générations. Or il en était ainsi de l'immense majorité des chiites : beaucoup n'avaient pas eu la nationalité ottomane, les uns la considérant comme illégitime, les autres, les plus nombreux, parce qu'ils appartenaient à un monde rural opposé à celui des villes et qu'ils n'avaient souvent même pas l'idée de ce que signifiait une nationalité. D'autres, enfin, avaient la nationalité persane

---

1. Originaire de Kazimayn, la famille Chalabi organisa à l'époque ottomane le premier transport public urbain par tramway, avant de dominer le quartier des banques à Bagdad sous la monarchie. La famille Kubba avait fait fortune au XIXe siècle grâce au commerce de la soie.

– ou un de leurs parents ou grands-parents était persan – et étaient considérés comme de « rattachement iranien ». Parmi ces citoyens irakiens dits de « rattachement iranien », il y avait des Irakiens d'origine persane, religieux ou non, qui étaient installés en Irak, parfois depuis des siècles, mais aussi des Arabes qui n'avaient d'autres racines que l'Irak : religieux et commerçants chiites qui avaient opté pour la nationalité persane afin d'échapper à la conscription ottomane, tribus vivant à cheval sur les deux frontières.

Des milliers de familles de rattachement iranien durent entreprendre des démarches invraisemblables pour prouver qu'elles étaient bien irakiennes. Muhammad al-Jawahiri (1899-1997), membre d'une célèbre famille de *sayyid* chiites de Najaf, considéré comme le plus grand poète arabe de l'Irak du XXe siècle, évoque son cas : « J'ai reçu au début de l'année 1927, alors que je résidais à Najaf, une lettre m'annonçant que je ne pouvais pas postuler pour enseigner dans un lycée d'Irak, car je n'étais pas "irakien" [...]. On me demandait donc, alors que mon père cheikh Ali, fils du cheikh Muhammad al-Jawahiri, auteur du célèbre traité de théologie *Al-Jawâhir* et grand religieux de Najaf, était descendant de sept générations de la première ville sainte d'Irak, de faire une requête en vue de l'obtention de la nationalité irakienne. J'ai visité la plupart des pays arabes ainsi que d'autres pays dans le monde, mais je n'ai trouvé nulle part un tel scandale, à savoir que des citoyens puissent devenir des étrangers dans leur propre pays. »

Cette discrimination créa des situations aberrantes, puisqu'un Arabe non irakien, du fait qu'il était sunnite, avait davantage de droit qu'un Arabe chiite installé en Irak depuis des générations. Le même Muhammad al-Jawahiri fut ainsi destitué de son poste d'enseignant par Sati' al-Husri, principal théoricien du nationalisme arabe. Ce dernier, né au Yémen, de nationalité syrienne, fut nommé directeur des établissements d'enseignement supérieur en Irak en 1928 et accusa al-Jawahiri d'avoir écrit un poème à la gloire de l'Iran, ce qui était, déjà à l'époque, considéré comme une « trahison » de l'Irak. La propagande de l'État contre les chiites recourut souvent à l'accusation de *shu'ûbiyya*, terme qui dénonçait sous le règne abbasside ceux qui contestaient la suprématie des Arabes en terre d'islam. Par ces accusations, des chiites se voyaient contester non seulement leur « irakité », mais aussi leur « arabité ».

Cette vision discriminatoire a survécu à toutes les révolutions. C'est en son nom que le régime de Saddam Hussein s'attaqua, à partir de la fin des années 1960, aux Irakiens « de rattachement iranien » et qu'il les força à l'exil, quand il ne les soumit pas à la déportation de masse. Au lendemain de la seconde guerre du Golfe, Saddam Hussein montra encore du doigt les Arabes chiites des marais, qui s'étaient soulevés contre son régime, leur reprochant de n'être ni d'« authentiques » Irakiens ni de « vrais Arabes ».

## Naissance de la question kurde

« La plaine est aux Arabes, la montagne est aux Kurdes », affirme un dicton kurde. À la différence des plaines de la Mésopotamie, ouvertes aux migrations, les montagnes du Kurdistan ont toujours constitué une forteresse. Au fil des siècles, les vagues successives des tribus arabes s'arrêtèrent au pied des montagnes et n'y pénétrèrent jamais durablement, se contentant de lancer des razzias contre les communautés paysannes kurdes ou assyriennes du piémont. Derniers arrivés dans la région de Mossoul, les Shammar continuèrent à y terroriser les paysans jusque dans les années 1930.

À l'image de la société arabe, la société kurde est très segmentée. La langue kurde elle-même en est une illustration. Les Kurdes parlent une langue indo-européenne apparentée au persan, mais, contrairement au persan, celle-ci n'a été écrite qu'à l'époque moderne, à l'exception de certains morceaux d'anthologie de la littérature kurde. Le Kurdistan d'Irak couvre la frontière linguistique entre les deux principaux dialectes kurdes : la majorité, comme la plupart des Kurdes d'Iran, parlent le kurde méridional, ou sorani, qui s'écrit en caractères arabes quelque peu modifiés ; c'est le sorani que l'on parle à

Sulaymaniyya, la plus grande ville du Kurdistan d'Irak, qui, en tant que capitale culturelle et intellectuelle, a promu sa langue comme langue de la littérature kurde et comme langue « nationale » pour l'ensemble du Kurdistan. En revanche, dans les régions montagneuses et rurales du Nord, où les grandes villes sont inexistantes, on parle, comme la plupart des Kurdes de Turquie, le kourmandji, qui a adopté l'alphabet latin selon le modèle turc. Ces divisions linguistiques sont toutefois peu de chose comparées à celles qui existent entre les clans.

La configuration du relief a encouragé la rivalité des clans, eux-mêmes regroupés en tribus. Ces clans dominaient les paysans kurdes détribalisés. En rébellion presque continuelle aussi bien dans l'Empire ottoman qu'en Perse, les deux grands États dont ils dépendaient avant la création de l'Irak, mais aussi divisés par leurs luttes incessantes entre clans, les Kurdes vécurent longtemps en principautés indépendantes. Ce n'est qu'au XIXe siècle que l'armée ottomane vint à bout des dernières principautés de Bahdinan, Soran et Baban. Au début du XXe siècle, les vallées kurdes avaient perdu leur indépendance, mais les montagnes, difficilement accessibles, abritaient toujours de fortes communautés de pasteurs et d'agriculteurs[1] qui vivaient sous l'autorité des *âghâ* ; ceux-ci se transmettaient le pouvoir de père en fils et avaient parfois un statut religieux en tant que *sayyid* ou chefs de confréries soufies. Absentes du pays chiite, en raison de l'hostilité du clergé chiite, et en plein déclin chez les Arabes sunnites d'Irak, les confréries soufies structuraient l'islam majoritairement sunnite des Kurdes. Le sentiment national kurde ne s'est développé que tardivement dans les années 1930. Alors limité à quelques élites, il se superposait aux identités régionales et tribales, sans les faire disparaître. Les premiers partis nationalistes kurdes ne se formeront qu'après la Seconde Guerre mondiale.

En 1925, quand la Société des Nations décida que l'ancien vilayet de Mossoul revenait à l'Irak, les Kurdes représentaient

---

1. Les Zangana, les Jabbari, les Talabani, les Girdi, les Sourtchi, les Khoushnau, les Piran, les Pishdar, les Bradost, les Hamawand, les Jaf et d'autres.

un peu plus de la moitié de la population de l'ancienne province ottomane. La décision fut prise sous la pression de la Grande-Bretagne, qui lorgnait les gisements pétroliers de la région de Kirkouk, dont on présumait alors l'importance[1], et bien que les Alliés aient promis aux Kurdes de leur attribuer un État. Au lendemain du démembrement de l'Empire ottoman, le traité de Sèvres (10 août 1920), conclu entre le gouvernement d'Istanbul et les Alliés, prévoyait explicitement la création d'un « Kurdistan indépendant »[2]. Mais la victoire de Mustafa Kemal (1922) remit en cause le traité. Les Alliés oublièrent alors rapidement leur promesse en avalisant l'annexion par les Turcs des provinces de l'Est peuplées de Kurdes. De plus, le nouveau maître de la Turquie revendiquait Mossoul. En tant que puissance mandataire, la Grande-Bretagne défendait l'incorporation de Mossoul à l'Irak. Finalement, le traité de Lausanne (24 juillet 1923) annula tacitement les promesses du traité de Sèvres en consacrant la division des anciennes régions kurdes ottomanes entre la Turquie kémaliste et l'Irak sous mandat britannique. Le sort de Mossoul et du Kurdistan d'Irak fut laissé en suspens jusqu'à la décision de la SDN.

Les troupes britanniques, qui occupaient le vilayet de Mossoul depuis 1918, durent faire face à la révolte des Kurdes conduite par un chef religieux, cheikh Mahmoud Barzinji, qui souleva le Kurdistan méridional à partir de Sulaymaniyya. Les Kurdes refusant d'être incorporés à un État « arabe », le mouvement se poursuivit en 1919 et en 1920, alors même que, dans le sud du pays, les chiites se mobilisaient contre le mandat. Les Kurdes boycottèrent massivement le référendum organisé pour l'élection de Faysal en 1921, notamment à Sulaymaniyya,

---

1. Fondée en 1911, la Turkish Petroleum Company, cartel regroupant des intérêts allemands, britanniques et néerlandais, avait obtenu en 1912 du gouvernement ottoman la concession des gisements de pétrole qui seraient trouvés en Mésopotamie. Le 13 octobre 1927, la première découverte de pétrole irakien eut effectivement lieu à Qayara, près de Kirkouk. Cette compagnie devint en 1929 l'Iraq Petroleum Company, instrument privilégié des intérêts pétroliers anglo-américains en Irak.
2. Le traité amputait toutefois le « Kurdistan indépendant » de la majorité des territoires peuplés de Kurdes, puisqu'il ne concernait que les futurs Kurdistans turc et irakien.

et, l'année suivante, cheikh Mahmoud Barzinji se proclama « roi du Kurdistan ». Mais, pas plus que les chiites, ils ne purent vaincre la puissance militaire britannique, qui réprima la seconde révolte dirigée par cheikh Mahmoud en 1923, et finit par mater la rébellion en bombardant la région. Le leader kurde fut exilé aux Indes cette même année 1923 où les dirigeants chiites étaient exilés vers l'Iran. Le nouveau leadership du mouvement kurde se déplacera vers le nord à partir des années 1930, autour de la famille des Barzani[1].

En tant que sunnites, beaucoup de Kurdes avaient eu la nationalité ottomane, ce qui leur conféra un accès automatique à la nationalité irakienne, à la différence des chiites. Mais les vagues recommandations que la SDN avaient faites à Faysal afin qu'il leur laisse une certaine autonomie culturelle furent vite oubliées. Ne reconnaissant pas aux Arabes le droit de les gouverner, des notables de Sulaymaniyya s'adressèrent à la SDN en 1931 pour demander la création d'un État kurde détaché de Bagdad, sans obtenir gain de cause : on se contenta de leur répondre qu'il n'avait jamais été question que les Kurdes aient une quelconque autonomie au sein de l'Irak. Les guerres quasi permanentes qui ont ensanglanté le Kurdistan irakien à partir des années 1930 sont sans aucun doute une conséquence de la décision de la SDN.

En 1931, un autre chef kurde, Ahmad Barzani, le frère de Mustafa Barzani, le futur chef du mouvement nationaliste kurde, prit la succession de cheikh Mahmoud. Dès lors, pour réprimer les révoltes endémiques, l'armée irakienne remplaça peu à peu les Britanniques. Toutefois, à la différence encore des chiites, de nombreux Kurdes, réputés pour leurs qualités guerrières, furent intégrés à l'armée. Le général Bakir Sidqi, auteur du premier coup d'État militaire que connut l'Irak, en 1936, était un Kurde arabisé. Il ne se montra pas plus tendre pour autant avec ses compatriotes, puisqu'il lança contre eux l'aviation, comme il le fit plus au sud contre les tribus chiites. Toutefois, il tenta de rapprocher l'Irak de la Turquie et de

---

1. Les Barzani, dont le berceau se trouve dans le Badinan, près de la frontière turque, sont une famille célèbre de cheikhs liés à la confrérie soufie Naqshbandiyya.

l'Iran[1], manifestant ainsi sa distance avec l'arabisme qui présidait aux destinées de l'État irakien depuis sa fondation.

De 1943 à 1945, le centre de gravité du mouvement national kurde se déplaça à nouveau de la Turquie vers l'Irak. Après avoir enregistré de notables succès durant l'été 1945, l'armée de Mustafa Barzani fut battue. Elle dut faire retraite en Iran, où les premiers réfugiés rejoignirent l'éphémère république kurde de Mahabad qui avait vu le jour en décembre 1945, à la faveur des succès soviétiques. Après cette aventure, le général Mustafa Barzani réussit, avec quelques centaines de ses partisans, à se frayer un chemin à travers les frontières turco-iraniennes jusqu'en Union soviétique, où ils trouvèrent refuge pendant onze ans. Cette « retraite des Cinq Cents » deviendra bientôt légendaire. C'est à cette époque que Mustafa Barzani créa le Parti démocratique du Kurdistan d'Irak, qui jouera un grand rôle dans le mouvement national kurde.

Le Parti démocratique du Kurdistan (*Hizb dîmûqrâtî Kurdistânî*), que l'on appelle selon son nom kurde PDK ou *Al-Pârtî* (du kurde *Pârtî Dîmûqrâtî Kôrdestânî*), a été fondé précisément en 1947. Le PDK, qui présidera à toutes les heures de gloires mais aussi à toutes les défaites du mouvement national kurde en Irak, se voulait un parti national de masse, « inspiré par le marxisme-léninisme ». Les liens très anciens tissés dans la clandestinité avec le Parti communiste, qui trouva souvent refuge au Kurdistan, la référence à l'Union soviétique, lieu d'exil du fondateur du PDK, l'ont durablement influencé. Doté de tous les attributs du parti léniniste, il comprenait un comité central et un bureau politique, mais son organisation centralisée masquait le pouvoir, souvent dictatorial, de Mustafa Barzani.

Second terme de la question irakienne, le problème kurde était venu s'ajouter à la domination des sunnites sur les chiites. Il en était la seule expression visible : les Kurdes ne pouvaient en effet se sentir représentés par un État qui se définissait officiellement comme arabe.

---

1. Il fit ainsi adhérer l'Irak au pacte de Saadabad en 1937.

CHAPITRE 3

# La République des illusions perdues
# (1958-1968)

La monarchie hachémite est renversée le 14 juillet 1958 par un groupe d'Officiers libres organisés sur le modèle égyptien. Le roi et une partie de sa famille sont massacrés. Nouri Saïd, qui tentait de fuir déguisé en femme, est reconnu et lynché par une foule déchaînée pour laquelle il est plus que jamais « l'homme des Anglais ». La république est aussitôt proclamée. L'un des putschistes, le général Abd al-Karim Kassem, élimine rapidement les autres Officiers libres et installe un pouvoir personnel. Répondant aux aspirations de l'immense majorité du pays, il désengage progressivement l'Irak de la tutelle britannique et, le 24 mars 1959, annonce officiellement son retrait du pacte de Bagdad. Pour la première fois, l'État irakien vogue sans la protection de celui qui l'a conçu. Les mouvements d'opposition, contraints à la clandestinité sous la monarchie, se manifestent au grand jour, espérant que le nouveau régime entreprendra les réformes politiques et sociales qui sont depuis un moment déjà dans l'air du temps dans la région, notamment en Syrie, en Iran et en Égypte[1].

---

1. En Syrie, la république parlementaire (1946-1963) voit la montée en puissance des forces nationalistes. En 1951, Mosaddeq, alors Premier ministre, nationalise le pétrole iranien. Et en 1956, Nasser nationalise le canal de Suez.

Mais les espoirs font long feu. Le régime de Kassem ne peut surmonter les profondes divisions politiques qui déchirent la société irakienne, et les clivages ethniques aussi bien que confessionnels resurgissent. Le rappel à la réalité est sanglant : la guerre contre les Kurdes reprend dès 1961, et, cinq ans à peine après la chute de la monarchie, en 1963, Kassem est renversé. C'est le début d'une nouvelle série d'épreuves pour les chiites : ayant massivement adhéré aux partis politiques, ils sont brutalement renvoyés à leur identité confessionnelle.

Un nouvel acteur entre alors officiellement sur la scène politique, avec l'appui de l'armée : le parti Baas, le grand parti du nationalisme arabe en Irak. Les baassistes ont réussi un premier coup d'État en renversant Kassem qui les avait exclus du pouvoir. Mais ils sont à nouveau chassés quelques mois plus tard. Ils reviendront triomphalement en juillet 1968, pour porter à la tête de l'État le tandem Ahmad Hassan al-Bakr/Saddam Hussein.

## Kassem choisit l'Irak

La révolution antimonarchique de 1958 est avant tout un coup d'État militaire. Les Officiers libres ont pris de vitesse un mouvement d'opposition qui exprimait le rejet croissant du régime hachémite et de la tutelle britannique de l'après-mandat, et, plus généralement, qui aspirait à des réformes sociales. En Égypte, en 1952, le Comité des officiers libres, parmi lesquels se trouvait Nasser, avait renversé le roi en court-circuitant les Frères musulmans[1]. De même, en Irak, les Officiers libres ont confisqué à leur profit les fruits d'une attente populaire dont la traduction politique paraissait inéluctable. Au Caire comme à

---

1. Les relations entre les Officiers libres et les Frères musulmans égyptiens, alors au sommet de leur puissance, restèrent un moment ambiguës. Au début, les Frères apportèrent leur soutien au régime des officiers, qui semblait vouloir réaliser une bonne partie de leur programme. Mais, le 13 janvier 1954, Nasser dissolvait la confrérie et arrêtait tous ses dirigeants. Désormais, une guerre sans merci opposera le *raïs* au mouvement islamiste.

Bagdad, les partis de l'opposition n'ont pas été associés au coup d'État et ont été mis devant le fait accompli. Là s'arrête, cependant, la ressemblance entre les deux révolutions. Car, sur les bords du Tigre et de l'Euphrate, l'armée reste avant tout la gardienne de l'État mis en place par la puissance mandataire ; en prenant la tête d'un mouvement d'opposition qu'elle avait réprimé pendant des décennies pour mieux le contrôler, elle s'acquitte d'une simple mission de police intérieure, alors que l'armée égyptienne joue un rôle patriotique indéniable.

Après avoir mis à bas la monarchie, les Officiers libres instaurent un conseil de souveraineté composé d'officiers supérieurs : Kassem devient Premier ministre et ministre de la Défense, tandis qu'Abd al-Salam Aref reçoit le portefeuille de l'Intérieur. Après des années de répression et de musellement des identités, les espoirs sont immenses. La république irakienne libère un flot d'aspirations qui s'expriment dans les partis d'opposition. Sous la monarchie, Istiqlâl, Baas, Parti national démocrate et Parti communiste irakien[1] s'étaient regroupés pour former clandestinement un Front national unifié. Tous attendent à présent que le nouveau régime mette en chantier les réformes si longtemps désirées. S'ils sont à l'unisson pour exiger leur légalisation, l'affranchissement à l'égard de l'ex-puissance mandataire et la réappropriation par l'Irak de son pétrole, encore exploité par une Iraq Petroleum Company (IPC) dominée par les capitaux européens, ils divergent en revanche sur des points essentiels. Les communistes et le Parti national démocrate privilégient les questions sociales, la

---

1. Ardemment panarabe, l'Istiqlâl (Parti de l'indépendance) était une sorte de proto-Baas qui se réclamait de l'héritage du mouvement anti-britannique conduit par Rachid Ali al-Gaylani en 1941. Le Parti national démocrate devait sa notoriété à la personnalité de son président, Kamel Chaderchi. C'est dans ce parti de centre gauche, professant un socialisme modéré teinté de tiers-mondisme, partisan du neutralisme tout en prônant l'amitié avec l'Union soviétique, que Kassem trouve les hommes pour pourvoir les ministères de ses premiers gouvernements. Le PND, qui recrutait surtout parmi les couches aisées des grandes villes et les intellectuels, n'a, à l'instar de l'Istiqlâl, jamais rassemblé plus de cinq mille membres. Le Parti communiste était la véritable force du Front national unifié de l'opposition. Istiqlâl et PND disparurent à la suite du coup d'État baassiste de 1963.

réforme agraire, la liberté syndicale, l'amitié avec l'Union soviétique et le maintien de l'identité de l'Irak au sein du monde arabe ;
de leur côté, l'Istiqlâl et le Baas sont beaucoup plus conservateurs
en matière sociale et ne parlent que de panarabisme et d'union avec
les autres pays arabes.

À l'époque, ces divergences apparaissent cependant comme
uniquement politiques. À l'exception des Kurdes, rares sont
ceux qui mettent en avant les questions d'appartenance communautaire, notamment confessionnelle, comme un facteur décisif
dans la vie politique. Les identités ethniques semblent les seules
dignes d'intérêt ; Arabes et Kurdes revendiquent leur part de
modernité. L'appartenance confessionnelle semble alors une
simple survivance d'un passé révolu. À quoi bon ressasser de
vieilles haines dont l'Irak a déjà tant souffert ? À l'instar de
l'immense majorité des Irakiens, tous, communistes, nationaux-démocrates ou baassistes, quelle que soit leur affiliation
confessionnelle, misent sur l'émancipation politique et économique du pays pour sortir des divisions entre communautés et
engager l'Irak sur la voie du progrès. En favorisant l'essor de
partis idéologiques multiconfessionnels – communiste, baassiste et autres nationalistes arabes ou irakiens –, la révolution de
1958 inaugure une période où les illusions de voir dépassée la
question irakienne, alors occultée par tous les intellectuels du
pays, est à son apogée. Les nouvelles élites irakiennes se préoc-
cupent avant tout de la question nationale (arabe ou irakienne)
et de réformes sociales.

Les illusions nationales irakiennes n'ont jamais été plus
fortes que sous le régime de Kassem qui se démarque précisément du nationalisme arabe. Car les dissidences ne tardent pas
à apparaître au sein des Officiers libres. Kassem, dont les
sentiments patriotiques irakiens vont de pair avec un goût
immodéré pour le pouvoir personnel, engage l'Irak sur une
voie inédite. Sous son autorité s'installe un régime unique
dans l'histoire de l'Irak, en ce sens qu'il choisit la voie
« irakiste » plutôt que le panarabisme. Les bonnes relations du
premier régime républicain avec l'Égypte de Nasser n'y résis-
tent pas. Deux ans après la crise de Suez, le *raïs* égyptien fait
figure de leader du monde arabe et de la lutte contre le
colonialisme. La République arabe unie, qui regroupe

l'Égypte et la Syrie, fondée en 1958, quelques mois seulement avant la chute de la monarchie hachémite, tente de convaincre l'Irak de la rejoindre. Mais cette union a imposé à la Syrie une situation de dépendance envers l'Égypte. Pour préserver son pouvoir autant que par convictions « irakistes », Kassem refuse les avances insistantes en provenance des bords du Nil. Un tel choix réjouit en Irak tous ceux qui redoutent l'« impérialisme » égyptien et l'unionisme arabe, c'est-à-dire au premier chef les communistes et les Kurdes. Mais il suscite l'hostilité des partisans du nationalisme arabe, auquel adhèrent un grand nombre d'officiers, qu'ils soient baassistes ou nassériens, ces derniers étant tous attachés au sunnisme.

## Des alliances politiques

Quelques semaines après le renversement de la monarchie, Kassem instaure un régime personnel et fait le choix d'alliances politiques. Bien qu'il doive son pouvoir à un putsch militaire – il est lui-même officier –, il ne veut pas se reposer exclusivement sur une armée toute-puissante dont les officiers le poussent à s'unir aux autres pays arabes, union qu'il rejette. Ses convictions « irakistes » le portent naturellement à rechercher le soutien des forces libérées par la révolution pour lesquelles le panarabisme est un repoussoir. En clair, elles le conduisent à jouer la carte du Parti communiste, alors au faîte de sa puissance, au sein duquel les chiites sont devenus majoritaires, et du Parti démocratique du Kurdistan de Barzani.

Après s'être débarrassé des autres officiers du coup d'État, Kassem nomme un gouvernement composé de militaires ralliés à sa cause et de personnalités proches des partis de l'ex-opposition clandestine. À la tête d'un Tribunal militaire suprême, le colonel Mahdawi, surnommé « le tribun rouge » par les uns, « le bourreau rouge » par d'autres, dirige une série de procès d'épuration à grand spectacle, très influencés par les mises en scène staliniennes. Représentant le milieu des officiers panarabistes, les premières victimes en sont Abd al-Salam Aref et Rachid Ali al-Gaylani. Ils sont condamnés à mort, mais aucun des deux ténors du nationalisme arabe ne sera finalement exécuté ; al-Gaylani sera même réhabilité plus tard par Kassem, qui se rappelait peut-être que son père avait été métayer au service de ce dernier. Pour l'heure, exclus du pouvoir et bientôt soumis à la répression, beaucoup de nationalistes arabes décident de s'exiler en Syrie ou en Égypte. Les autres commencent à préparer clandestinement le renversement du régime.

Les Kurdes deviennent ainsi l'un des principaux partenaires du nouveau régime républicain. Dès son arrivée au pouvoir, Kassem fait un pas décisif dans la reconnaissance de l'identité nationale kurde et célèbre la fraternité arabo-kurde. Mustafa Barzani, le chef du Parti démocratique du Kurdistan, rentre de son exil soviétique, et les activités du PDK sont autorisées. La Constitution de 1958 stipule que « les Arabes et les Kurdes sont associés dans la nation » et que leurs « droits nationaux » sont garantis au sein de l'« unité irakienne ». Cette association est symbolisée sur le nouveau drapeau de l'État irakien : le disque d'or, emblème de Saladin (qui était d'origine kurde), et le poignard kurde recourbé sont ajoutés au sabre arabe. Le kurde est reconnu comme langue officielle et, pour la première fois, commence à être enseigné dans des écoles. Kassem fait même répandre une rumeur selon laquelle sa mère est d'origine kurde. Et, en mars 1959, ce sont des combattants kurdes du PDK qui, associés aux milices communistes, « sauvent » le régime de Kassem d'une tentative de putsch dirigée par le colonel Shawwaf à Mossoul.

Quatre mois plus tard, la ville de Kirkouk est le théâtre d'affrontements sanglants entre les Kurdes et leurs ennemis traditionnels, les Turkmènes[1]. Mais les excès des milices kurdes

---

1. Les Turkmènes d'Irak ont d'abord pénétré en Mésopotamie dans le sillage des sultans seldjoukides, au XIe siècle. Au XVe siècle, la Horde du Mouton blanc vit son royaume s'effondrer sous les coups du chah de Perse. Un îlot de Turkmènes resta accroché au rebord méridional du Kurdistan. La Porte les sédentarisa plus tard afin qu'ils montent la garde contre la turbulence des Kurdes. Ce rôle de gendarme explique l'hostilité des Kurdes à leur égard. Leur langue est une variante du turc, compréhensible en Turquie. Répartis entre sunnites (pour 60 % d'entre eux) et chiites (les 40 % restants), leur nombre ne dépasse pas 300 000 âmes. Ils sont cependant majoritaires à Kirkouk.

et communistes provoquent une vive opposition au sein de l'armée. Les événements ont mis en évidence qu'il y a un danger de voir l'armée se diviser non seulement en fonction de clivages politiques (communistes contre nationalistes arabes), mais aussi désormais ethniques. Un certain nombre d'officiers affirment que le dirigeant irakien est l'otage des communistes et des Kurdes. Kassem, prenant prétexte des émeutes de Kirkouk, lors desquelles il y a eu des dérapages ethniques, décide de limiter l'influence du PDK. Les dirigeants successifs de l'Irak retiendront la leçon de ces périodes troublées : on ne dégarnit jamais Bagdad de ses troupes, quoi qu'il puisse arriver dans le reste du pays.

Toutefois l'allié le plus puissant de Kassem est de loin le Parti communiste, alors le premier parti politique irakien, qui va lui aussi se révéler vite encombrant. De tous les pays arabes, l'Irak est celui qui compte le parti communiste le plus important. À l'exception du Soudan, aucun autre pays arabe n'a connu un mouvement communiste bénéficiant d'une base aussi massive. Après des années de clandestinité, ses diverses organisations, « Forces de la résistance populaire », « Partisans de la paix », « Jeunesses progressistes », occupent le devant de la scène dans une sorte d'immense *happening*. À Bagdad, les slogans criés dans les rues, les drapeaux rouges que brandit la foule, les affiches et graffitis sur les murs laissent croire qu'une nouvelle république populaire est en train de naître. Les « manifestations démocratiques », c'est-à-dire les milices armées liées au PCI, investissent la rue irakienne et semblent y faire la loi.

Jusqu'en 1961, la puissance du PCI semble sans limites, même si paradoxalement le parti n'a toujours pas d'existence légale. Les chiites, associés aux Kurdes, parmi lesquels se trouvent les groupes les plus défavorisés de la population irakienne, y sont les plus nombreux. Fondé en 1934, le Parti communiste irakien *(Hizb shuyû'i 'irâqî)* est le plus ancien parti sur la scène politique irakienne. Bien que clandestin, son influence n'a cessé de croître sous la monarchie. En l'absence des dirigeants religieux, réduits au silence, les propagandistes du parti envoyés dans les campagnes n'hésitaient pas à présenter le communisme comme une « version moderne » du chiisme. Les mots *shî'î* (chiite) et *shuyû'î* (communiste) ne dérivent-ils pas de la même racine ? Le communisme n'a-t-il pas, comme le chiisme, le souci de lutter contre la tyrannie et l'oppression ? L'étendard de la révolte brandi jadis par l'imam Hussein contre la tyrannie omeyyade n'est-il pas rouge, lui aussi ? Les paysans asservis ne pouvaient qu'acquiescer. Dans les villes, où apparaissent les premiers bataillons du prolétariat irakien, le chiisme de la misère est aussi un terreau idéal pour les idées communistes. À la fin des années 1950, les chiites occupent une place prépondérante à la base comme au sommet du Parti communiste. Parmi les cadres communistes, il y a de nombreux fils de *sayyid* chiites[1] ou de religieux, qui retrouvent dans le parti la fonction dirigeante traditionnelle de leur famille, au service cette fois d'un tout autre idéal. Même les villes saintes font alors figure de bastions communistes. Avec un secrétaire général et une majorité de militants chiites, le Parti communiste incarne la tendance majoritaire au sein de la communauté chiite. Que ce courant soit laïque et violemment anticlérical n'est pas anodin. C'est précisément le souci de contrer la « menace communiste » en milieu chiite qui a suscité le réveil du mouvement religieux avant même la fin de la monarchie.

Pour les nationalistes arabes qui veulent se rapprocher de la République arabe unie[2], cette « vague communiste » est la pire des calamités. Nassériens et baassistes sont violemment hostiles à l'idéologie « irakiste » de Kassem, au point que l'un d'entre eux, un jeune baassiste alors inconnu, Saddam Hussein, âgé de vingt ans, tente d'assassiner le leader irakien le 7 octobre 1959, en plein après-midi, rue Rachid, la grande artère de Bagdad. Ayant échoué, Saddam Hussein est contraint à l'exil, d'abord à Damas, puis au Caire, où les

---

1. Rappelons que les *sayyid* sont les descendants du Prophète. Chez les chiites, le mot désigne plus particulièrement les descendants de Muhammad par Hussein. Reconnaissables à leur turban noir ou vert, ils sont particulièrement vénérés par les fidèles, qui leur destinent une part des impôts islamiques que les sunnites paient à l'État. Le grand poète communiste Muhammad al-Jawahiri était ainsi membre d'une célèbre famille de *sayyid* chiites de Najaf.

2. À cette époque, Frères musulmans et communistes égyptiens se retrouvent dans les geôles de Nasser.

services secrets égyptiens mettent Nasser en garde contre les contacts du jeune Irakien avec l'ambassade américaine.

Depuis le début du régime, la question de l'union arabe se greffe sur la rivalité traditionnelle de l'Égypte et de l'Irak. Le Caire accuse Bagdad d'être vendu aux communistes. Nasser, jouant sur les mots, désigne Kassem comme le « diviseur de la nation arabe » (en arabe, *qâsim* signifie « celui qui divise »). Les relations entre les deux capitales se détériorent vite. Une virulente guerre des ondes oppose La Voix des Arabes, qui émet sur les rives du Nil, et Radio-Bagdad, chacune accusant le dirigeant adverse d'être au service de l'impérialisme et de persécuter l'islam dans son propre pays. L'hostilité du *za'îm* (le chef), nom que les communistes ont donné à Kassem, et de Nasser redouble quand l'Irak réitère son refus de rejoindre la République arabe unie.

À Bagdad, les promesses de Kassem s'envolent au fil des mois. Après bien des atermoiements, le *za'îm* se refuse à légaliser les partis qui sont ses principaux soutiens : le Parti communiste, premier allié du régime et qui domine la vie politique, n'est toujours pas reconnu légalement alors qu'il y a des communistes au gouvernement. Il en va de même du Parti démocratique du Kurdistan de Barzani. Pris en tenaille entre les aspirations politiques et sociales incarnées par les communistes et les Kurdes et l'hostilité résolue des officiers, acquis aux idées du nationalisme arabe, Kassem n'a cependant jamais cessé de favoriser l'armée : il augmente le budget militaire, modernise l'hôpital Rachid, le Val-de-Grâce irakien, et n'hésite pas à flatter l'institution militaire en appelant Canal de l'Armée la voie reliant le Tigre à la rivière Diyala, en plein Bagdad. Une fête de l'armée est instituée, le 6 juillet, et l'Académie militaire de Bagdad reçoit des officiers venus de tout le monde arabe. Bien qu'il représente l'armée, Kassem entretient cependant des rapports tendus avec la caste des officiers. Et parmi ces derniers se trament plusieurs complots qui finiront par avoir raison de lui.

## *Le début de la fin des illusions*

Moins de deux ans après la chute de la monarchie, les alliances que Kassem a nouées volent en éclats, faisant apparaître en plein jour les contradictions insolubles dont il est prisonnier. Il doit choisir entre l'armée ou l'alliance avec les communistes et les Kurdes. En dernier ressort, Kassem choisit l'armée et commence à se retourner contre ses alliés.

Les événements de Kirkouk lui en fournissent le prétexte. Lors de ces journées sanglantes, à la mi-juillet 1959, les communistes ont prêté main-forte aux véritables pogroms organisés par les Kurdes contre les Turkmènes, ces derniers étant qualifiés en bloc de « réactionnaires » par les militants kurdes du parti. À présent, des militaires n'hésitent pas à rejoindre les Forces de la résistance populaire et les Partisans de la paix, les milices communistes. Du coup, Kassem entreprend de contrer l'influence grandissante parmi les hommes du rang du premier parti politique à avoir entrepris en Irak une action politique dans l'armée : la répression s'abat à nouveau sur les militants du Parti communiste, qui n'aura connu qu'un court répit. Revenant également sur ses engagements envers Mustafa Barzani, Kassem apporte son soutien à d'autres clans kurdes. La situation s'envenime et, en septembre 1961, la guerre reprend au Kurdistan. À partir de cette année, le Kurdistan d'Irak ne connaîtra que de rares périodes de paix. Les cessez-le-feu et les accords mort-nés se succéderont de 1963 à 1968.

Avant même la reprise de la guerre au Kurdistan, l'« affaire du Koweit », en juin 1961, montre la volonté du *za'îm* d'offrir un dérivatif panarabe pour faire passer au second plan ses difficultés intérieures. Au moment même où l'indépendance de l'émirat est proclamée, Kassem soutient que celui-ci lui revient. L'Irak avait déjà tenté de faire valoir ses droits sur le Koweit en 1939 sous le roi Ghazi, puis sous Nouri Saïd. Kassem soutient la même thèse que ses prédécesseurs : le Koweit aurait été arraché à la « mère patrie » irakienne par la volonté des Britanniques (le Koweit, qui était rattaché au vilayet de Bassora à l'époque ottomane, était en réalité devenu un protectorat britannique bien avant la création de l'État irakien). L'armée est mobilisée. Finalement, l'affaire est réglée grâce à de bons offices diplomatiques, sous la menace à peine voilée des pays occidentaux. L'irrédentisme irakien récurrent sur le petit émirat du Sud est bien une illustration de ces « causes nationales » suscitées par un pouvoir minoritaire.

Les revendications de Bagdad sur le Koweit sont d'autant plus dérisoires que tous les pays arabes les condamnent : Kassem réussit même la prouesse d'unir contre lui l'Arabie saoudite et la République arabe unie, deux ennemis déclarés. De fait, le régime de Kassem ne parvient pas à briser l'isolement dans lequel se trouvait déjà le pays avant la révolution. Sous la monarchie, l'Irak avait eu un rôle relativement marginal dans la région, malgré son importance démographique – c'était le pays arabe du Moyen-Orient le plus peuplé après l'Égypte – ; malgré aussi ses atouts économiques, ses ressources en eau et son pétrole abondant. Ses ambitions arabes s'étaient limitées à des projets de regroupement qui n'avaient jamais vu le jour, comme le Croissant fertile cher à Nouri Saïd, qui devait englober sous l'égide de Bagdad l'Irak, la Syrie, le Liban, la Palestine et la Transjordanie, ou qui avaient rapidement avorté, comme l'union des monarchies hachémites d'Irak et de Jordanie en 1958. Dans les deux cas, Bagdad voulait s'opposer à ce qui lui apparaissait comme un insupportable hégémonisme égyptien. L'union hachémite irako-jordanienne visait précisément à faire pièce à la toute jeune République arabe unie, dominée par l'Égypte de Nasser, dans laquelle Bagdad, alors soutenu par la Grande-Bretagne, craignait d'être absorbé.

La rivalité des deux capitales n'était pas nouvelle : déjà en 1945, lors de la création de la Ligue arabe, le délégué irakien avait été le seul à ne pas rendre hommage à la primauté de l'Égypte dans son discours. Cette rivalité ne s'est pas atténuée avec l'instauration de la république : Kassem et Nasser se sont engagés dans des surenchères « anti-impérialistes » sans fin par médias interposés. Le coup d'État syrien qui, en 1961, met fin de fait à la République arabe unie n'a pas calmé le jeu.

Depuis la chute de la monarchie, les enjeux de l'unité arabe ont divisé l'Irak plus que tout autre pays de la région et ont abouti à des alliances paradoxales. D'un côté, les « unionistes », qui souhaitent que l'Irak se rapproche de la République arabe unie, manifestent autant un anticommunisme viscéral que des sentiments nationalistes exacerbés par les regroupements arabes en cours et par la popularité de Nasser. De l'autre, les « anti-unionistes » rassemblent tous ceux qui craignent l'« impérialisme » égyptien : Kassem, les communistes, les Kurdes, ainsi que les dirigeants religieux chiites, alors très influencés par l'Iran du chah. Ce dernier apporte un soutien discret aux anti-unionistes, car il préfère voir à ses frontières occidentales un Irak « irakien » plutôt qu'une nouvelle province de la République arabe unie. Un grand nombre de chiites se méfient d'une union qui les aurait noyés dans un monde arabe majoritairement sunnite ; leur adhésion massive au Parti communiste, le fer de lance du mouvement hostile aux unionistes, manifeste sans aucun doute leur volonté de préserver l'identité de l'Irak au sein du monde arabe.

Mais ce n'était là que le début de la fin des illusions. L'échec de la démocratisation et de l'insertion du nouveau régime dans le paysage arabe s'est accompagné de l'échec de la réappropriation par l'Irak de son pétrole. Pendant longtemps, l'État irakien avait dû se contenter de redevances insignifiantes sur l'exploitation de ses ressources pétrolières. En 1952, cependant, il avait signé un accord avec les groupes de l'Iraq Petroleum Company[1], stipulant que les bénéfices lui reviendraient pour moitié. L'une des premières revendications de la jeune République concerne naturellement le pétrole. À la faveur du premier boom pétrolier, Kassem met en avant de nouvelles exigences, mais il ne bénéficie pas de la base qui a permis à Nasser en 1956 de nationaliser le canal de Suez.

---

1. L'Iraq Petroleum Company était alors détenue par la British Petroleum Company (ex-Anglo-Persian Oil Company), la Royal Dutch-Shell (hollando-britannique), la Near-East Development (américaine, dont le capital appartenait pour moitié à la Standard Oil of New Jersey et à la Socony Mobil Oil) et la Compagnie française des pétroles. Au moment de l'accord initial conclu en 1928, chacun détenait 23,75 % du capital, les 5 % restants revenant à Calouste Gulbenkian, un ancien expert de la Shell et de la Royal Dutch.

L'instabilité de sa position comme son isolement dans la région et au sein de l'OPEP (créée en 1960) lui font craindre un affrontement majeur avec les pays occidentaux s'il nationalise la compagnie de pétrole. Kassem se contente de grignoter les privilèges et le monopole de l'Iraq Petroleum Company, politique qui aboutira, en 1964, sous son successeur, à la création d'une compagnie concurrente, l'Iraq National Oil Company (INOC). Toutefois, la prise de contrôle par l'Irak de son pétrole est devenu un enjeu national, symbole de l'indépendance économique à laquelle aspirent les principaux courants politiques.

Le régime de Kassem n'a pas tenu non plus ses promesses dans les campagnes. L'une des premières mesures de la République a été de promulguer une loi de réforme agraire, mais celle-ci s'est traduite par la création de gigantesques exploitations de type soviétique dont le bilan se révèle bientôt médiocre. La réforme agraire de 1958 et son amendement en 1964 vont certes briser le pouvoir des semi-féodaux, mais sans mettre fin à la domination des propriétaires fonciers. Bien que les paysans soient désormais affranchis de la tyrannie des cheikhs, leurs conditions de vie ne s'améliorent guère et ils continuent à quitter la terre.

Quant à l'industrialisation de l'Irak, elle démarre véritablement sous l'ère républicaine. Mais elle est subordonnée à une stricte planification : dès le début, le secteur public y a donc un rôle prédominant, et son développement est entravé par l'instabilité politique. Les plans quinquennaux ne seront mis en œuvre véritablement qu'à partir de 1968, après l'arrivée du second régime baassiste.

En fin de compte, la République a déstabilisé le fragile équilibre péniblement mis en place par les Britanniques. Elle n'a pas été capable de former des élites stables à l'image de la classe politique de la monarchie. Les anciennes élites ont été éliminées et la libération de mouvements longtemps contenus – qu'il s'agisse des communistes, des Kurdes, des partis nationalistes arabes – et bientôt des religieux chiites – n'a pas permis l'émergence de nouvelles élites « nationales ». Le retour aux affrontements qui marque la fin du régime de Kassem va aboutir, une fois le za'îm renversé, à la mise en place de gouvernements nationalistes arabes qui auront le caractère de plus en plus marqué de régimes confessionnels arabo-sunnites.

Sous le règne hachémite (à l'exception du bref intermède conduit par Rachid Ali al-Gaylani en 1940), les élites sunnites, du fait de leur base politique et sociale restreinte, avaient dû s'appuyer sur la Grande-Bretagne. Désormais, pour pallier la légitimité qui leur fait cruellement défaut à l'intérieur du pays, les candidats au pouvoir vont chercher une légitimité extérieure, en se réclamant donc d'une mythique « nation arabe ». Les Britanniques n'étant plus là pour les soutenir, ils seront confrontés au cercle vicieux de la question irakienne : c'est grâce à la protection des Britanniques, dont eux-mêmes voulaient s'émanciper, que leurs aînés avaient pu garder le pouvoir. Devant faire face à l'opposition croissante des communautés exclues, en tout premier lieu des chiites et des Kurdes, les nouvelles élites arabo-sunnites, notamment un certain nombre d'officiers issus de la petite bourgeoisie ou de la grande bourgeoisie provinciales, vont tenter d'accaparer les rênes du pays. Mais leur marge de manœuvre sera singulièrement plus réduite que celle dont avait pu bénéficier la classe dirigeante de la monarchie, en raison des aspirations communautaires grandissantes, mais aussi en raison des échecs de l'unité arabe. Les divisions au sein même du mouvement nationaliste aiguiseront à leur tour les rivalités parmi ceux qui aspirent au pouvoir, faisant le jeu de clans régionaux. La domination confessionnelle et ethnique sur laquelle reposait l'État irakien sous la tutelle des Britanniques va ainsi laisser place irrémédiablement à la simple domination d'un clan, qui sera la caractéristique du régime de Saddam Hussein.

## L'entrée en scène du parti Baas

Le Baas (*Hizb al-Ba'ath al-'arabî al-ishtirâki*, ou Parti de la renaissance arabe et socialiste) est la principale manifestation du mouvement nationaliste arabe en Irak. Ce sont de jeunes

Syriens qui ont élaboré dans les années 1930 la doctrine de ce qui deviendra quelques années plus tard le parti Baas, lequel allie nationalisme arabe, socialisme et laïcité. Ses promoteurs sont d'anciens élèves de la Sorbonne, à l'instar de Michel Aflaq et Zaki Arsouzi ; à Paris, ils ont rencontré Salah Bitar, un autre membre fondateur du parti. Enseignants, ils ont beaucoup lu les philosophes français, Maurras, Bergson, Emmanuel Mounier, mais aussi Marx et Nietzsche. L'identité de ce parti ne se réduit certes pas au célèbre slogan baassiste « Unité-Socialisme-Liberté » et à la profession de foi « Une seule nation arabe à la mission éternelle », car, en Syrie comme plus tard en Irak, le slogan de l'unité arabe recouvre de nombreux non-dits. Dans les sociétés communautaires à majorité musulmane du Moyen-Orient, ces mots d'ordre unitaires et laïques ne pouvaient être exempts d'arrière-pensées communautaires. L'unité arabe était symbolisée par l'organisation du parti, le commandement national étant composé de membres de différentes « régions » (en arabe *qutr*, en réalité la Syrie, l'Irak ou d'autres pays arabes).

Implanté en Irak par des militants syriens, le Baas y a été fondé en 1952 par un chiite. À ses débuts, le parti a réussi une réelle symbiose entre les deux communautés musulmanes du pays. Sous Kassem, il compte un nombre non négligeable de chiites, même si ceux-ci sont beaucoup plus nombreux dans les rangs du Parti communiste. Le Baas est alors dirigé par des chiites, et de nombreux chiites militent dans les rangs du parti qui exprime un sentiment nationaliste alors répandu en Irak. À l'époque, le baassisme exprime aussi une particularité du Machrek qui le distingue du nassérisme, lequel a une coloration sunnite plus affirmée, et les chiites sont sensibles à cette particularité. Certes, l'opposition entre civils (tous les chiites sont des civils) et militaires (en majorité sunnites) cristallise une différenciation confessionnelle croissante au sein du Baas. Mais les réflexes confessionnels ne sont pas conscients dans un premier temps et l'idéal nationaliste arabe n'apparaît pas encore comme un domaine réservé des sunnites.

Le Baas, qui depuis toujours voue une hostilité implacable à Kassem, a organisé au sein des officiers une opposition clandestine contre le *za'îm*, qui aboutit finalement à un coup d'État. Le 8 février 1963, le Baas, allié à un groupe d'officiers nationalistes, renverse Kassem, avec l'aide discrète de la CIA, dit-on. Kassem est exécuté après un simulacre de procès. Par bien des aspects, le coup d'État ressemble à une contre-révolution : il manifeste autant la revanche des classes possédantes, effrayées par la vigueur du mouvement communiste, qu'un retour de l'affirmation du caractère arabe et sunnite de l'État.

## Le début du divorce Baas/chiites

Au lendemain du coup d'État, en effet, commence une impitoyable répression anticommuniste. Or celle-ci revêt vite des allures clairement confessionnelles. Le slogan de certaines milices baassistes qui prennent d'assaut les quartiers de Bagdad tenus par les communistes ne laisse aucun doute sur la haine envers les chiites : « *Lâ shî'î, lâ shuyû'î, lâ Sharâgwa !* » (Plus de communistes, plus de chiites, plus de Sharâgwa ! – c'est-à-dire les « Orientaux », nom donné en dialecte irakien à la masse des migrants originaires des campagnes chiites du Tigre, et qui sont majoritaires dans de nombreux quartiers populaires de Bagdad). À ces slogans haineux, les défenseurs de Kassem n'opposent qu'un dérisoire : « *Lâ za'îm illâ Karîm !* » – Nous n'avons qu'un chef, (Abd al)-Karim (Kassem) ! La chasse aux communistes, anciens alliés du *za'îm*, fait des milliers de morts dans la capitale. Malgré la répression dont ils ont été victimes à la fin du régime de Kassem, les communistes défendent le *za'îm* avec l'énergie du désespoir.

En dehors du Parti communiste, une majorité de chiites continuait également à soutenir Kassem – celui-ci se présentait parfois comme un partisan de l'Imam Ali, et son nationalisme aux couleurs de l'Irak flattait le particularisme chiite. Pour les sunnites des milices baassistes, le coup d'État est bel et bien une revanche contre les chiites que Kassem, à leurs yeux, avait trop courtisés. Les quartiers de Bagdad qui ont offert une résistance acharnée aux putschistes baassistes étaient tous chiites sans exception, ceux-ci étant pour la plupart hostiles à l'union arabe. Le Parti communiste est apparu alors comme le véritable organisateur de la résistance chiite face aux milices nationalistes arabes.

Le coup d'État du 8 février 1963 est une première épreuve pour les chiites du Baas. En majorité civils, ceux-ci se sont massivement investis dans les milices du parti. Si la redoutable Garde nationale baassiste recrutait des membres parmi la jeunesse nationaliste autant dans les quartiers sunnites que dans les quartiers chiites de Bagdad, elle offrait aux chiites un moyen de contourner leur exclusion de l'institution militaire. Les jeunes sunnites cultivaient leurs réseaux d'influence au sein de l'armée, réseaux qui s'appuyaient le plus souvent sur des liens familiaux. Mais, pour les chiites, entrer dans la Garde nationale était le seul moyen de s'imposer dans le parti. Les milices qui ont fait régner la terreur dans les quartiers communistes étaient ainsi dirigées par un chiite. Mais les derniers quartiers de la capitale qui ont résisté sous la bannière du Parti communiste étaient précisément aussi les quartiers chiites, notamment la cité sainte de Kazimayn, dans les faubourgs nord-ouest de Bagdad. Dans le feu de l'action, les chiites de la Garde nationale, tombant de haut, n'ont pu que constater le déchaînement de haine antichiite de leurs « camarades » sunnites.

Au lendemain du coup d'État, les putschistes mettent en place un Conseil national de commandement de la Révolution. Si son président, Abd al-Salam Aref, n'est pas lui-même baassiste, le nouveau gouvernement compte de nombreux officiers du parti Baas : Ahmad Hassan al-Bakr, le Premier ministre, Salih Mahdi Ammash, le ministre de la Défense ; Hardan al-Takriti, le chef de l'armée de l'air, appartient aussi au Baas.

C'est l'alliance des militaires et du parti Baas qui a éliminé Kassem, mais le Baas a dû recourir à sa propre milice, la Garde nationale. L'armée pouvait difficilement mener seule à son terme les changements politiques, et cela autant du fait de son leadership sunnite que de la composition de la troupe, largement multicommunautaire. Le Parti communiste ayant des cellules clandestines parmi les hommes du rang, recourir à ces derniers pour venir à bout de la résistance au putsch était aléatoire. Pour autant, l'heure des baassistes n'avait pas sonné. Car l'arrogance de la Garde nationale et ses méthodes expéditives effraient de nombreux Irakiens et indisposent un nombre croissant d'officiers : les civils du Baas ne cherchent-ils pas à utiliser la Garde nationale contre l'armée ?

Quelques mois plus tard, le 18 novembre 1963, profitant de l'impopularité des milices baassistes dont les exactions ont ensanglanté le pays, le brigadier Abd al-Salam Aref, l'un des putschistes qui ont renversé Kassem, fait un nouveau coup d'État. Proclamant ses sympathies pour Nasser tout en se tenant à l'écart des projets d'union arabe, il instaure un régime militaire anticommuniste se réclamant du nationalisme arabe et chasse les baassistes, lesquels se réfugient en Syrie, où le Baas vient de prendre le pouvoir. En Irak, en revanche, le parti subit une éclipse de près de cinq années, ce qui n'empêche pas le pays d'accueillir en 1966 les chefs historiques du Baas syrien, Michel Aflaq et Salah Bitar, qu'un nouveau cours de la politique syrienne, toujours dominée par le Baas, a contraints à l'exil[1].

Cette même année 1966, en avril, Abd al-Salam Aref se tue dans un accident d'hélicoptère. Son frère, Abd al-Rahman, lui succède à la tête de l'État et continue pratiquement la même politique. C'est peu après qu'éclate la guerre des Six-Jours (5-10 juin 1967). La guerre-éclair se conclut par une sévère défaite des Arabes face à Israël, qui occupe notamment la partie arabe de Jérusalem. Malgré sa surenchère, l'Irak n'a envoyé qu'un contingent symbolique soutenir la cause arabe face à Israël. De même, sous Nouri Saïd, l'Irak n'avait joué qu'un rôle secondaire dans la question de Palestine ; dans le cadre de la vieille rivalité avec Le Caire, le gouvernement

---

1. Le Baas a connu de multiples divisions au plan arabe, motivées autant par des dissensions idéologiques ou par la rivalité entre militaires et civils que par des allégeances « nationales » ou « régionales ». Le néo-Baas qui s'empare du pouvoir à Damas en 1966 écarte la vieille garde. Désormais, il y aura deux commandements nationaux et régionaux du Baas, les uns prosyriens, les autres pro-irakiens.

cherchait alors surtout à s'approprier une cause arabe populaire en Irak, bien plus qu'à s'impliquer réellement dans un conflit lointain. L'armée irakienne avait certes participé à la guerre de 1948, mais ses troupes s'étaient retirées au plus fort des combats. Et en 1956, lors de l'attaque tripartite anglo-franco-israélienne contre l'Égypte de Nasser, le gouvernement irakien n'hésita pas à utiliser les avions et l'artillerie contre les manifestations qui se déroulaient dans tout le pays en solidarité avec l'Égypte, « sœur agressée ».

## *Du retour à l'affrontement confessionnel au triomphe du clan*

Le deuxième coup d'État de 1963, lors duquel Aref a écarté le Baas, a donc remis en selle un militaire. Depuis l'époque de Nouri Saïd, l'Irak reste dirigé par un militaire. Aref se proclame nassérien, mais les élites nationalistes arabes irakiennes ne sont pas prêtes à s'immoler sur l'autel de l'unité arabe, et, après l'échec de la tentative d'union entre l'Égypte et la Syrie, en 1961, elles souhaitent moins que jamais voir leur pays devenir une province égyptienne. Leur discours en faveur de l'union arabe est donc à mettre en perspective avec le face-à-face entre sunnites et chiites, plus que comme un réel désir d'unité arabe.

Ce face-à-face se manifeste par une nouvelle épreuve pour les chiites du Baas : lors de la répression contre leur parti qui a inauguré le régime d'Aref, ils ont été traités beaucoup plus durement que leurs camarades sunnites, sans doute moins pour des raisons confessionnelles que du fait de la solidarité entre militaires et policiers originaires d'une même région. Cette répression sélective a provoqué une première chute de la représentation chiite dans le parti Baas. Mais c'est surtout la victoire des militaires dans les structures dirigeantes du parti, la même année 1963, qui va entraîner un effondrement brutal de la représentation chiite au sein du Baas. Les chiites baassistes sont quasiment tous civils et se réclament de la

« gauche » contre des militaires de « droite ». Les civils font corps contre les militaires par réflexe régionaliste, l'origine régionale déterminant à la fois l'appartenance ou non à l'armée et l'appartenance à une confession. En effet, face aux civils, les militaires sont tous des sunnites, à l'instar d'Ahmad Hassan al-Bakr, le futur président de la République du second régime baassiste. Dès lors, l'affrontement au sein du Baas apparaît dans toute sa dimension confessionnelle. Entre 1952 et 1963, les chiites occupaient plus de la moitié des postes du commandement régional ; entre 1963 et 1970, ils ne sont plus que 6 %, tandis que les sunnites en représenteront dès lors toujours plus de 85 %. Les chiites vont quasiment disparaître des échelons dirigeants du parti au fur et à mesure que celui-ci devient l'otage de groupes sunnites liés à l'armée.

Peu avant l'effondrement de la représentation des chiites au sein du Baas, les religieux ont commencé à reprendre la place occupée par les communistes au sein de la communauté chiite. Najaf, il faut le rappeler, était devenu un des hauts lieux du Parti communiste, et de nombreux fils d'oulémas militaient en son sein. Les immenses manifestations dont la ville sainte a été le théâtre sous le régime de Kassem ont fini par convaincre les plus grands *marja'* de sortir de leur silence. Le réveil de l'institution religieuse, dès la fin des années 1950, est lié aussi à la présence de la *marja'iyya* dans la ville sainte. En effet, en 1962, après la mort de l'ayatollah Bouroudjerdi en Iran, le chah, désireux d'éloigner la *marja'iyya*, car il était alors aux prises avec un mouvement islamique menaçant, a fait pression pour que la fonction de *marja'* revienne à un ouléma arabe de Najaf, l'ayatollah Muhsin al-Hakim. Appartenant à la génération qui a connu la défaite du mouvement religieux dans les années 1920 et son repli consécutif dans les villes saintes, ce grand religieux a toujours été partisan d'une certaine réserve des oulémas par rapport aux affaires politiques, mais il est aussi favorable à une campagne visant à former les jeunes générations aux valeurs de l'islam. C'est sous sa protection que le mouvement de renaissance islamique prend son essor dans les années 1960. Avec une nouvelle génération d'oulémas, la riposte des religieux face au défi communiste se traduit par la mise en place d'un réseau visant à reconquérir la jeunesse chiite. Le mouvement est d'abord intellectuel : ainsi, l'Association des oulémas combattants, qui voit le jour dès 1959, se veut essentiellement culturelle.

Parmi la pépinière de jeunes oulémas présents à Najaf, il en est un qui a marqué profondément la scène religieuse, culturelle et politique, Muhammad Baqer al-Sadr. Auteur prolixe et militant, cet ouléma est le pilier de la renaissance islamique qui, à partir des villes saintes, entreprend de réislamiser la société irakienne. Publiant à un rythme accéléré, il rédige un nombre impressionnant de livres aux thèmes les plus variés, toujours dans la volonté de démontrer la supériorité de l'islam. Alors que le Parti communiste est au sommet de sa puissance, il s'attache à réfuter le marxisme, le matérialisme et la dialectique au nom des principes de la religion. Puis, quand la vague communiste reflue, il entreprend de décrire les fondements d'une économie islamique, rejetant dans une même condamnation capitalisme et socialisme. Dans d'autres ouvrages, il aborde les problèmes du pouvoir en islam, de la femme musulmane, de la crise de l'agriculture irakienne, de l'éducation et de la banque islamique sans usure. Conscient du vide qui caractérise alors la pensée islamique dans de nombreux domaines, il s'efforce de jeter les fondements de théories politiques et économiques dans lesquelles il présente l'islam comme l'unique alternative pour résoudre les problèmes auxquels le pays doit faire face. En même temps, Muhammad Baqer al-Sadr engage une action de grande envergure pour sortir la *marja'iyya* de son isolement. Le premier signe de ce réveil apparaît en 1960, quand l'ayatollah Muhsin al-Hakim, quittant sa réserve, promulgue un décret religieux qui interdit aux musulmans, sous peine d'anathème, d'adhérer au Parti communiste.

Le mouvement religieux, qui entame alors son retour sur la scène politique, ressemble peu à celui qui avait mobilisé la société irakienne dans les années 1910 et 1920, quand il recrutait essentiellement dans la masse des tribus rurales. Sa base se trouve désormais parmi les habitants des grandes villes qui ont fui les campagnes chiites à partir des années

1930. Suivant une tendance générale aux pays d'islam, le mouvement religieux connaît l'émergence de l'islamisme. Mais chez les chiites, à l'inverse de ce qui se passe chez les sunnites, ce sont des oulémas qui se font les promoteurs de l'islam politique.

Najaf et Kerbéla servent alors de véritable base arrière au mouvement islamiste. L'ayatollah Khomeiny va ainsi s'installer à Najaf. En 1963, à la suite d'affrontements en Iran, Khomeiny qui dirige alors le premier mouvement islamique sous le régime du chah, a été arrêté et condamné à mort. Sous la pression conjuguée du clergé et de la rue, il a finalement été exilé d'Iran vers la Turquie le 4 novembre 1964 ; c'est en octobre de l'année suivante, sous le régime du premier Aref, qu'il décide de s'installer dans la première ville sainte d'Irak, d'où il va préparer la révolution islamique en Iran. Les rôles se répartissent alors entre les plus grands *marja'*, comme Muhsin al-Hakim ou Abou'l-Qasem al-Khoï – réputés quiétistes, ils privilégient le développement de l'enseignement et de la *hawza*[1] –, et d'autres oulémas, plus militants, comme Khomeiny et Muhammad Baqer al-Sadr, auxquels les *marja'* accordent tacitement leur protection pour mener une action politique.

D'abord intellectuel et culturel, ce mouvement aboutit donc rapidement à l'affirmation d'une direction à la fois religieuse et politique où la *marja'iyya* et le mouvement islamiste se renforcent mutuellement. C'est à la même époque en effet que se développe le premier parti islamiste chiite d'Irak, le *Hizb ad-Da'wa al-islâmiyya* (Parti de l'appel à l'islam). Créé à la fin des années 1950 – en 1957 selon ses dirigeants –, probablement par des oulémas protégés par Muhsin al-Hakim, il compte parmi ses fondateurs, cheikh Mahdi al-Khalisi, le petit-fils de l'ayatollah du même nom qui avait dirigé la lutte contre le mandat britannique au début des années 1920, Mahdi al-Hakim, le fils aîné de Muhsin al-Hakim, ainsi que Muhammad Baqer al-Sadr. Malgré un encombrant parrainage de l'Iran du chah, ce parti islamiste deviendra par la suite le plus « irakien » d'entre eux, c'est-à-dire le plus indépendant par rapport à l'Iran.

---

1. Les oulémas et l'ensemble des étudiants en religion.

Avec le recul du temps, on se rend compte que le réveil du mouvement religieux, au moment de l'instauration de la république, se produit alors que l'État irakien manifeste son incapacité à surmonter les divisions confessionnelles. Certes, les lendemains de la révolution ont été témoins de l'engagement massif des Irakiens de toutes les communautés dans des partis idéologiques multicommunautaires. L'affiliation confessionnelle n'était alors jamais revendiquée de façon consciente, car elle semblait représenter le passé. Ainsi, si les chiites se sont engagés en aussi grand nombre dans les rangs du Parti communiste, c'est avant tout, pensait-on alors, parce qu'ils constituaient les classes les plus défavorisées. Un certain nombre d'autres chiites n'avaient-ils pas par ailleurs rejoint le Baas au nom du nationalisme arabe ? Les conflits internes au Baas n'étaient-ils pas d'abord idéologiques ou motivés par la concurrence entre civils et militaires ?

Toujours avec le recul du temps, et à la lumière des événements qui vont suivre, il apparaît clairement que l'engagement du Parti communiste auprès de Kassem contre les projets d'union arabe exprimait déjà le refus majoritaire chez les chiites de voir l'Irak, où ils sont majoritaires, perdre sa spécificité. La puissance du Parti communiste en Irak est certainement due à sa rencontre avec la communauté chiite, dont il exprimait également la part d'anticléricalisme. Le divorce des chiites et du Baas est exemplaire de la façon dont les enjeux confessionnels se sont longtemps manifestés en Irak. Les clivages confessionnels étaient alors presque toujours masqués, car l'identité confessionnelle était encore un tabou. Le premier coup d'État baassiste de 1963 ne manifestait pas un caractère consciemment confessionnel, mais ses conséquences, du fait du jeu des solidarités régionales et des liens corporatistes envers l'institution militaire, ramènent les termes de la question irakienne sur le devant de la scène.

La République n'a pas permis aux exclus du système d'accéder au pouvoir. De fait, les régimes républicains successifs se sont trouvés confrontés à l'impossibilité de remplacer les élites qui avaient servi de classe politique sous le régime hachémite. Kassem, méfiant à l'égard des multiples *'asabiyya* arabo-sunnites qui manifestent leur appétit du pouvoir, a tenté de jouer la carte des alliances politiques, mais il a échoué. Car ces mouvements politiques allaient se révéler comme autant de résurgences des aspirations communautaires bâillonnée depuis 1920. C'est probablement d'abord en raison de la prise de conscience progressive de cette réalité que les illusions nationales ont pris fin. En l'absence d'élites stables, les solidarités régionales arabo-sunnites, issues de villes de province petites et moyennes, sont devenues les seuls gardiens du système politique. C'est en s'appuyant sur ces solidarités régionales, qui n'ont plus grand-chose à voir avec les solidarités traditionnelles des anciennes tribus, qu'un certain nombre de groupes tentent, à partir de 1963, d'investir tour à tour l'armée, l'État et le parti Baas. Ces groupes sont tous originaires du « triangle arabe sunnite » : les Takriti (Ahmad Hassan al-Bakr et son parent Saddam Hussein), issus de la petite ville de Takrit, les Anites (les frères Aref), de la bourgade d'Ana, sur l'Euphrate, les Mossouliotes, les Samarra'i, les Rawi, originaires de Rawa, également sur l'Euphrate, les Dori, de la ville de Dor située sur le Tigre entre Samarra et Takrit, les Kubaysi, originaires de Kubaysa, petite ville de l'Euphrate, les Azzawi et d'autres encore. De par leur position dans l'armée, les Takriti ont un avantage décisif sur les autres : le second coup d'État baassiste, le 17 juillet 1968, les amènera au pouvoir.

# CHAPITRE 4

# L'irrésistible ascension de Saddam Hussein
# (1968-1979)

Le nouveau coup d'État baassiste qui chasse le second frère Aref du pouvoir, le 17 juillet 1968, est incomparablement moins sanglant que celui de 1963. Le général Ahmad Hassan al-Bakr, un parent de Saddam Hussein, devient président de la République. Saddam apparaît bientôt comme le numéro deux du nouveau régime. En une dizaine d'années, il saura tirer les ficelles pour s'imposer.

Pour l'heure, le tandem Ahmad Hassan al-Bakr/Saddam Hussein doit d'urgence se chercher des alliés pour pallier une base sociale défaillante. Le 11 mars 1970, Bagdad signe un accord avec le PDK de Barzani aux termes duquel le Kurdistan se voit accorder un statut d'autonomie qui ne sera jamais appliqué. Peu après, en novembre 1971, le gouvernement adopte une Charte d'action nationale, à laquelle souscrivent le PDK et le Parti communiste, qui semble ressusciter les alliances du règne de Kassem. Au même moment, la mort de Nasser, le 28 septembre 1970, laisse vacante la place de leader dans le monde arabe. Coup sur coup, Saddam Hussein signe un traité d'amitié et de coopération avec l'Union soviétique (9 avril 1972) et, en plein boom pétrolier, nationalise le pétrole irakien (1er juin 1972). En juillet 1973, la création d'un Front national progressiste rassemblant le Baas, le PCI et le PDK ouvre la voie à l'entrée des communistes et des Kurdes au gouvernement.

Sur le plan arabe, la guerre d'octobre 1973 entre Israël et les pays arabes voit, une fois de plus, une participation limitée de l'Irak. Cela n'empêche pas Bagdad de prendre la tête des pays hostiles aux conditions du cessez-le-feu, puis de s'opposer au dialogue entamé par le président égyptien Sadate avec Israël. L'Irak, avec la Libye, est le seul pays à ne pas participer au sommet arabe d'Alger qui se tient du 26 au 28 novembre 1973. Bagdad dirigera le front du refus (Libye, Irak, Algérie, OLP, Yémen du Sud, Syrie) jusqu'en 1978.

À l'intérieur, le gouvernement proclame unilatéralement, le 11 mars 1974, une loi d'autonomie du Kurdistan. Son contenu semble inacceptable aux yeux des Kurdes, qui reprennent aussitôt les armes. Barzani bénéficie du soutien actif du chah d'Iran. Mais, le 6 mars 1975, ce dernier signe les accords d'Alger sur le partage des eaux du Chatt al-Arab entre l'Irak et l'Iran, et lâche les Kurdes. Privé du soutien de l'Iran, le mouvement de Barzani s'effondre. Quant aux communistes, malgré leur présence au gouvernement, ils sont de nouveau soumis à la répression à partir de 1976.

Depuis 1965, Khomeiny s'est fixé à Najaf, où il s'emploie à préparer la révolution islamique en Iran. Le gouvernement baassiste tolère d'abord ses activités par hostilité au chah, mais décide de l'expulser en octobre 1978, lorsqu'il lui apparaît que le mouvement islamique en Iran et en Irak constitue une menace directe pour lui. En Iran, en effet, les événements se précipitent : après de violentes émeutes soutenues par les autorités religieuses chiites, l'armée iranienne tire sur la foule. Rien ne semble pouvoir arrêter le développement rapide du mouvement islamique. Khomeiny quitte l'Irak pour la France, où il s'installe à Neauphle-le-Château. Son départ ne calme pas la situation, bien au contraire. Le 16 janvier 1979, l'exil du chah est officiel. Le retour triomphal de Khomeiny à Téhéran, le 1ᵉʳ février, est ressenti à Bagdad comme le pire des scénarios. Le 31 mars suivant, la République islamique d'Iran est fondée. Un an plus tôt, à la fin de mars 1978, un coup d'État communiste à Kaboul a marqué le début de la résistance islamique des moudjahidin afghans, soutenus par les États-Unis. La voie est désormais ouverte à une alliance entre le régime de Saddam et les États-Unis.

## Le Baas à la recherche d'alliés

Le parti Baas qui s'empare du pouvoir en juillet 1968 n'est plus celui du coup d'État de février 1963. Quelques mois après le premier putsch, en effet, le Baas était apparu comme un parti d'Arabes sunnites dominé par des officiers ; un grand nombre de chiites s'étaient engagés dans les milices baassistes, mais leur présence massive, notamment dans la Garde nationale, ne pouvait masquer que la carrière militaire restait le meilleur moyen pour prendre le contrôle d'un mouvement politique. Après le départ brutal de ses militants chiites, le Baas s'est entièrement confessionnalisé, et à partir des années 1970 aucun chiite important ne fait plus partie de sa direction. Une illustration du divorce entre le Baas et les chiites et de la répression à l'encontre des dirigeants historiques du parti est le sort réservé à Fouad al-Rikabi[1]. Fondateur du Baas irakien, ce chiite, originaire de Nasiriyya, est emprisonné et exécuté sur ordre de Saddam Hussein.

Le nouveau régime porte au pouvoir des groupes de la petite bourgeoisie provinciale arabe sunnite alliés à l'armée, mais ne peut enrayer une tendance qui paraît irréversible dès son avènement : l'accaparement du pouvoir par des *'asabiyya*[2]. Après une période de confusion, les réflexes familiaux reprennent le dessus, et le pouvoir est entraîné dans la spirale d'une répression tous azimuts, jusqu'à se confondre avec un simple clan. Peu à peu, sa véritable base ne sera plus le Baas ni l'armée, mais les Takriti, le clan auquel appartiennent Ahmad Hassan al-Bakr et Saddam Hussein.

Le numéro un et le numéro deux du pouvoir sont membres des Begat, une branche de la tribu arabe sunnite des Albou Nasser, toute-puissante à Takrit, petite ville située sur le Tigre à une centaine de kilomètres au nord de Bagdad, au centre du « triangle arabe sunnite ». Les Takriti ne sont pas une tribu : ce mot désigne seulement le fait qu'ils sont originaires de

---

1. Secrétaire général du Baas jusqu'en 1953, Fouad al-Rikabi avait ensuite quitté le parti en 1959.
2. Solidarité de la tribu ou du groupe face au monde extérieur.

cette ville où cohabitent plusieurs groupes tribaux, les Joubouri et les Albou Nasser étant les plus importants. Pour asseoir son pouvoir personnel, Saddam Hussein va s'appuyer sur les deux branches de sa famille, les al-Majid et les al-Hassan du côté de son père, et plus encore les Khayrallah Tulfah du côté de sa mère. Orphelin de père alors qu'il n'était encore qu'un enfant, Saddam a été adopté par son oncle, Khayrallah Tulfah, le gouverneur de Bagdad, dont il a épousé la fille. Ahmad Hassan al-Bakr est, quant à lui, un cousin de Khayrallah Tulfah. Le tandem qu'il forme avec Saddam date du milieu des années 1960.

C'est sur la proposition d'Ahmad Hassan al-Bakr et de Hardan al-Takriti, un autre militaire de Takrit, commandant en chef de l'armée de l'air sous le premier régime baassiste, que Saddam Hussein est devenu responsable, en 1964, de l'aile non militaire du Baas. Alors âgé de vingt-sept ans, le jeune homme comprend rapidement l'efficacité des services de renseignements au sein du parti, ces services étant eux-mêmes liés au jeu des alliances fondées sur les solidarités régionales et familiales. Dès lors, Saddam utilise le prestige dont Ahmad Hassan al-Bakr jouit parmi les officiers de l'armée pour s'affirmer, tout en manipulant le Baas en sous-main pour en faire un outil à sa convenance. À partir de 1968, le parti, bien qu'officiellement au pouvoir, est soumis à une répression continue, à l'instar des autres forces politiques du pays. La liste de ses dirigeants historiques tombés en disgrâce, emprisonnés ou exécutés, est sans fin : aucun ne survivra aux purges, à l'exception, bien sûr, de Saddam.

Pour l'heure, en raison de l'extrême étroitesse de sa base politique, le Baas doit rechercher une alliance avec d'autres partis. Les communistes et le mouvement kurde acceptent le dialogue et jouent à nouveau le rôle de partenaires du pouvoir. En 1969, la guerre recommence au Kurdistan et le Baas entame des pourparlers difficiles avec le PDK. Le 11 mars 1970, Bagdad signe avec le mouvement de Barzani un accord prévoyant l'autonomie du Kurdistan et la mise en place des nouvelles institutions dans un délai de quatre ans. En 1972, le PDK, à la suite du Parti communiste, adhère à la Charte d'action nationale ; l'année suivante, il est l'un des partis associés au sein du Front national progressiste, dominé par le Baas.

Mais la manne pétrolière et le traité d'amitié que Bagdad signe la même année avec l'Union soviétique permettent bientôt au régime de se retourner contre ses partenaires. En mars 1974, Bagdad proclame une « loi sur l'autonomie kurde » très en retrait par rapport aux accords de 1970, car elle exclut du Kurdistan notamment Kirkouk et son pétrole, ainsi que les districts de Sindjar et de Khanaqin. Barzani, de son côté, exige une plus grande indépendance des institutions, l'élection d'un président de l'exécutif qui serait également vice-Premier ministre, un budget proportionnel au nombre d'habitants de la région. Surtout, il demande que Kirkouk, Sindjar et Khanaqin soient intégrés dans ce Kurdistan autonome. Le gouvernement somme les dirigeants kurdes d'entériner son projet. Ceux-ci refusant, les cinq ministres kurdes sont évincés du gouvernement et remplacés par des personnalités kurdes ralliées au pouvoir. Dès avril, la guerre reprend sur une échelle jamais atteinte auparavant, tandis que le PDK s'engage sur la voie d'une alliance avec l'Iran du chah contre Bagdad. Alliance funeste s'il en est ! Illustrant la politique de « sainte alliance » que n'ont cessé de suivre les gouvernements des principaux États entre lesquels le Kurdistan est partagé, les accords d'Alger entre le chah et le gouvernement irakien, signés en mars 1975, sonnent la fin du soutien logistique de l'Iran à la résistance kurde. Celle-ci s'effondre et doit rendre les armes. Un exode massif vers l'Iran s'ensuit. Le mouvement kurde connaît alors de multiples dissidences. À la mort de Mustafa Barzani, en 1979, ses fils, Massoud et Idris, prendront la direction du nouveau PDK.

Le PDK n'aura plus désormais le monopole de la représentation des Kurdes, car une nouvelle organisation s'impose à ses côtés qui lui dispute la direction du mouvement national kurde, l'Union patriotique du Kurdistan ( UPK – *Ittihâd watanî kurdistânî*). L'UPK, tout en se réclamant du « marxisme-léninisme » à l'instar du PDK, se présente comme une alternative de gauche et démocratique à l'« autoritarisme » de Mustafa Barzani au sein du PDK, dont elle s'est séparée en 1974. À la suite de la défaite de 1975, l'UPK s'en prend violemment à Barzani et au PDK ; elle les accuse d'avoir conduit le mouvement kurde « selon des méthodes tribales » et de « connivence avec l'impérialisme », rendant Barzani responsable de l'effondrement du mouvement kurde et pointant un doigt accusateur vers l'alliance avec le chah. Mais la direction de l'UPK par Talabani ressemblera à s'y méprendre à celle de Barzani avec le PDK.

Expression régionale du Kurdistan méridional, de langue soranie, et de sa principale ville, Sulaymaniyya, l'UPK illustre aussi en effet les prétentions de Jalal Talabani au leadership kurde que les Barzani ont monopolisé jusque dans les années 1970. Né en 1933 et originaire de Koy Sandjak, Jalal Talabani appartient à une grande famille kurde liée à la confrérie soufie Qadiriyya[1]. Pouvait-on à la fois être contre Barzani et contre Bagdad ? Jalal Talabani a rompu une première fois avec Barzani en 1964 et a alors accepté de diriger des groupes de supplétifs kurdes pour le compte du gouvernement : les Kurdes les désignaient à cette époque sous l'appellation infamante de *jash*, c'est-à-dire traîtres et mercenaires. Puis, en 1970, il a été lâché par Saddam lors de l'accord avec le PDK, et a dû s'exiler en Syrie. À son retour d'exil, il participe à la réorganisation de la guérilla kurde, qui recommence dès 1976. Mais, l'année suivante, Talabani reprend la route connue des négociations avec Bagdad. Commence alors une longue série de combats fratricides entre les deux grands partis kurdes. Les négociations entre Talabani et Bagdad échouent, mais cela ne permet pas pour autant un retour de la confiance entre l'UPK et le PDK.

Le second partenaire du pouvoir, au sein du Front national progressiste, est donc le PCI. Les communistes se retrouvent dans une situation en apparence similaire à celle qu'ils ont connue en 1958, sous Kassem. Mais Saddam, le maître d'œuvre du nouveau Front national, n'est pas Kassem. Le *za'îm* comptait sincèrement, semble-t-il, sur la solidité des alliances politiques qu'il nouait avec ses partenaires, jusqu'à ce qu'il ait constaté

---

1. En dehors des élites religieuses, les Kurdes, rappelons-le, ont eu longtemps une classe intellectuelle réduite, longtemps limitée à la grande ville de Sulaymaniyya et à quelques autres villes de moindre importance.

l'impossibilité de ménager à la fois l'armée, les communistes et les Kurdes. Saddam, lui, ne cherche qu'à gagner du temps. Le PCI, en outre, n'a plus la même puissance ; son influence a décliné rapidement au profit du mouvement religieux chiite, les oulémas retrouvant une audience croissante auprès de la population. Hantés par les atrocités de la répression anti-communiste lors du coup d'État baassiste de 1963, un certain nombre de militants refusent la politique de front uni progres-siste avec les partis nationalistes au pouvoir, solution que l'Union soviétique engage les partis communistes du tiers-monde à suivre. Plusieurs petits groupes marxistes-léninistes, qui refusent le principe même de toute négociation avec Bagdad, font parler d'eux dès 1968, entretenant une guérilla dans le Sud. Son chef, Aziz al-Hajj, est arrêté en mars 1969 et contraint de faire une autocritique publique à la télévision irakienne face à Saddam, tandis que l'armée traque les derniers hommes du maquis.

Après la fin de l'entente entre le gouvernement baassiste et Barzani, en 1974, le PCI se retrouve dans la position très inconfortable d'unique interlocuteur du pouvoir au sein du Front national progressiste. Tout en condamnant l'alliance du PDK avec le chah d'Iran, les communistes sont solidaires du mouvement kurde, auquel un long passé de combats communs les lie. Sans doute pressentent-ils aussi que leur tour ne va pas tarder. Se sentant suffisamment fort, Saddam ne tarde pas à réprimer ses militants. Le PCI retrouve la clandes-tinité, qu'il n'a d'ailleurs jamais totalement abandonnée, et reprend la lutte armée en 1979.

## L'armée au service du Baas et des Takriti

Le second coup d'État baassiste de 1968 inaugure également une période de grands bouleversements pour l'institution militaire. Au début, les officiers occupent le devant de la scène, et les apparences d'un pouvoir militaire sont sauvegardées. Mais, en sous-main, Saddam Hussein va utiliser l'armée pour prendre le contrôle du Baas, puis en évincer les militaires. Désormais, la logique familiale et régionale l'emportera résolument sur celle du pouvoir militaire.

C'est l'implantation du parti Baas au sein de la caste des officiers qui a permis le putsch, mais sa réussite est également due à la présence d'un grand nombre de Takriti dans l'institution militaire. Officiellement, donc, les auteurs du putsch de 1968 sont des militaires : le colonel Abd al-Razzaq al-Nayef, chef des services de renseignements, le colonel Ibrahim Abd al-Rahman al-Dawud, commandant de la Garde républicaine, le colonel Sa'adoun Ghaydan, commandant du régiment de blindés de la Garde républicaine, sont des Arabes sunnites, originaires de Ramadi ; le général Salih Mahdi Ammash est un Arabe sunnite de Bagdad, tandis que le brigadier Ahmad Hassan al-Bakr et le général Hardan al-Takriti sont tous deux originaires de Takrit. Tous se voient attribuer des fonctions importantes. Le brigadier Ahmad Hassan al-Bakr devient président de la République, commandant en chef de l'armée et président du Conseil de commandement de la révolution (CCR), la plus haute instance du pays, postes qu'il cumule avec celui de secrétaire général du Baas. Nayef est proclamé Premier ministre ; Dawud reçoit le ministère de la Défense et Salih Mahdi Ammash, celui de l'Intérieur ; Hardan al-Takriti, chef d'état-major de l'armée, devient vice-Premier ministre, puis ministre de la Défense (1968-1970), Sa'adoun Ghaydan reste commandant de la Garde républicaine.

Mais dans les semaines qui suivent le putsch, à l'instigation de Saddam Hussein, le régime entreprend une série de purges contre les officiers supérieurs. Les premiers visés sont les auteurs du coup d'État qui étaient en dehors du parti Baas. Abd al-Razzaq al-Nayef est arrêté dès le 30 juillet 1968, puis exilé à Londres, où il est assassiné en juillet 1978. Abd al-Rahman al-Dawud est contraint de quitter l'Irak pour la Jordanie. Le général Ibrahim Faysal al-Ansari, chef d'état-major de l'armée et militaire respecté, est démis de ses fonctions en 1969 et condamné à douze ans de prison. La même année, le général Abd al-Aziz al-Uqayli est arrêté et condamné à mort. Puis les purges sont dirigées contre les membres du parti Baas occupant de hautes fonctions militaires, y compris contre des

Takriti – Hardan al-Takriti, vice-commandant en chef de l'armée, membre du Baas depuis 1961, est démis de toutes ses fonctions en 1970 et assassiné au Koweit en 1971. Salih Mahdi Ammash, l'un des plus anciens baassistes parmi les officiers de haut rang, et le général Hassan al-Naqib, chef d'état-major adjoint, sont limogés en 1970.

En 1973, un complot impliquant plusieurs officiers, dont le colonel Nazem Kazzar, chef des services de renseignements, est découvert grâce aux services de la Sécurité militaire, alors déjà sous le contrôle de Saddam Hussein. Violemment anticommunistes, les conjurés s'opposent à l'alliance passée entre le gouvernement et le PCI. Nazem Kazzar, leur chef, est exécuté. La tentative de coup d'État a coûté la vie au général Hammad Shehab al-Takriti, chef d'état-major de l'armée, membre du CCR et ministre de la Défense (1970-1973). Il est remplacé par un autre Takriti, Ahmad Hassan al-Bakr, qui cumule alors toutes les fonctions dirigeantes de l'État. Mais six ans plus tard ce dernier est contraint à la retraite : en juillet 1979, il doit abandonner toutes ses fonctions, y compris militaires, en faveur de son parent Saddam Hussein.

En même temps qu'ils prennent le contrôle du Baas, Saddam Hussein et son clan familial mettent l'armée à leur service. À la faveur de la réorganisation de la Sécurité militaire, les campagnes visant à éliminer les officiers indépendants se succèdent, permettant peu à peu au clan des Takriti de monopoliser tous les services de renseignements au sein de l'armée comme au sein du Baas. Les purges sont menées au nom de la « baassisation des forces armées » : l'armée irakienne est conviée à devenir une « armée idéologique » *(jaysh 'aqâ'idî)* au service du parti. Mais le nombre de militaires baassistes parmi les victimes de la répression, et même de Takriti, montre bien que derrière la campagne de baassisation de l'armée se profile la volonté d'un clan, dominé par des civils (dont Saddam Hussein en tête), et bien décidé à accaparer le pouvoir en décapitant tout leadership militaire. L'armée irakienne devait ainsi être victime à son tour de la dérive du système qu'elle avait reçu mission de défendre.

La baassisation des forces armées avait échoué lors du premier coup d'État baassiste en raison de l'opposition de l'establishment militaire. Le mot d'ordre de baassisation de l'institution militaire revient en force au début des années 1970. Les objectifs sont réaffirmés à la conférence du Baas de 1974, lors de laquelle les nouveaux maîtres du pays annoncent la consolidation de la direction du parti sur l'armée, le renforcement de la disciplinaire militaire, la « protection de l'armée des déviations et erreurs ». « Dans les prochaines années, nous devons maintenir la politique visant à consolider le contrôle du parti sur les autres branches de l'armée – les services de sécurité, la police et les gardes-frontières. » Le Baas affirmait son monopole sur les forces armées comme condition à toute alliance avec d'autres forces politiques. Après les officiers nationalistes, dont on a vu le rôle dans les années 1930 et 1940, et le Parti communiste (la première cellule communiste dans l'armée date de 1931), le Baas est la troisième force politique à vouloir s'implanter dans l'armée. Mais, à la différence de ses prédécesseurs, il entend mettre l'ensemble de l'armée à son service et y interdire tout autre activité politique que la sienne. En 1979, Fadel al-Barrak, directeur de la Sécurité générale, définit très clairement l'objectif du pouvoir : « Affirmer la mission historique du Baas dont l'armée est l'outil. »

La stratégie adoptée est sans appel : seuls les membres du Baas sont admis dans les collèges et institutions militaires ; ils doivent signer un engagement à œuvrer dans l'intérêt du Baas et savent qu'ils risquent la peine de mort s'ils rompent cet engagement. Tous les officiers doivent adhérer au Baas, sous peine de perdre leur grade ; ceux qui refusent sont immédiatement suspectés et courent le risque d'être liquidés. Tous ceux qui se livrent à des activités politiques en dehors du Baas sont punis de mort.

L'épuration s'intensifie contre les officiers qui refusent les diktats de commissaires politiques baassistes, tandis que les discriminations dans le recrutement et dans les promotions sont renforcées sur la base d'allégeances régionales, ce qui aboutit à une nouvelle forme de discrimination ethnique et confessionnelle, celle-ci ne contredisant pas l'ascension d'une classe de militaires chiites à des échelons intermédiaires. Le contrôle s'étend à la vie privée des officiers et de tous les militaires. Un programme de propagande est mis sur pied dans tous les secteurs de la vie militaire. Des bureaux militaires du Baas, dominés par des civils, voient le jour dans chaque unité pour y diffuser la propagande baassiste. Plusieurs dizaines d'exécutions d'officiers, entre 1968 et 1978, témoignent d'une résistance à la baassisation parmi les cadres de l'armée. En 1980, quand l'Irak entre en guerre contre l'Iran, chaque échelon de la hiérarchie est doublé, tout officier étant désormais flanqué d'un redoutable commissaire politique tout-puissant. L'armée semble réellement « baassisée », conformément à l'objectif proclamé visant à en faire une « armée idéologique ».

En réalité, cette baassisation est un leurre, car la campagne a masqué la mainmise des Takriti sur les forces armées. La résurgence des identités communautaires, bridées par des décennies de répression, contribue à lui donner une signification bien différente des intentions affichées. La « takritisation » de la sécurité et des renseignements militaires, avec la mainmise de Saddam Hussein, alors vice-président irakien, sur ces services qui lui donnent la clé du contrôle de l'armée, n'est pas un accident ou une déviation par rapport à une entreprise qui, officiellement, se définissait comme idéologique. L'armée a permis aux Takriti, nombreux dans la caste des officiers, de l'emporter sur d'autres clans arabes sunnites au sein du Baas. Mais la campagne de baassisation a aussi permis au clan de Saddam Hussein d'éliminer, dès la fin des années 1970, tout leadership militaire, considéré comme une concurrence potentielle. Des civils en uniforme commencent à occuper le devant de la scène : bien que n'ayant aucune formation militaire et n'ayant jamais gravi les échelons de la hiérarchie, Saddam Hussein est nommé général en 1976, au grand dam des officiers.

Le rôle du Baas au sein de l'armée diminue dès lors graduellement, tandis que se développent les services de renseignements au service du clan de Saddam Hussein. L'« armée idéologique » s'est transformée en armée au service d'un clan familial. Pour occulter cette réalité, un décret du Conseil de commandement de la révolution a interdit au milieu des années 1970 d'utiliser les noms de famille indiquant l'origine tribale ou régionale, la propagande du régime présentant cette mesure comme une nouvelle avancée de la citoyenneté : Saddam Hussein al-Takriti est ainsi devenu simplement Saddam Hussein.

## Boom pétrolier, nationalisation du pétrole et développement économique

La nationalisation de l'Iraq Petroleum Company (IPC) est l'œuvre du second régime baassiste. Décrétée en 1972, elle aboutit, en 1975, à un régime d'exploitation du pétrole devenu national à 100 %. Les années 1972-1974 constituent sans aucun doute un tournant majeur dans l'économie irakienne.

L'Iraq Petroleum Company est nationalisée dans une conjoncture de croissance exponentielle de la demande de pétrole sur le marché international, ce qui provoque une véritable révolution des prix. Conduite par l'OPEP en 1973, celle-ci a pour effet de multiplier les revenus pétroliers irakiens par neuf en deux ans : de 575 millions de dollars en 1972, ils font un bond à 1 480 millions de dollars l'année suivante, et atteignent 5 700 millions de dollars en 1974 ! Le VIIIᵉ congrès régional du Baas, réuni en janvier 1974, se tient au plus fort du boom pétrolier, alors que la guerre d'octobre 1973 entre Israël et ses voisins arabes vient de s'achever. Saddam peut ainsi concrétiser ses ambitions de leadership arabe. Le fameux front du refus, inspiré par lui après les accords israélo-égyptiens de 1974, en est une illustration.

La manne pétrolière entraîne un accroissement rapide du niveau de vie que les Irakiens vivent comme une véritable révolution. Mais elle consacre aussi le rôle central de l'État dans l'économie irakienne : il devient le premier employeur, le premier redistributeur et le premier instigateur du développement grâce aux énormes réserves dont il dispose. Le régime de Saddam Hussein peut échapper pour un temps à l'extrême étroitesse de sa base sociale, tout en trouvant les moyens de mener une politique de répression et d'acquérir l'armement le plus perfectionné. Mais le pétrole démultiplie les effets dévastateurs de la question irakienne. C'est l'exclusion des régions pétrolières de Kirkouk, Khanaqin et Mossoul des accords d'autonomie avec les Kurdes, signés en 1970, qui est à l'origine de la reprise de la guerre au Kurdistan en 1974.

L'arrivée soudaine de la manne pétrolière permet au gouvernement de développer ses forces armées au-delà de tout ce qui était prévisible. Un programme d'armement massif, accompagné de la recherche de nouveaux fournisseurs en armes, est mis en œuvre, avec la bénédiction des grandes puissances. La Grande-Bretagne, qui avait été le principal pourvoyeur d'armes de l'Irak jusqu'en 1958, continue à influencer l'armée irakienne de façon significative jusque dans les années 1980 : l'instruction des officiers supérieurs reste calquée sur le modèle britannique, et les manuels militaires anglais sont toujours largement utilisés. Jusqu'à l'embargo de 1990, l'Irak sera un visiteur assidu de la British Army Equipment Exhibition (BAEE), organisée par la Defense Services Organisation (DSO), qui relève du ministère de la Défense britannique. Depuis que l'Irak a quitté le pacte de Bagdad, en 1959, c'est l'Union soviétique qui a pris la place de la Grande-Bretagne comme principal pourvoyeur d'armes. Cette coopération a été momentanément interrompue après le coup d'État de 1963, mais, très vite, l'URSS confirme sa place de premier fournisseur d'armes ; elle conserve cette place jusqu'à la fin des années 1960. Dans la décennie suivante, l'Irak, cherchant à diversifier ses sources d'approvisionnement et à réduire sa dépendance, se tourne vers la France, qui, à partir de 1975, devient l'un de ses principaux fournisseurs.

Le formidable boom pétrolier des années 1970 permet également un développement économique sans précédent. Le choix du tout industriel fondé sur le pétrole semble s'imposer. Peu après son avènement, le second régime baassiste se lance dans une politique d'industrialisation accélérée.

Ce sont naturellement les industries créées autour du pétrole, du gaz et de leurs dérivés qui vont dominer. Les autres ressources minières sont peu importantes, sauf le phosphate, ou sont mal inventoriées. Les réalisations dans l'agro-alimentaire restent modestes et ne peuvent satisfaire une forte demande. Aux industries de biens de consommation, prédominantes jusqu'au début des années 1970, viennent s'ajouter des industries de biens intermédiaires, soit à travers la valorisation du pétrole, du gaz, du soufre et du phosphate, soit par l'installation de certaines industries grandes consommatrices d'énergie (acier, aluminium). Les bénéfices pétroliers permettent de financer une industrialisation assez complète : pétrochimie à Bassora, sidérurgie à Khor al-Zubayr, près de la grande ville du Sud, cimenteries, raffineries de sucre, industries légères à Bagdad. L'interdiction d'importer des matériaux de construction, en décembre 1975, favorise le développement des cimenteries.

La création d'une industrie sidérurgique a suscité de longs débats avant que Creusot-Loire ne signe un contrat, en 1973, pour la construction d'une aciérie à Oum Qasr, le seul port maritime de l'Irak, près de la frontière avec le Koweit. Creusot-Loire construit par la suite une fonderie d'aluminium à Bassora. Toutefois, dans les années 1970, les importations dans les domaines de la métallurgie, des équipements et de la construction continuent à représenter 50 % du total des importations. Les grandes centrales électriques construites dans cette période permettent à l'Irak de bénéficier de cette énergie en abondance dès la fin de la décennie.

Le pétrole reste plus que jamais la clé du développement. En 1977, l'Irak dispose d'une capacité de raffinage de 184 000 barils par jour, grâce à sept raffineries : Dora, au sud-est de Bagdad (la plus grande), Wand, Muftiya, Qayara, Haditha, Kirkouk, Bassora ; les capacités de la raffinerie de Bassora et de celle de Hammam al-Alil seront étendues en 1982. L'Irak exporte alors sa technologie dans ce domaine vers de nombreux pays du tiers-monde. Durant les sept années de boom pétrolier, entre 1973 et 1980, l'infrastructure pétrolière suit la formidable explosion des exportations de brut : celles-ci font plus que doubler, tandis que les revenus pétroliers, profitant de la hausse des cours, sont multipliés par quatorze ! Mais le pays doit faire face à de nombreuses difficultés matérielles pour exporter son pétrole, car les oléoducs traversent des régions peu sûres ou des pays hostiles. Ainsi, le pipeline le plus ancien, qui transporte le pétrole vers la Syrie, doublé en 1975 d'une extension nord-sud de Haditha à Rumayla, est soumis aux aléas des relations irako-syriennes ; il est fermé par Damas en avril 1982, au beau milieu de la guerre Iran-Irak. Mais depuis l'ouverture, en 1977, de l'oléoduc Kirkouk-Dortyol, qui aboutit sur la côte méditerranéenne turque, Bagdad ne dépend plus de son seul voisin syrien. Les terminaux de Mina al-Bakr, sur le Golfe, achèvent d'assurer l'indépendance de l'Irak pour ses exportations pétrolières. Quant à la pétrochimie, elle se développe d'abord à partir de trois unités : l'usine d'engrais chimiques d'Abou al-Khasib (urée, sulfate d'ammonium, engrais azotés, acides sulfurique et nitrique), le complexe pétrochimique de Bassora et celui de Zubayr, non loin de Bassora.

L'industrie irakienne repose donc entièrement sur le pétrole. Ainsi, il n'est pas exagéré de dire que l'Irak exporte presque exclusivement du pétrole et des dattes. Le second régime baassiste a délibérément sacrifié l'agriculture, choix économique qui est masqué par les grands travaux réalisés à cette époque. Le gouvernement d'Ahmad Hassan al-Bakr accélère les grands travaux hydrauliques commencés sous la monarchie. Déjà à l'abri des crues, les campagnes peuvent bénéficier d'une irrigation qui s'améliore grâce à la construction de nouveaux barrages et de grands déversoirs, et à la mise en place systématique de pompes à moteur. À la fin des années 1970, tous ces efforts conjugués permettent d'irriguer 35 000 kilomètres carrés de terres agricoles.

L'agriculture souffre d'une assez forte salinité dans le Centre et dans le Sud, ce qui oblige à de nombreux travaux d'irrigation : le canal du Tharthar, mis en chantier en 1972, viendra compenser les pertes en débit d'eau provoquées par la construction du barrage syrien de Tabqa, en amont sur l'Euphrate. Dans le Nord, les campagnes sont mieux loties, et la population, groupée en gros villages, peut s'adonner à une agriculture extensive : blé, orge, bovins, moutons, à quoi il faut ajouter le tabac au Kurdistan.

À la fin des années 1970, les terres cultivables représentent à peine plus du quart de l'Irak, alors que la moitié du pays est potentiellement cultivable. Grâce à un climat chaud et à l'eau abondante, la production agricole est relativement diversifiée : cultures d'hiver (blé et orge) et cultures d'été (riz et coton) alternent, mais sont très irrégulières à cause des variations climatiques. Les céréales occupent la moitié des terres cultivées (blé, orge, maïs et riz en basse Mésopotamie), les cultures industrielles (coton, sésame, tabac, canne à sucre) représentent à peine 3 % des surfaces agricoles, et les agrumes (tomates, pastèques), 4 %. Enfin, l'Irak est le premier producteur mondial de dattes. L'immense palmeraie du Chatt al-Arab, qui souffrira beaucoup de la guerre contre l'Iran, produit des dattes de réputation mondiale. La production animale connaît un accroissement régulier : en 1980, elle représente environ 45 % des revenus agricoles. Le cheptel irakien (moutons, chèvres, bovins, buffles, chameaux) est le plus important du Moyen-Orient arabe.

La première réforme agraire, qui avait été mise en œuvre sous Kassem, est révisée par une loi agraire en mai 1970, puis complétée en 1975. Cette nouvelle réforme agraire se veut le contre-exemple baassiste par rapport à celle de Kassem, jugée trop timide. Des coopératives voient le jour et de nouveaux services sont créés pour les exploitants agricoles. Cependant, malgré tous ces changements, le plan quinquennal de 1971-1975 montre bien que l'agriculture est une fois encore sacrifiée. De façon générale, le Baas y prête peu d'attention, et la production agricole décline sévèrement à partir de 1973. Les nouvelles coopératives sont démesurées. La redistribution hâtive – et souvent inéquitable – des terres s'accompagne de leur rapide dégradation pour des raisons écologiques : l'irrigation intensive provoque en effet d'importantes remontées de sel, rendant stériles d'anciennes terres agricoles, notamment dans les rizières. La mauvaise qualité du riz et du maïs, la mauvaise qualité également du coton et l'absence de vergers (sauf les jardins de Baaqouba, le long de la rivière Diyala, et la palmeraie du Chatt al-Arab), amènent un constat cruel : bien qu'ayant le meilleur potentiel agricole de la région, le pays doit importer massivement des produits alimentaires (65 % de la valeur de la production agricole sont importés en 1975). L'Irak est une bonne illustration des effets destructeurs que le pétrole peut avoir sur une économie.

## Le retour du mouvement religieux

Tous les régimes irakiens avaient appris à vivre avec une rébellion kurde endémique. Le réveil du mouvement religieux chiite apparaît comme une menace bien plus grave pour le nouveau régime baassiste. Cette résurgence, d'abord intellectuelle et culturelle, devait aboutir rapidement à l'affirmation d'une direction à la fois religieuse et politique, le principal adversaire des oulémas chiites n'étant plus le Parti communiste, mais le Baas.

L'arrivée au pouvoir du tandem Ahmad Hassan al-Bakr / Saddam Hussein marque en effet le début de la confrontation entre le gouvernement et le clergé. Le nouveau régime baassiste s'illustre par de nombreuses provocations à l'égard des religieux, montrant qu'il ne tolère pas le maintien d'institutions dont le contrôle lui échappe, ni une propagande qui oppose les principes de l'islam à la laïcité et au nationalisme arabe. Des manifestations religieuses, de plus en plus massives, vont s'échelonner dans les années 1970, pendant lesquelles les confrontations entre le gouvernement et la *marja'iyya* deviennent une donnée fondamentale de la vie politique. L'ayatollah Muhammad Baqer al-Sadr va s'imposer comme le chef du mouvement de renaissance islamique, si bien qu'à la fin des années 1970 ce mouvement semble en mesure de menacer le pouvoir baassiste.

Dès son avènement, le second régime baassiste s'emploie à priver la hiérarchie religieuse des sources de revenus traditionnelles qui permettent aux oulémas de développer leurs réseaux d'influence. Cette stratégie intervient au moment où les religieux s'efforcent de retrouver une place prédominante au sein de la société après avoir travaillé à sa réislamisation sous le patronage de l'ayatollah Muhsin al-Hakim. Ce religieux, on s'en souvient, passait pour être hostile à la participation des oulémas à la politique ; ses rapports se tendent rapidement avec le nouveau gouvernement lorsque celui-ci cherche à mettre en échec sa volonté de développer les écoles et les institutions islamiques. En avril 1969, le président Ahmad Hassan al-Bakr lui rend visite à Najaf et exige de lui qu'il condamne publiquement le gouvernement iranien – la tension entre l'Irak et l'Iran du chah est alors au plus fort, le statut frontalier du Chatt al-Arab continuant à être une pomme de discorde entre les deux pays. Mais l'ayatollah al-Hakim refuse, ne voulant pas empêcher l'afflux des pèlerins iraniens vers les villes saintes d'Irak, source importante de revenus pour les oulémas. La répression qui suit est le premier acte des affrontements. En réponse au refus de Muhsin al-Hakim, le gouvernement irakien arrête de nombreux oulémas dans les villes saintes, confisque les fonds des écoles et des biens de mainmorte *(waqf)*, ferme l'université religieuse de Koufa. La haine confessionnelle envers les chiites ne tarde pas à s'exprimer.

Les conceptions discriminatoires de la nationalité irakienne ont survécu à tous les régimes, à toutes les révolutions et à tous les coups d'État. Elles resurgissent dès le début du second régime baassiste, entraînant une première vague de déportation vers l'Iran de chiites d'origine iranienne et d'Irakiens de « rattachement iranien ». « Ces Iraniens naturalisés irakiens font de la propagande idéologique à grande échelle », affirme en 1969 Fadel al-Barrak, le chef des services de renseignements. « Ils sont soucieux de conserver leur allégeance à l'entité sioniste et au régime persan pour combattre les mouvements de libération nationale, affaiblir les Arabes et les diviser. » Dans la même veine, l'oncle maternel de Saddam, Khayrallah Tulfah, écrira plus tard un pamphlet intitulé *Trois créatures n'auraient jamais dû être créées par Dieu : les Perses, les Juifs et les mouches*. On peut y lire à propos des Iraniens (que la propagande baassiste persiste à appeler les « Perses », affectant de confondre les Persans de l'époque contemporaine avec leurs ancêtres de l'ère préislamique) ou assimilés : « Les Perses sont des animaux auxquels Dieu a conféré la forme humaine. Leurs mœurs sont mauvaises, leur caractère est maléfique et leurs croyances sont immorales. Frère arabe, la Perse est ton ennemi numéro un ! » Toujours considérés comme une cinquième colonne persane, les chiites de « rattachement iranien » sont également accusés de monopoliser certaines activités, notamment le commerce. Le racisme antipersan s'étend rapidement à toute la communauté chiite, que l'on amalgame à nouveau aux sionistes. Il faut rappeler ici que les chiites irakiens sont une communauté essentiellement arabe, mais qu'ils comptent également un faible pourcentage de Persans, de Kurdes et de Turkmènes (environ 40 % des Turkmènes d'Irak).

Les premières déportations concernent les Kurdes chiites, qu'on appelle les Kurdes Fayli – ils cumulent le double handicap d'être à la fois kurdes et chiites. Ceux qui vivent près de la frontière iranienne sont déportés par milliers vers l'Iran comme « Iraniens » dès 1969. Deux ans plus tard, une seconde campagne de déportation s'abat sur les étudiants de la *hawza* de Najaf, ainsi que sur les chiites des autres villes saintes et de Bagdad. Certains quartiers du centre de la capitale, où vivaient depuis des siècles les Kurdes Fayli, traditionnellement connus comme les meilleurs portefaix de la capitale, sont littéralement vidés de leur population. Cette politique suscite de nombreuses manifestations de protestation, l'une étant conduite par Muhsin al-Hakim en personne. Le gouvernement riposte en arrêtant l'un des fils de l'ayatollah Mahdi al-Hakim, l'accusant d'être un espion israélien ; il confisque tous les biens des oulémas et interdit les processions religieuses. Condamné à mort, Mahdi al-Hakim parvient à s'enfuir et se réfugie au Pakistan, avant de s'installer à Dubaï, d'où il continue ses activités militantes islamiques. Fuyant avec lui, un autre religieux, Muhammad Bahr al-Ouloum, le futur représentant des chiites à la direction du Congrès national irakien en 1992, s'installe pour sa part au Koweit.

À la mort de l'ayatollah al-Hakim, en 1970, des centaines de milliers de chiites accompagnent sa dépouille de Bagdad à Najaf. Pour la première fois, la foule reprend des mots d'ordre hostiles au gouvernement baassiste : *Saddâm, shîl idak, hadha ash-sha'b mâ yrîdak !* (Saddam, bas les pattes, ce peuple ne te veut pas !) et *Allâhou akbar !* (Dieu est grand) alternent lors de l'immense procession. La succession d'al-Hakim passe alors à deux religieux : l'ayatollah Abou'l-Qasem al-Khoï, un Iranien résidant à Najaf, qui remplace Muhsin al-Hakim à la tête du chiisme, se refuse à toute prise de position politique ; l'autre, Muhammad Baqer al-Sadr, est donc ce jeune ouléma arabe qui va vite apparaître comme le « Khomeiny d'Irak ».

À Najaf, Khomeiny prépare de son côté la révolution islamique en Iran. C'est là qu'il délivre, en 1970, une série de cours sur la *wilâyat al-faqîh*, le pouvoir direct des religieux, publiés l'année suivante sous le titre *Le Gouvernement islamique*. Les deux villes saintes de Najaf et Kerbéla sont alors une véritable pépinière des futurs cadres des mouvements islamistes actuels, depuis le Liban jusqu'à l'Iran. Muhammad Baqer al-Sadr reprend à son compte la théorie de Khomeiny sur la *wilâyat al-faqîh*, qui institutionnalise le pouvoir du religieux « le plus savant ». Pour la première fois en Irak, une partie du clergé chiite réclame le pouvoir. Le réveil du mouvement religieux aboutit ainsi à une revendication islamiste. Les relations entre le mouvement islamiste et la *marja'iyya* sont celles de disciple à maître. L'autorité des *marja'* n'a jamais été remise en cause ; au contraire, leur bénédiction, publique ou occulte, a toujours été recherchée, mais une certaine concurrence a pu se faire jour à l'époque où d'importants *marja'* inspiraient directement les mouvements islamistes. C'est le cas avec Khomeiny et avec Muhammad Baqer al-Sadr. L'ombre de ce dernier, que sa stature promettait à un destin d'importance, domine le mouvement religieux. Tous les mouvements islamistes chiites, en Irak comme à l'extérieur du pays, se réclament de lui.

En décembre 1974, cinq oulémas sont exécutés par le régime. Ce sont les premiers d'une liste de « martyrs » du mouvement islamique qui s'allongera brutalement à la fin des années 1970. Parallèlement aux activités de Khomeiny, alors surtout préoccupé des événements en Iran, les affrontements armés s'aggravent entre le pouvoir et un mouvement religieux qui mobilise désormais bien au-delà du milieu des oulémas. Les heurts les plus importants ont lieu en février 1977, lorsqu'une marche de dizaines de milliers de chiites entre Najaf et Kerbéla est décimée par l'armée. Puis, à nouveau, en juin 1979, alors que des émeutes ont éclaté à Najaf pour protester contre l'arrestation de l'ayatollah Muhammad Baqer al-Sadr. Des actes de guérilla apparaissent. L'Organisation de l'action islamique, créée en 1961, se manifeste en 1979 par des actions violentes à Bagdad. Dirigée par un ouléma de Kerbéla, Muhammad Taqi Mudarrisi, né en 1945 dans la ville de l'imam Hussein, et par son frère Muhammad Hadi Mudar-risi, cette organisation a des ramifications importantes parmi les chiites de Bahrein et d'Arabie saoudite.

La victoire de la révolution islamique en Iran et le retour triomphal de Khomeiny à Téhéran, après plus de douze ans d'exil à Najaf, galvanisent le clergé chiite irakien. Pour beaucoup d'oulémas, l'heure de la revanche semble avoir sonné. Nommé représentant personnel de Khomeiny en Irak, Muhammad Baqer al-Sadr répond à plusieurs oulémas libanais qui lui ont demandé de rédiger un projet de Constitution pour une république islamique. C'est de sa *Note préliminaire*, en date du 4 février 1979, que s'inspire en grande partie la Constitution de la nouvelle république islamique proclamée le 31 mars 1979 en Iran. Rendue publique à Téhéran le 4 novembre 1979, cette Constitution est approuvée par référendum en décembre de la même année. « Dieu » et « le peuple » : cette double source de légitimité caractéristique du système politique islamique iranien également fondé sur la séparation des pouvoirs, lui doit beaucoup.

Bien que le gouvernement baassiste ait procédé, depuis son arrivée au pouvoir, à la déportation vers l'Iran de dizaines de milliers de chiites accusés d'être « iraniens » ou soupçonnés de sympathies envers le mouvement religieux, Muhammad Baqer al-Sadr s'engage plus avant encore. En 1979, il promulgue une fatwa interdisant aux musulmans d'adhérer au Baas et rend licite le recours à la violence contre la répression du pouvoir. Il est à nouveau arrêté, et le gouvernement lui demande en vain de revenir sur sa fatwa. En juin et en juillet, des émeutes éclatent à Bagdad et dans les villes saintes pour protester contre son arrestation. En réponse, le gouvernement fait arrêter de nombreux religieux. Plusieurs sont exécutés et d'autres expulsés du pays. Rien ne semble pouvoir arrêter la dynamique de l'affrontement. La guerre que Saddam va proclamer, en 1980, contre la jeune république islamique d'Iran, avec laquelle le clergé chiite irakien a des liens étroits, est la conséquence directe de ce conflit.

# CHAPITRE 5

# L'inexorable descente
# aux enfers
# (1979-?)

Le 16 juillet 1979, quelques mois après la chute du chah et le triomphe de la révolution islamique en Iran, Saddam Hussein met son ancien protecteur Ahmad Hassan al-Bakr à la retraite et s'empare de toutes ses fonctions à la tête de l'État. Son arrivée au pouvoir est marquée par l'une des purges les plus sanglantes qu'aient connues les élites dirigeantes du pays. Quelques jours plus tard, en effet, un tiers des membres du Conseil de commandement de la révolution est massacré et vingt et un membres de la direction du Baas sont exécutés.

## Les deux guerres du Golfe

À partir d'avril 1980, les déportations de Kurdes Fayli vers l'Iran reprennent, tandis que les affrontements entre le gouvernement et le mouvement religieux chiite deviennent de plus en plus violents. Aux attentats répondent des exécutions en série. La résolution 641 du Conseil de commandement de la révolution, en date du 31 mars 1980, punit de mort la simple appartenance au parti Da'wa, le principal parti islamique de l'époque, à la suite d'un attentat raté à Bagdad, attribué à ce parti, contre Tarek Aziz, alors vice-

Premier ministre. L'ayatollah Muhammad Baqer al-Sadr, religieux chiite irakien à l'origine de la Constitution de la république islamique d'Iran et représentant de Khomeiny en Irak, est exécuté le 8 avril 1980, ainsi que sa sœur, Bint al-Huda. Pour la première fois, un gouvernement irakien a osé porter atteinte à la personne d'un *marja'*, considérée comme sacrée aux yeux des chiites. La guerre est désormais totale entre le gouvernement baassiste et le mouvement religieux chiite.

Le 17 septembre de la même année, Saddam Hussein abroge unilatéralement l'accord d'Alger, signé en 1975 avec l'Iran. Bagdad proclame sa souveraineté sur tout le Chatt al-Arab. Cinq jours plus tard, l'Irak envahit l'Iran, avec l'encouragement tacite des grandes puissances. Commence une guerre de huit ans qui coûtera aux deux pays belligérants près d'un million de morts. Officiellement, Bagdad justifie son attaque en présentant l'Iran comme l'agresseur, mais l'Irak avance aussi d'autres motifs : le contrôle du Chatt al-Arab et l'« appel » des Arabes de l'Arabestan (le Khouzestan, province pétrolière du sud-ouest de l'Iran, en partie peuplée d'Arabes) « à leurs frères irakiens ». En novembre, l'armée irakienne occupe le grand port iranien de Khorramshahr. Mais l'Iran résiste, et, après des combats acharnés, les troupes iraniennes entrent à leur tour en Irak en juillet 1982. L'Irak a proposé un cessez-le-feu le 10 juin 1982, mais celui-ci est refusé par l'Iran, qui entend « châtier l'agresseur ». En février 1984, les soldats de Khomeiny occupent les îles Majnoun, riches en pétrole ; l'Irak riposte en utilisant l'arme chimique sur une grande échelle. La guerre s'intensifie et s'internationalise.

À partir de 1985, la guerre des villes succède à la guerre de mouvement : le statu quo prévaut sur le terrain, où aucun des belligérants ne semble en mesure de l'emporter. En mars 1988, après d'importants revers au Kurdistan, Bagdad emploie l'arme chimique contre la population kurde à Halabja. Quatre mois plus tard, Khomeiny accepte de signer un cessez-le-feu, et le 18 juillet 1988 l'Iran accepte officiellement la résolution 598 de l'ONU (cessez-le-feu, retour aux frontières d'avant la guerre, échange de prisonniers). Le 8 août, Javier

Perez de Cuellar, le secrétaire général de l'ONU, annonce la fin de la guerre entre l'Irak et l'Iran.

L'occupation du Koweit par l'armée irakienne et la seconde guerre du Golfe (août 1990/février-mars 1991) sont encore dans toutes les mémoires. Au lendemain de la guerre contre l'Iran, l'Irak est au bord de la banqueroute financière, mais il est surarmé. Effrayés par la puissance militaire irakienne, les États-Unis, Israël et les monarchies pétrolières du Golfe se mettent d'accord pour se débarrasser de la menace qu'il représente. Les pays arabes du Golfe, qui ont largement financé la guerre menée contre l'Iran, demandent à Bagdad de rembourser ses dettes tout en sachant bien que cela lui est impossible. Le 2 août 1990, deux ans seulement après la fin de la guerre contre l'Iran, Saddam Hussein envahit le Koweit, décrété « dix-neuvième province irakienne ». L'ONU impose aussitôt les premières sanctions économiques contre l'Irak (août 1990). Une vaste coalition de pays occidentaux et arabes se forme contre Saddam Hussein. Face à elle, le dirigeant irakien tente de se rapprocher de l'Iran et reconnaît l'accord d'Alger fixant la frontière entre l'Iran et l'Irak. Le 17 janvier 1991, la coalition lance l'opération « Tempête du désert ». C'est le début de frappes aériennes massives. L'attaque au sol commence le 26 janvier. Saddam Hussein annonce son retrait du Koweit. C'est la débâcle pour l'armée irakienne.

Le 28 janvier, un cessez-le-feu est proclamé. Libérée de la peur par la défaite de l'armée, la population irakienne se soulève. Né dans la région de Bassora, où les premiers à s'insurger sont les soldats en retraite, le mouvement gagne rapidement tout le pays. En quelques jours, quinze des dix-huit provinces de l'Irak échappent au contrôle de Bagdad. Dans les régions chiites, l'insurrection prend l'allure d'une revanche féroce contre le Baas. Mais cette *intifâda* est spontanée et anarchique. À Najaf, le vieil ayatollah al-Khoï peine à incarner une direction qui fait cruellement défaut aux insurgés. Dans la partie kurde, au contraire, les mouvements nationalistes encadrent la population. Bien que les Alliés aient appelé les Irakiens à se soulever, les commandants américains autorisent le régime de Saddam, en pleine déroute, à utiliser la Garde républicaine, les hélicoptères et l'artillerie lourde contre l'*intifâda*. C'est un véritable carnage, surtout dans les villes saintes : la répression dans le pays chiite fait peut-être davantage de morts que la guerre du Golfe elle-même. Mais les journalistes étant absents, on en a eu peu d'images, au contraire de ce qui va se passer pour le Kurdistan.

À la fin du mois de mars, l'avancée des troupes irakiennes au Kurdistan provoque en effet un exode sans précédent : près de deux millions de Kurdes s'enfuient vers l'Iran et la Turquie. Les images des réfugiés ont fait le tour du monde, à la une des journaux et sur les écrans de télévision. L'*intifâda* se prolonge dans tout le pays jusqu'en avril, mais les jeux sont faits. Le 5 avril 1991, l'ONU vote la résolution 688 visant à protéger les civils « kurdes au Nord et chiites au Sud ». Le 10 avril, une poche de sécurité est créée dans la région de Zakho, au nord du Kurdistan, dans le cadre de l'opération militaro-humanitaire alliée « Provide Comfort », avec l'accord de l'ONU, tandis que le président George Bush annonce l'établissement d'une zone d'interdiction de survol pour l'aviation irakienne au nord du 36ᵉ parallèle. Une semaine plus tard, Washington propose la création de « zones de protection » pour les Kurdes. Le 21 avril, les troupes américaines pénètrent au Kurdistan. Le 7 juin, les Alliés confirment la création d'une zone de protection au Kurdistan avec l'accord de l'ONU. L'armée irakienne se retire, laissant le champ libre aux milices des partis kurdes. C'est le début d'une autonomie unilatéralement proclamée par les Kurdes, qui vont bientôt former un gouvernement et élire un Parlement, basés à Erbil. Des élections libres se dérouleront effectivement le 19 mai 1992 au Kurdistan.

À partir de 1991, l'Irak vaincu de Saddam Hussein est l'objet d'une série de résolutions de l'ONU qui instaurent une véritable tutelle internationale sur le pays, tandis que l'embargo est renforcé. En août 1992, sa souveraineté, déjà contestée dans le Nord, est limitée dans le Sud par l'interdiction de survol imposée à l'aviation irakienne au sud du 32ᵉ parallèle pour « protéger les populations chiites ». En 1994, l'Irak reconnaît officiellement l'indépendance du Koweit et le nouveau tracé de la frontière, qui prive pratiquement le pays de tout accès à la mer. Le 9 décembre 1996, l'ONU vote la résolution 986, dite

« Pétrole contre nourriture », aux termes de laquelle le pétrole, principale ressource du pays, est soumis à un contrôle international dans le cadre d'un « programme humanitaire ». Quant à l'armement irakien, il est méthodiquement démantelé et contrôlé par des commissions successives de l'ONU, tandis qu'un système de surveillance sophistiqué est mis en place. Ce dossier devient vite un prétexte d'affrontement entre Bagdad et Washington. Du 16 au 19 décembre 1998, l'opération « Renard du désert » vise à forcer Bagdad à coopérer avec l'UNSCOM, la commission spéciale des Nations unies alors chargée du désarmement de l'Irak. Le pays est bombardé de façon intensive par l'aviation anglo-américaine et par des missiles lancés depuis des bâtiments de guerre stationnés dans le Golfe.

## Le triomphe du clan

L'inexorable descente aux enfers de la société irakienne a été précédée par le triomphe du clan de Saddam Hussein, les Takriti.

Comment les Takriti ont-ils fait pour évincer les autres *'asabiyya* de province candidates à l'accaparement de l'État ? Sous la monarchie, les Takriti s'étaient appauvris en raison du déclin des productions locales, notamment des *kalak*[1], ce qui avait conduit un grand nombre d'entre eux à Bagdad où beaucoup s'étaient enrôlés dans l'armée. Mawloud Moukhlis, protégé de Faysal et vice-président du Sénat, favorisa leur entrée dans l'armée en particulier dans le corps des officiers. Après la révolution de 1958, les officiers royalistes furent évincés, et les officiers « irakistes » furent éliminés à leur tour après la chute de Kassem. Les Mossouliotes perdirent de leur poids en 1966, puis en 1969, les officiers de Ramadi, qui avaient lié leur sort au groupe Nayef-Dawud, furent

---

1. Embarcations rudimentaires destinées à la traversée du Tigre.

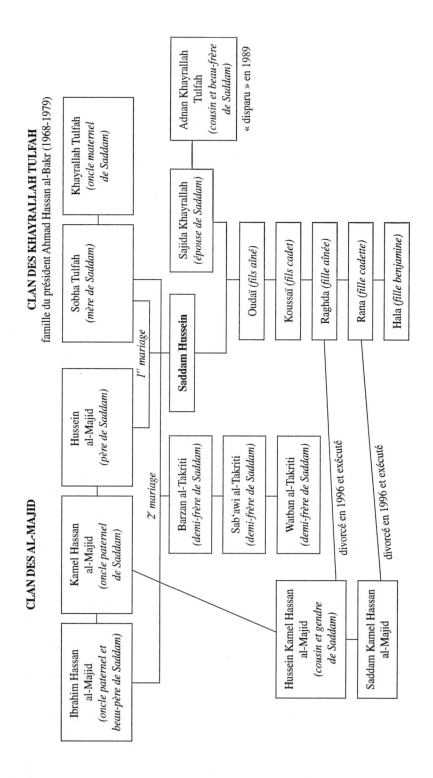

**CLAN DES KHAYRALLAH TULFAH**
famille du président Ahmad Hassan al-Bakr (1968-1979)

**CLAN DES AL-MAJID**

également écartés. La voie était donc déblayée pour donner l'avantage aux Takriti. Le général Ahmad Hassan al-Bakr, premier président de la république du régime issu du coup d'État de 1968, en fut le représentant le plus illustre, avant que Saddam ne le force à la retraite en 1979.

Officiellement, le régime est toujours baassiste, et le Conseil de commandement de la révolution en est l'instance suprême. Mais la famille de Saddam, élargie aux cousins, aux oncles et aux gendres, détient la réalité du pouvoir, ce qui accroît les jalousies entre les deux branches de la famille du président irakien, Khayrallah Tulfah du côté maternel, al-Majid du côté paternel. Trois cercles rivaux se sont formés autour du chef de l'État : le clan des fils, celui des demi-frères, celui des gendres et cousins. Les deux premiers représentent le côté maternel, Sajida, la première épouse de Saddam, étant aussi sa cousine maternelle.

Le premier clan est celui des deux fils du dirigeant irakien, Oudaï et Koussaï. Oudaï cumule vingt-neuf postes officiels : il contrôle la télévision, dirige le quotidien *Bâbel*, préside le syndicat des journalistes et le Comité olympique irakien. C'est lui qui a mis sur pied les Fedayin de Saddam, garde prétorienne créée fin 1994 et composée exclusivement de jeunes de Takrit. Il a également la haute main sur l'économie du pays, puisqu'il contrôle la contrebande du pétrole aussi bien que diverses activités comme la production et le commerce des volailles. Selon l'endogamie qui est la règle au sein de la famille, Oudaï a d'abord été marié à la fille de Barzan al-Takriti, un demi-frère de Saddam, dont il a divorcé. Il a ensuite épousé une fille d'Izzat Ibrahim al-Dori, le vice-président du Conseil de commandement de la révolution, puis en a divorcé une nouvelle fois. Réputé être un véritable psychopathe, il s'est illustré par plusieurs meurtres ou tentatives de meurtres et a éliminé des membres de sa famille en qui il voyait des rivaux : il a tiré, entre autres, mais sans le tuer, sur son second oncle, Watban al-Takriti, lors d'une réception, le 8 août 1995. Son ascension a été momentanément freinée en 1988 : cette année-là, pour « venger l'honneur de sa mère », il a abattu au cours d'une réception officielle le « goûteur » de son père (un chrétien), parce qu'il avait eu le malheur d'introduire à la cour une jeune femme qui aurait pu amener Saddam à divorcer d'avec Sajida, sa mère. Beaucoup d'histoires circulent sur son compte, notamment sa manie d'enlever les femmes qui lui plaisent et de tuer leur mari ou leur frère. Il est certain qu'Oudaï a joué un rôle prédominant dans la fin sanglante de ses beaux-frères, Hussein Kamel al-Majid et le frère de ce dernier, en 1996. La même année, il a été gravement blessé dans un attentat dont il est sorti à moitié paralysé, et qui a brisé ses ambitions de succéder à son père. Ce personnage, craint de tous, a tant d'ennemis que l'on a l'embarras du choix quant aux commanditaires de l'attentat. En octobre 2001, un an après avoir été élu à l'Assemblée nationale, Oudaï aurait tué le neveu d'Izzat Ibrahim al-Dori : le malheureux jeune homme refusait de rompre sa promesse de mariage avec celle qui avait été la seconde épouse du fils de Saddam.

Le fils cadet de Saddam, Koussaï, plus discret, dirige les principaux services de sécurité du régime. La paralysie de son frère lui a grand ouvert les portes du pouvoir. Il a fait son entrée en 2001 à la direction du Baas, dont il contrôle le bureau militaire. Il est régulièrement présenté comme le possible dauphin de Saddam Hussein, une option parfois préconisée jusqu'à Washington.

À l'instar des deux fils, le clan des trois demi-frères, nés d'un second mariage de la mère de Saddam, s'était opposé dès 1980 à l'union de deux filles de Saddam avec les al-Majid. Après l'élimination des deux gendres al-Majid, la rivalité entre les fils et les demi-frères a pris le dessus. Watban al-Takriti a été gouverneur de la province de Salah al-Din, où se trouve Takrit, puis ministre de l'Intérieur, fonction qu'il a perdue en mai 1995, et est aujourd'hui conseiller du président. Depuis l'agression dont il a été victime, ses proches sont pourchassés par Oudaï et Koussaï. L'un de ses frères, Sab'awi, a été vice-directeur de la police, puis chef de la Sécurité après la guerre du Golfe, mais on ignore son sort depuis que Saddam craint ses relations avec Barzan, le troisième demi-frère de Watban. Sab'awi a été remplacé en octobre 1995 à la tête de la Sécurité par Hatem al-Habbabi, également originaire de Takrit. Quant à Barzan, chef des renseignements du Baas, il a été l'un des pires tortionnaires du régime avant d'être muté, en 1991, comme représentant de l'Irak à l'ONU à Genève, où il tente de se donner une image de démocrate à l'extérieur du pays. Ayant adopté une attitude de semi-opposition au régime, il est la cible privilégiée d'Oudaï, parce qu'il représente un danger potentiel.

Le clan des gendres et cousins de Saddam a connu son heure de gloire avec l'ascension de Hussein Kamel Hassan al-Majid, de son frère Saddam ainsi que d'Ali Hassan al-Majid. Hussein et Saddam Kamel ont réussi à épouser deux des filles du président, scellant une alliance qu'ils croyaient indéfectible. Hussein Kamel a été nommé ministre de l'Industrialisation militaire en 1988, puis ministre de la Défense en 1991. En 1992, il retrouve le portefeuille de l'Industrie et des Minéraux et fait alors figure de numéro deux du régime, position toujours fatale. À la tête de l'Organisme de l'industrialisation militaire, chargé des principaux programmes militaires irakiens, il tisse de par le monde un réseau aux ramifications nombreuses, avec l'aide de lobbies irakiens locaux, qui doivent permettre au régime d'avoir accès aux dernières technologies militaires et de développer l'arme chimique. Saddam Kamel Hassan al-Majid, son frère, est officier de la Garde républicaine. Le 8 août 1995, les deux frères font défection de façon spectaculaire et se réfugient en Jordanie, où le roi Hussein leur offre l'asile politique. Leur chute, suivie d'un retour épique à Bagdad et de leur exécution pour « trahison », illustre la haine implacable que leur vouait Oudaï. Tous deux sont impitoyablement assassinés, malgré les promesses de pardon pour leur défection, auxquelles ils ont naïvement cru. Saddam Hussein a laissé son fils aîné « venger » l'honneur de la famille.

De la « dynastie régnante » des al-Majid en Irak, il ne reste plus aujourd'hui qu'Ali Hassan al-Majid, également cousin de Saddam, « boucher des Kurdes » et « bourreau du Koweit », car son nom est attaché à la campagne de déportation *Al-Anfal* menée au Kurdistan en 1988, au cours de laquelle l'arme chimique a été utilisée à Halabja – ce qui lui vaut aussi le surnom de « Ali *kimiyâwi* », c'est-à-dire Ali le chimique –, et à la fonction de gouverneur militaire du Koweit, qu'il a occupée d'août à novembre 1990. Ministre de la Défense jusqu'en juin 1995 et aujourd'hui conseiller du président, il est, de tous les parents de Saddam, l'un des rares à faire partie des institutions « civiles et révolutionnaires » du pouvoir, telles que le Conseil de commandement de la révolution. C'est lui qui, au nom des al-Majid, a appelé à l'assassinat de Hussein Kamel et de sa famille, permettant ainsi de maintenir cette branche familiale au sein du sérail du régime, même à un rang moindre. Ali Hassan al-Majid est marié à une fille de l'ancien président irakien Ahmad Hassan al-Bakr. Une autre fille de ce dernier a été mariée à Adnan Khayrallah Tulfah, ministre de la Défense et fils de l'oncle paternel de Saddam, dont il était aussi le beau-frère. Jugé trop populaire au sein de l'armée, Adnan Khayrallah est mort en 1989 dans un « accident » d'hélicoptère organisé par Ali Hassan al-Majid et Hussein Kamel, avec la bénédiction de Saddam Hussein. Après la prise du pouvoir directe de Saddam Hussein, en 1979, Adnan Khayrallah avait été, avec Sa'adoun Shaker, l'un des rares membres de la famille de Saddam à avoir fait partie du CCR et du Commandement régional du Baas.

Le CCR et le Commandement régional du Baas sont les institutions « civiles et révolutionnaires » du régime, celles qui lui assurent sa légitimité. Les liens qu'entretient Saddam avec les membres du CCR ont été forgés dans le sang, puisque tous ont été impliqués dans les exécutions de 1979. Le président du CCR, la plus haute autorité législative et exécutive, est obligatoirement le secrétaire général du Baas, deux fonctions que cumule, entre autres, Saddam. Son vice-président est depuis 1979 Izzat Ibrahim al-Dori (de la ville de Dor, près de Samarra). Connu pour son manque d'ambition, ce dernier figure, avec Taha Yasin Ramadan al-Jazrawi et Tarek Aziz, parmi les « compagnons » de longue date du président irakien et symbolise cette légitimité révolutionnaire par laquelle le régime tente de masquer ses bases familiales. De fait, depuis 1979, Sa'adoun Shaker et Adnan Khayrallah ont été ou sont, avec Ali Hassan al-Majid, les seuls membres importants de la famille de Saddam au sein du CCR. Sa'adoun Shaker, un cousin de Saddam, membre du CCR depuis 1977, avait réorganisé les services de renseignements en 1972, avant de créer la redoutable section spéciale des *Mukhâbarât (jihâz al-khâss)*, le service de renseignements, puis d'être nommé ministre de l'Intérieur en 1980. « Compagnon » de Saddam, Taha Yasin Ramadan est originaire de Mossoul, où il garde d'importants contacts. Fondateur de l'« Armée du Peuple », l'une des premières formations paramilitaires parallèles du régime, il est vice-président de la République depuis 1991 et vice-Premier ministre. Cette dernière fonction est aussi, depuis 1979, celle de Tarek Aziz, un chaldéen[1] de la région de Mossoul, devenu le porte-parole du régime auquel il tente de donner un visage aimable. Tarek Aziz est membre du CCR depuis 1977. Taha Muhay al-Din Ma'rouf, un Kurde autrefois partisan de Talabani – avant de devenir vice-président de la République –, est membre du CCR depuis 1982. Quelques chiites font partie du CCR : Muhammad Hamza al-Zubaydi, également vice-Premier ministre, n'a pas été renouvelé dans ses fonctions, mais Hassan Ali al-Amiri et Mizban Khudar Hadi en sont toujours membres. La carrière de tous ces hommes dépend entièrement de Saddam Hussein.

L'autre source de légitimation du régime, le commandement régional du Baas, a eu, plus encore que le CCR, le souci de ne pas paraître trop impliqué avec la famille du président irakien. Aujourd'hui, il ne compte plus qu'un seul parent de Saddam, mais non les moindres : son fils Koussaï, qui y a fait son entrée en 2001. Sa'adoun Hammadi, président du Parlement depuis avril 1996, était le principal chiite jusqu'à la fin de 1991, date à laquelle il a été exclu. Les autres membres de la direction du Baas sont les « compagnons de Saddam » cités plus haut, comme Taha Yasin Ramadan, ancien responsable de la section militaire du parti.

Revenons-en à la fiction entretenue par le discours officiel. La République irakienne se réclame du nationalisme et du socialisme arabes. Elle est parlementaire et constitutionnelle. Le projet de nouvelle Constitution, en 1990, n'ayant pas abouti, la  Constitution provisoire de 1970 est toujours en

---

1. Les Chaldéens sont les Assyriens qui ont rejoint Rome. Désormais catholiques, ils forment l'une des communautés uniates orientales.

vigueur. L'Irak de Saddam Hussein se présente comme un régime dont les attributs du pouvoir sont ceux, classiques, des régimes se réclamant d'un socialisme ou d'un « progressisme » courants dans les pays du tiers-monde dans les années 1950 et 1960. On a ainsi un régime présidentiel, où le multipartisme de façade ne parvient pas à cacher le parti unique, organisé sur le modèle léniniste, avec un CCR, qui incarne le légitimité révolutionnaire, sur le modèle du Soviet suprême. Taha Yassin Ramadan al-Jazrawi est vice-président, poste qu'il partage avec le Kurde Taha Muhay al-Din Ma'rouf. Il y a quatre vice-premiers ministres, dont Tarek Aziz. Ramadan et Aziz font partie de la vieille garde, de ceux qu'il est convenu d'appeler les « compagnons de Saddam Hussein ». Ils ne sont pas apparentés au chef de l'État et ont été compromis, par ce dernier, dans tous les coups bas et sanglants du régime (notamment le massacre, le 22 juillet 1979, d'un tiers des membres du CCR et de la moitié du Commandement régional du Baas), si bien qu'ils savent que leur sort est lié au sien. Aucun de ces trois personnages ne représente un danger quelconque pour Saddam Hussein, car le premier ne dispose pas de base propre, le second est Kurde, et le troisième chrétien. Il n'y a pas de numéro deux à la tête de l'État ou du gouvernement. Celui qui est souvent crédité d'un tel rôle par les médias arabes et occidentaux, Izzat Ibrahim al-Dori, est vieux et malade ; il n'a jamais eu cette ambition qui lui aurait été immanquablement fatale.

Le gouvernement veut se donner une image « civile » et institutionnelle. Les membres de la famille du président irakien y ont toujours été minoritaires, mais ils y ont souvent occupé des postes clés, en particulier la Défense et l'Intérieur. Les recompositions incessantes illustrent un équilibre instable entre les clans familiaux. L'épopée tragique et la chute des gendres al-Majid, en 1995, ont entraîné un apparent rééquilibrage : Watban al-Takriti (Intérieur) et Ali Hassan al-Majid (Défense) ont été remplacés par des nouveaux venus, présentés comme des hommes du Baas, mais qui sont à la dévotion de Saddam Hussein. Il en est ainsi des autres ministres, tels que le général Amer Muhammad Rachid, ministre du Pétrole et principal interlocuteur de l'ONU pour l'application du programme

« Pétrole contre nourriture », de Muhammad Sa'id al-Sahhaf, ex-ministre des Affaires étrangères, de Naji Sabri, qui lui a succédé, d'Abdullah Hamed Muhammad Salih, ministre de l'Agriculture, ou du chiite Muhammad Mahdi Salih, ministre du Commerce. Tous sont des hommes du président irakien et peuvent être relevés de leurs fonctions à tout instant. Des discours, rituels, s'efforcent d'accréditer l'idée que le pouvoir a été rééquilibré en faveur des « institutions civiles et révolutionnaires », et que l'influence de la famille du président a diminué, mais ils ne peuvent occulter le fait que Saddam Hussein, sous couvert d'une politique de baassisation, a la haute main sur le CCR, sur le commandement régional du Baas aussi bien que sur le gouvernement. Dans les moments où les rivalités au sein de son clan semblaient s'aggraver, il était toujours un représentant irakien pour rappeler que l'Irak a des institutions. Le vice-Premier ministre Tarek Aziz affirmait ainsi en 1995 que « les seules instances qui ont un rôle politique significatif en Irak sont, outre le président, les membres du CCR, ceux du Commandement régional du Baas et les ministres », avant d'ajouter que Oudaï n'était pas « membre de ces organes ». Mais grâce à ses services de renseignements, dirigés par des membres de sa famille, Saddam Hussein tient ces institutions à sa merci, il peut convoquer un congrès du Baas et modifier la composition du CCR ou du gouvernement à sa guise.

La base sociale du pouvoir n'a jamais été aussi faible et se réduit à un homme et à une famille, qui apparaissent comme le seul rempart contre l'effondrement d'un système arrivé en bout de course. Saddam Hussein cumule les fonctions de président de la République (depuis 1979), chef des forces armées, président du CCR, secrétaire général du Baas et Premier ministre (depuis 1994). Même Nouri Saïd, l'homme des Anglais, n'avait pas réussi une telle prouesse. Le 15 octobre 1995, un référendum l'a confirmé à la tête de l'État irakien pour sept ans par 99,47 % des voix. Une *nokta*, ces histoires humoristiques dont on raffole au Moyen-Orient, veut qu'à l'annonce de ces résultats Saddam ait demandé qu'on lui livre les noms des 0,53 % qui n'avaient pas voté pour lui !

Le Conseil de commandement de la révolution aussi bien que le parti Baas apparaissent comme des coquilles vides. Hormis Saddam Hussein, les participants historiques au coup d'État de 1968 ont tous disparu, et les « camarades » (terme employé entre militants baassistes) ont laissé la place aux fils, cousins et gendres... Personne n'est plus dupe, mais Bagdad s'efforce de maintenir la fiction d'un régime baassiste avec ses institutions révolutionnaires pour masquer l'incroyable régression de la vie politique officielle. Tout mouvement suspect est repéré grâce à un réseau très ramifié qui repose sur de multiples services de renseignements concurrents (le Service de protection spéciale, qui est le plus récent, la Sécurité militaire, la Sécurité générale, la Direction de la sécurité générale, le Bureau de la sécurité nationale, dirigé par Koussaï). En divisant au maximum tous les pouvoirs, en créant un climat de terreur et de suspicion permanent, en montant les uns contre les autres les tribus, les communautés et les hommes, à coups d'avantages matériels soigneusement distillés, Saddam Hussein a réussi à faire de sa personne, aussi haïe qu'elle soit, le point d'équilibre d'un État à la dérive.

## L'armée au service du clan

Pivot de l'État, l'armée est aujourd'hui tenue à l'écart du pouvoir bien qu'elle ait permis aux Takriti de l'emporter sur d'autres clans arabes sunnites au sein du Baas. L'« armée idéologique » a accouché d'une armée au service d'un clan familial : les gendres de Saddam Hussein, comme ses fils, y ont trouvé un terrain de prédilection, les premiers dans les programmes d'armement, les seconds dans les renseignements militaires.

La guerre contre l'Iran a été la première épreuve du feu pour cette armée construite à coups de répression, de politisation et de pétrodollars. Elle a coûté la vie à environ 200 000 soldats irakiens. Et la défaite a brisé le mythe de l'« armée idéologique ». Le contrôle absolu des civils sur les militaires, après les offensives iraniennes de 1987, puis l'épuration de l'armée ont accru le ressentiment des officiers supérieurs contre la surveillance politique à laquelle ils étaient soumis et l'indigence de l'état-major. Durant les huit années de la guerre contre l'Iran, la principale faiblesse de l'armée irakienne a été précisément cette absence de leadership militaire, qui n'était compensée par aucun enthousiasme révolutionnaire. Les responsables de l'armée étaient flanqués d'un commissaire politique qui prétendait agir au nom du Baas, mais qui était l'œil et l'oreille du clan au pouvoir. Cette politisation tua tout esprit militaire dans l'armée irakienne, et l'esprit d'initiative disparut, remplacé par la peur. Afin de prévenir tout contre-pouvoir, Saddam Hussein avait instauré une rotation systématique des officiers. Malgré ces contraintes, l'importance et la durée du conflit suscitèrent l'émergence de chefs militaires, en majorité des Takriti, mais leur popularité au sein des forces armées fut rapidement considérée comme une menace potentielle par le régime, et ils furent éliminés avant d'avoir pu reconstituer une véritable direction militaire. Adnan Khayrallah Tulfah, à la fois beau-frère de Saddam et beau-fils d'Ahmad Hassan al-Bakr, membre du CCR et ministre de la Défense, fut victime, on l'a vu, d'un « accident » d'hélicoptère à la fin de la guerre[1] ; le général Maher Abd al-Rashid al-Takriti, autre héros de la guerre, fut limogé après la bataille de Fao. L'esprit d'héroïsme, si présent parmi les troupes iraniennes, et qui fit l'admiration secrète de nombre de soldats irakiens, était totalement absent du côté irakien, toute manifestation d'héroïsme étant aussitôt considérée comme une menace par le régime. Cet état d'esprit négatif ne se limitait pas aux officiers : plus de 100 000 soldats désertèrent au cours de la guerre. Composée d'hommes forcés à se battre, l'armée irakienne n'a dû son salut qu'à la désorganisation des forces armées adverses, au soutien matériel des grandes puissances

---

1. Auréolé de ce qui était considéré comme « ses victoires » contre l'Iran par nombre d'officiers, il disparut, rappelons-le, en 1989, dans un « accident » préparé par Hussein Kamel et Ali Hassan al-Majid, avec l'aval de Saddam Hussein.

et à l'utilisation massive de gaz toxiques. La première victoire irakienne significative depuis 1982 fut, en avril 1988, la reprise de Fao. Mais celle-ci coïncidait avec l'attaque américaine contre les navires iraniens et les installations pétrolières iraniennes dans le Golfe, et ne fut possible qu'avec l'emploi des gaz.

La décision d'envahir le Koweit illustre l'immense mépris du régime pour les officiers supérieurs. Elle a été prise en secret par une poignée d'hommes, pour la plupart membres de la famille de Saddam Hussein. Au moment même de l'invasion du Koweit, le chef d'état-major, le général Nizar al-Khazraji, n'était toujours pas informé de cette décision, pas plus que le ministre de la Défense. Ayant appris que la Garde républicaine était entrée au Koweit, il demanda à voir Saddam Hussein, qui lui expliqua, trois jours après le début de l'invasion, que la Garde républicaine dépendant directement de lui, et pour préserver le secret de l'opération, il n'était pas nécessaire que tous les chefs de l'armée soient impliqués ! Le chef d'état-major avait alors le choix entre remettre sa démission, en annonçant éventuellement son désaccord avec la décision d'envahir le Koweit, ce qui le mettait dans une position plus que périlleuse, et passer outre l'affront qui venait de lui être fait en tentant de continuer à assumer ses fonctions. Il opta pour cette dernière solution, mais écrivit un rapport mettant en garde contre le risque de voir l'Irak perdre la guerre. Il fut démis de ses fonctions en novembre 1990, en même temps que le général de corps d'armée Abd al-Jabbar Shanshal, le ministre de la Défense, qui, comme lui, avait mis en doute la capacité de l'armée à défendre l'Irak. Plus de six cents officiers furent exécutés.

La seconde guerre du Golfe a réduit à néant la puissance militaire de l'Irak. Nombre d'officiers, qui s'étaient soumis à la baassisation de leur armée et résignés à la perte de tout leadership militaire, mais qui pensaient trouver une compensation dans les énormes moyens mis à leur disposition par le régime, se sont retrouvés comme tétanisés par l'ampleur de la catastrophe. L'armée ne s'est pas relevée de la guerre du Koweit, qui a mis probablement un point final à la puissance d'une institution vieille de soixante-dix ans. C'est la Garde républicaine, corps d'élite de l'armée dont la composition tribale et confessionnelle est manifeste, qui a sauvé le régime lors du soulèvement de mars 1991.

## *Des civils en habit militaire*

Contrairement à la Syrie voisine, où le régime baassiste n'est qu'un paravent masquant le pouvoir des militaires, les forces armées irakiennes sont placées sous la coupe de civils. Le général Ahmad Hassan al-Bakr et Adnan Khayrallah Tulfah ont été les seuls, dans l'entourage de Saddam Hussein, à pouvoir prétendre à une réelle légitimité militaire. Les autres membres de l'état-major sont des civils en uniforme, à commencer par Saddam Hussein lui-même. Le chef des forces armées s'est attribué le titre de maréchal sans avoir la moindre formation militaire. Les membres de sa famille qui dirigent aujourd'hui l'institution militaire n'en ont pas plus. Son fils, Koussaï, chef des Forces spéciales de sécurité, membre de l'état-major de la Garde républicaine, a pris la direction des Fedayin de Saddam au début de 1996, en remplacement de son frère Oudaï. Les deux rejetons de Saddam n'avaient aucune qualification reconnue par les officiers pour diriger les forces armées, mais leur fonction n'appelait pas nécessairement des titres militaires, car les services de renseignements et les corps d'élite apparaissent comme des milices de parti et des gardes prétoriennes. De même, les demi-frères de Saddam, Watban et Sab'awi ne se sont pas vu attribuer de titres militaires. Chef des services de renseignements en 1990 (mais démis de cette fonction en octobre 1995), Sab'awi est l'un des rares à avoir été informés rapidement de la décision d'envahir le Koweit.

En revanche, les al-Majid, anciens sous-officiers, ont été propulsés à la tête de l'armée avec tous les titres militaires correspondant à leurs nouvelles fonctions, promotions qui continuent de susciter l'indignation des officiers supérieurs. Hussein Kamel al-Majid, gendre et cousin de Saddam

Hussein, était un simple caporal lorsque Barzan al-Takriti, alors chef des services de renseignements, l'appela auprès de lui. Son zèle le fit passer directement, en 1982, en pleine guerre contre l'Iran, du grade de sous-lieutenant à celui de général de corps d'armée. En 1982, il fut nommé chef de l'Organisme de l'industrialisation militaire, et en 1991, ministre de la Défense. Il est l'une des trois personnes, outre Saddam, à avoir pris la décision d'envahir le Koweit, et était le plus enthousiaste. Il s'est illustré durant la guerre à la tête de la Garde républicaine, puis après la défaite, pendant la répression de l'*intifâda*, en mars 1991, il participa à la destruction du centre de la ville sainte chiite de Kerbéla, au cours de combats féroces qui ont fait des dizaines de milliers de morts. En 1992, celui qu'Oudaï, son ennemi le plus acharné au sein du clan familial, continuait à appeler « le caporal Hussein Kamel » a été de nouveau nommé ministre de l'Industrie et des Minéraux. Sa fuite à Amman, le 8 août 1995, a mis un terme à une ascension fulgurante qui le faisait considérer comme le numéro deux du régime. De retour à Bagdad, il a été assassiné par sa propre famille.

Ce même Ali Hassan al-Majid, autre cousin de Saddam, est passé lui aussi directement du grade de sous-officier à celui de général de corps d'armée, avant d'être à son tour nommé ministre de la Défense. Après une semi-disgrâce due à des rivalités familiales à la fin des années 1980, il est revenu auprès de Saddam Hussein à la faveur du projet d'invasion du Koweit. Il figure parmi les quelques personnes qui ont pris la décision d'envahir l'émirat, dont il a été ensuite l'éphémère gouverneur militaire. Il a également participé à la répression de l'*intifâda*, dans la région militaire de Kirkouk. Son nom, déjà attaché à la campagne *Al-Anfal* contre les Kurdes en 1988, puis aux exactions commises au Koweit, focalisa sur lui la haine des officiers supérieurs après la mort de Hussein Kamel (il participa à son exécution). Les officiers ne voient en lui qu'un analphabète et un imposteur. Ali Hassan al-Majid, qui a perdu son poste de ministre de la Défense en juin 1995, est aujourd'hui conseiller du président, membre du Conseil de commandement de la révolution et de la direction du Baas.

Parmi les compagnons de Saddam Hussein, certains, qui n'ont suivi aucune formation militaire, ont été nommés généraux de corps d'armée, à l'instar de Izzat Ibrahim al-Dori, vice-président du CCR, dont le médiocre niveau d'études fait dire à de nombreux officiers qu'il sait à peine écrire une lettre. De même, Abd al-Sattar Ahmad Jasem, ancien ministre des Transports, a été promu général de corps d'armée. Ces promotions, notamment celles de Hussein Kamel, de Ali Hassan al-Majid et de Izzat Ibrahim al-Dori, continuent de susciter l'indignation des officiers supérieurs.

## Multiplication des corps d'armée et recrutement tribal

Très tôt, le régime a multiplié en marge de l'armée les corps d'élite, chacun recrutant prioritairement dans un clan ou une tribu. On a vu que les Fedayin de Saddam, créés par Oudaï en 1994, sont exclusivement des jeunes de Takrit ; ils sont dirigés par un cousin de Saddam, le général Mazahem Sa'ab Hasan al-Takriti. La Garde républicaine[1] est également dirigée par un cousin de Saddam Hussein, sous l'autorité du général de corps d'armée Ayyad Futayyih al-Rawi, originaire de la province des Dulaym, qui en a été nommé chef en 1988 ; elle a surtout recruté parmi les tribus arabes sunnites de cette région ; Ayyad Futayyih al-Rawi est l'un des trois hommes qui ont pris la décision d'envahir le Koweit, mais le seul à ne pas être parent de Saddam Hussein. Responsable de la préparation de l'invasion de l'émirat, il a été nommé chef d'état-major de l'armée après la guerre, après avoir dirigé la répression de l'*intifâda* entre Bassora et Amara, puis à

---

1. Garde républicaine, Forces spéciales de la garde républicaine, Forces spéciales, Garde spéciale, Fedayin de Saddam, Armée de Jérusalem sont autant de corps d'élites créés au fil des ans par le régime pour pallier l'armée irakienne dans les activités de répression intérieure.

Diwaniyya. Limogé en mars 1995, il s'est retrouvé conseiller de Saddam Hussein avec rang de ministre, puis gouverneur de la province de Kirkouk (Ta'mim). Rentré en grâce auprès de Saddam Hussein juste avant l'intervention irakienne au Kurdistan, en septembre 1996, intervention qui visait à calmer les Dulaym après leur révolte de mai-juin 1995, il dirige aujourd'hui la réorganisation des Forces spéciales de sécurité[1], qui ont pour mission d'assurer la sécurité de Bagdad, rôle originel de la Garde républicaine. Depuis 1996, celle-ci a transféré ses unités vers les provinces et les régions militaires du Sud, du Nord et de l'Est, ainsi que vers certains sites stratégiques. Elle s'est substituée à l'armée dans de nombreux domaines, et sa puissance est réelle. La tendance croissante du régime à multiplier, en marge de l'armée, les corps d'élite, dont chacun est formé à partir d'un recrutement tribal particulier (les Dulaym pour la Garde républicaine, les Takriti pour les Fedayin de Saddam, etc.) pose le problème de l'avenir de chacun d'entre eux. Ne seront-ils pas amenés à défendre leur région face aux autres corps d'élite et face à l'armée ? Ne risque-t-on pas d'assister à un affrontement entre ces milices tribales suréquipées ? L'avenir de la Garde républicaine constitue à cet égard la menace la plus tangible. Un affrontement entre l'armée et la Garde républicaine n'est pas impossible.

Au lendemain de la seconde guerre du Golfe, de nombreux chefs d'armée et de régiment étaient parents de Saddam, surtout dans la Garde républicaine, en particulier le général Hussein Rashid al-Takriti, chef de la Garde républicaine, et le général Maher Abd al-Rashid al-Takriti, héros de la guerre contre l'Iran et beau-père de Koussaï. On trouvait alors, aux commandes des cinq corps de l'armée de terre, de l'armée de l'air et de l'état-major, quatre membres de la tribu Albou Nasser – celle de Saddam Hussein –, deux officiers de Mossoul et deux autres originaires du faubourg sunnite de Bagdad, A'zamiyya. Depuis 1968, tous les ministres de la

---

1. En 1997, celles-ci comptaient 40 000 hommes originaires des villes de Takrit et Dor ainsi que des Dulaym, mais dont sont exclus les Joubouri, les Samarra'i et certaines tribus d'Al-Anbar (ex-province des Dulaym).

Défense ont été des Albou Nasser, à l'exception de Abd al-Jabbar Shanshal, originaire de Mossoul, et de Sa'adi Tu'ma al-Joubouri. Les chefs d'état-major appartenaient souvent à la tribu sunnite des Dulaym. L'origine des officiers illustre bien la nature tribale du commandement de l'armée. On y retrouve, outre les Takriti et les Dulaym, certaines familles et tribus arabes sunnites telles que les Dori, les Samarra'i, les Joubouri, les Shammar, les Azzawi et d'autres tribus du triangle arabe sunnite, auxquelles il faut ajouter les officiers originaires de Mossoul, vivier traditionnel de la hiérarchie militaire irakienne. Mais chacun de ces groupes est entré en dissidence contre le régime dans les années 1990 et a été soumis à la répression : les Mossouliotes en 1989 et 1992, les Joubouri en 1992 et 1993, les Takriti en 1994, et enfin les Dulaym en mai-juin 1995.

Les changements à la tête de l'armée irakienne illustrent bien l'évolution des rapports de forces entre les groupes tribaux, mais aussi au sein du clan au pouvoir. Il y avait une montée en puissance des al-Majid aux dépens des demi-frères de Saddam, montée en puissance à laquelle la défection des deux gendres, en août 1995, a mis un coup d'arrêt. Après la seconde guerre du Golfe, plusieurs centaines d'officiers supérieurs ont été mis à la retraite, le régime voulant donner à la Garde républicaine et aux Forces spéciales la priorité sur une armée défaite, considérée comme peu sûre et trop nombreuse. En outre, il y a eu deux purges importantes. La première, en novembre 1994, faisait suite à la tentative des officiers de l'armée de l'air et du 2ᵉ régiment blindé de constituer des cellules secrètes ; une dizaine d'officiers originaires des tribus Dulaym et Joubouri furent exécutés, dont le général de l'armée de l'air Muhammad Mazloum Dulaymi. Quant à la seconde purge, elle a suivi la défection des deux gendres de Saddam Hussein, en août 1995, les plus touchés étant alors les officiers de la Garde républicaine et des services de renseignements. Depuis, la valse des responsables de l'armée a continué, selon une rotation devenue classique : nomination à la tête de l'institution militaire de membres de la famille de Saddam Hussein, limogés après un délai plus ou moins long pour éviter toute tentation de contre-pouvoir ou pour des raisons de rivalités familiales ; les limogés se voient alors attribuer des postes de « conseillers du président » et sont remplacés par de véritables militaires pendant une période de transition ; puis d'autres membres du clan sont à nouveau promus à la tête de l'armée (ce sont parfois les mêmes, mais avec une fonction différente), et la même rotation recommence.

## Une armée en ruine sans véritable chef

Que reste-t-il aujourd'hui du leadership militaire irakien ? Assurément peu de chose. Mais certaines personnalités jouissent encore d'une véritable popularité au sein de l'armée. C'est le cas du général de corps d'armée Maher Abd al-Rashid al-Takriti, qui n'est pas baassiste et qui, rappelons-le, est le beau-père de Koussaï. Commandant de la III$^e$ armée, il s'est rendu célèbre lors de la guerre contre l'Iran, – on considère qu'il en est le héros. Limogé après la bataille de Fao, il s'est réfugié dans le désert occidental, où il a fait une longue retraite. Bien qu'en désaccord avec Saddam Hussein sur l'invasion du Koweit, il a participé, après le cessez-le-feu, à la répression de l'*intifâda* au Kurdistan. Il est ensuite devenu conseiller du dirigeant irakien. Sa popularité au sein de l'armée, accrue par sa retraite volontaire et par ses bonnes relations avec les États du Golfe, font qu'il est souvent présenté comme un recours possible.

Le général de corps d'armée Hussein Rashid al-Takriti, cousin de Saddam, est le chef des Forces spéciales de la Garde républicaine. Vice-chef d'état-major de l'armée en 1990, il a appris la décision d'envahir le Koweit, avant même le chef d'état-major, son supérieur, le général al-Khazraji, qu'il a remplacé en septembre 1990. Resté chef d'état-major jusqu'à la fin de 1991, il a participé à ce titre à la répression de l'*intifâda* à Bassora. Il a traversé une période de disgrâce, mais est actuellement à la tête de la direction générale des forces armées et serait très écouté de Saddam Hussein.

Autre personnalité militaire, le général de division Amer Muhammad Rachid, « l'ingénieur », représente l'industrie militaire, dont il a pris la tête après la défection de Hussein Kamel. À la suite de ce dernier, il a été nommé chef de l'Organisme d'industrialisation militaire en août 1995 ; il était secondé par Dayf Abd al-Majid Ahmad, qui l'a remplacé à ce poste en janvier 1996. Ministre du Pétrole depuis juin 1995, il est le principal interlocuteur de l'ONU et est sans doute l'un des dirigeants irakiens les plus ouverts sur l'extérieur. Il aurait une réelle influence sur Saddam Hussein pour les questions militaires.

Le général de corps d'armée Sultan Hashem Ahmad al-Joubouri, originaire de Sharqat, ville située au sud de Mossoul, sur le Tigre, est également un parent de Saddam Hussein, dont il a été d'abord conseiller. Chef de la I$^{re}$ armée en 1991, il a participé à la répression de l'*intifâda* à Bassora, puis à Kirkouk. Nommé chef d'état-major de l'armée en mars 1995, en remplacement du général Ayyad Futayyih al-Rawi, il a cumulé cette fonction jusqu'en 1996 avec celle de nouveau ministre de la Défense (en remplacement d'Ali Hassan al-Majid). Décoré de l'ordre du mérite à la suite de l'intervention de l'armée irakienne à Erbil en septembre 1996, c'est un militaire respecté par les officiers supérieurs.

À l'instar du général Sultan Hashem Ahmad, qu'il a remplacé en 1996 comme chef d'état-major de l'armée, le général de corps d'armée Abd al-Wahid Shannan al-Ribat est également un militaire respecté. Il a lui aussi été décoré de l'ordre du mérite après l'intervention de l'armée irakienne à Erbil, de même que ses deux assistants, les généraux Sabah Nouri et Ahmad Hasan Ubayd.

Le général Saber Abd al-Aziz al-Dori, chef des renseignements militaires en 1990, est l'un des rares qui furent rapidement informés de la décision d'envahir le Koweit. Devenu chef des services secrets, il a été limogé en 1994 après l'aggravation du différend entre les Takriti et les Dori. Nommé ensuite gouverneur de la province de Kerbéla, il est également responsable militaire des deux villes saintes de Najaf et Kerbéla. C'est lui qui a supervisé l'offensive contre la hiérarchie religieuse chiite qui aboutit à l'assassinat de proches de l'ayatollah Sistani en novembre 1996.

Parmi les grandes figures de l'armée, il faut citer encore le général d'aviation Mazahem Sa'ab Hasan al-Takriti. Ce cousin de Saddam Hussein dirigeait l'armée de l'air avant l'invasion du Koweit. Il est aujourd'hui responsable de la protection du président, malgré les relations étroites qu'il a entretenues avec Hussein Kamel, et dirige les Fedayin de Saddam, en liaison avec Koussaï.

Ibrahim Abd al-Sattar al-Ansari, originaire de Mossoul, est aujourd'hui le chef d'état-major de la Garde républicaine. Il est chargé de superviser la réorganisation des Forces spéciales.

Le général d'armée Sa'adi Tu'ma al-Joubouri est l'un des rares chiites à appartenir à la caste des officiers supérieurs et à avoir assumé des fonctions officielles au sein de l'institution militaire. Héros de la guerre contre l'Iran, il a fait la guerre du Koweit et a participé à la répression de l'*intifâda* en mars 1991 à Bassora. Ministre de la Défense entre Hussein Kamel et Ali Hassan al-Majid, il n'a gardé son portefeuille que pour une courte période, mais il est probablement le premier chiite à avoir assumer une telle fonction.

Le général d'aviation Hamid Sha'ban, originaire de Takrit, aujourd'hui âgé, a dirigé l'aviation pendant la guerre contre l'Iran, avant de laisser sa place à Mazahem Sa'ab Hasan al-Takriti. Il a été compromis en 1996 par des officiers qui proclamèrent qu'ils l'avaient choisi comme futur « président de la République ». Les officiers furent exécutés, mais lui-même aurait réussi à se disculper.

Le général de corps d'armée Isma'il Tayah al-Nu'aymi, qui a conduit les principaux mouvements de la guerre contre l'Iran, figure parmi les militaires qui ont acquis une certaine popularité parmi les officiers durant les huit années de guerre contre le pays voisin. D'autres, on l'a vu, ont dû leur ascension à leur participation à la répression du soulèvement de mars 1991. Mentionnons aussi le général de corps d'armée Kamal Mustafa al-Takriti, qui a réprimé l'*intifâda* dans la province de Maysan (région d'Amara), en liaison avec Izzat Ibrahim al-Dori.

Citons, enfin, plusieurs généraux qui se sont vu attribuer des fonctions de gouverneur de province : le général de division Al-Hakam Hasan Ali, chef de l'aviation irakienne en 1991, actuellement gouverneur de la province de Babel (Babylone), le général de corps d'armée Salah Aboud, chef de la IIIe armée, nommé gouverneur de la province d'Al-Anbar (Dulaym), puis de Dhi Qar (Nasiriyya), ou encore le général de corps d'armée Tali' Khalil al-Dori, qui a participé à la répression de l'*intifâda* au Kurdistan, puis a été nommé gouverneur militaire de Hilla.

Aujourd'hui, les forces armées comptent 382 000 hommes d'active et 500 000 hommes de réserve, dont 100 000 de la Garde républicaine, auxquels il faut ajouter 45 000 hommes des Forces de sécurité, 100 000 autres des Forces spéciales et les Fedayin de Saddam. Il y a vingt-sept divisions, dont huit appartiennent à la Garde républicaine, et six corps d'armée. L'armée de terre compte elle-même environ 650 000 hommes, auxquels il faut ajouter six divisions de la Garde républicaine. L'armée de l'air compte environ 30 000 hommes.

Ces effectifs masquent le fait que l'armée est en ruine. Les forces armées régulières ont été très affectées successivement par la défaite face aux forces alliées, par le soulèvement de mars 1991, puis par l'embargo. Les usines d'armement continuent à tourner au ralenti et satisfont en priorité les besoins des corps d'armée parallèles et d'élite que sont la Garde républicaine, les Forces spéciales et les Fedayin de Saddam, dont la direction est répartie, on l'a dit, entre certains chefs militaires originaires de la province des Dulaym et les fils de Saddam. Les al-Majid, pour leur part, avaient privilégié l'armée régulière.

La seconde guerre du Golfe, vécue comme une défaite majeure, n'a pas suscité l'émergence de nouveaux héros au sein de l'armée. Les réticences de nombre d'officiers face à ce qu'ils considéraient comme une opération suicidaire et contraire à leurs convictions « arabes » ont provoqué une nouvelle vague de purges sanglantes. Parmi les trois officiers supérieurs qui sont revenus de la guerre du Koweit, deux ont été exécutés : le général de corps d'armée Ismat Saber Umar, commandant des Forces spéciales, pour « refus d'obéissance », et le général Bareq Abd Allah al-Hajj Hanta, chef d'état-major des Forces du Golfe. Le général Sabah Isma'il al-Takriti, qui avait dirigé la répression de l'*intifâda* dans la région de Hilla et Najaf, en liaison avec Taha Yasin Ramadan, vice-président de la République, a été condamné à douze ans de prison. Il faut rappeler ici la tentative de rébellion d'une vingtaine d'officiers, dont le plus célèbre, le général d'aviation Muhammad Mazloum Dulaymi, fut exécuté avec ses compagnons d'infortune en novembre 1994, alors qu'ils tentaient de constituer des cellules clandestines sur la base de Habbaniyya. Lorsque les corps des suppliciés furent rendus à leurs familles, une mutinerie militaire éclata le 14 juin 1995 à Abou Ghrayb, dirigée par le général Turki Isma'il Dulaymi, qui s'accompagna d'une révolte des Dulaymi à Ramadi.

Parmi les défections, trois noms s'imposent : le général Hassan al-Naqib, le général Wafiq al-Samarra'i et le général Nizar al-Khazraji.

Originaire de Samarra, le général Hassan al-Naqib est un ancien vice-chef d'état-major. Baassiste depuis 1960, il fut victime des premières purges à l'encontre des militaires au cours de l'année 1970. Contraint de quitter l'armée, il fut nommé ambassadeur dans divers pays, dont la Suède et l'Espagne, avant de rejoindre l'opposition après le soulèvement de mars 1991. Proche des baassistes prosyriens, il représente aujourd'hui les Arabes sunnites au sein de la présidence tricéphale du Congrès national irakien (CNI) de l'opposition. Il est établi à Damas.

Le général de division Wafiq al-Samarra'i, ex-chef des renseignements militaires, a participé à la répression de l'*intifâda* en mars 1991 avant de rejoindre l'opposition en 1994 via le Kurdistan. Proche du Mouvement de l'Entente nationale (*al-Wifâq*), dirigé par d'anciens baassistes, il est devenu membre du CNI et s'est établi à Damas, puis à Londres, pour manifester son désir de s'affranchir de la tutelle syrienne.

De loin le plus important, en raison de ses fonctions récentes, le général de corps d'armée Nizar al-Khazraji s'est discrètement exilé en Jordanie le 12 mars 1996. Arabe sunnite de Ba'qouba, ville située à l'est de Bagdad, il était entré à l'Académie militaire en 1955. Officier important durant la guerre contre l'Iran, il aurait, à ce titre, participé au gazage des Kurdes à Halabja en 1988. Il était chef d'état-major de l'armée irakienne au moment de l'invasion du Koweit. Aujourd'hui, réfugié au Danemark, al-Khazraji affirme qu'il n'a pas été informé de la décision d'envahir l'émirat. On a dit plus haut qu'il aurait écrit un rapport défavorable à l'intervention irakienne au Koweit, mettant en garde contre un effondrement de l'armée au cas où celle-ci aurait à affronter la coalition anti-irakienne. Selon lui, il aurait quitté l'état-major le 19 septembre 1990, soit six semaines après l'invasion du Koweit. Toutefois, des sources irakiennes affirment qu'il avait déjà laissé la place au général Hussein Rashid al-Takriti à la tête de l'état-major à la fin juillet. Quoi qu'il en soit, le général Nizar al-Khazraji fut démis de toutes ses fonctions en novembre 1990 et nommé conseiller du président. À ce titre, il a dirigé la répression de l'*intifâda* de mars 1991 dans la région de Nasiriyya, où il fut blessé et fait prisonnier par les insurgés. Soigné par eux, il fut relâché avec son fils et son adjoint, contre une promesse écrite qu'il lutterait désormais contre le régime. Quand il s'est réfugié en Jordanie, le pays lui a réservé un accueil discret qui contrastait avec la publicité donnée à l'exil de Hussein Kamel, probablement dû à la volonté du royaume de ne pas envenimer davantage ses relations avec Bagdad. Nizar al-Khazraji, qui vit aujourd'hui à Copenhague, est courtisé par la CIA, mais il a été exclu des réunions d'officiers irakiens en exil qui se sont tenues à Londres et à Washington en 2002. Son passé répressif au Kurdistan, où il a participé à la campagne *Al-Anfal* de sinistre mémoire (1988), n'en fait pas un candidat au pouvoir idéal pour beaucoup de membres de l'opposition.

Garante d'un système politique en vigueur depuis 1920, l'armée irakienne ne peut sortir indemne du naufrage de ce système. Il y a certes l'embargo et la mise sous tutelle de l'Irak, avec le contrôle à long terme de l'armement irakien. Mais peut-on imaginer que, au-delà des contraintes actuelles, des officiers supérieurs puissent être une alternative au régime en place sans qu'ils soient irrémédiablement amenés à saborder une institution et un système dont ils ont été les bénéficiaires, mais qui les ont amenés au bord du gouffre ? Le mythe de l'armée irakienne, point d'ancrage national et recours ultime, survivra peut-être, pour un temps encore, dans les discours des nombreux officiers en exil en Arabie saoudite, en Syrie, en Jordanie, en Europe ou ailleurs, ou dans celui des partis de l'opposition, car il leur faut bien se raccrocher à quelque chose. Mais on entend déjà ici et là, y compris parmi des officiers arabes sunnites en exil, affirmer la nécessité de « réformer l'armée ».

L'État-nation arabe « moderne » a laissé exploser à la face du monde sa véritable nature confessionnelle et ethnique, avec deux guerres meurtrières et un soulèvement majeur en l'espace de douze ans, et l'armée, qui était la gardienne de ce système, se retrouve sans avenir. Lors de l'*intifâda* de mars 1991, Saddam Hussein a ouvertement utilisé l'argument confessionnel pour convaincre les officiers sunnites de se solidariser avec lui, de même qu'il utilise aujourd'hui la Garde républicaine ou les Fedayin de Saddam comme des milices de clan. Le régime se présente, à juste titre, comme le seul défenseur du système politique en vigueur depuis 1920. Il en tire argument pour décourager toute velléité de lui trouver une alternative au sein de l'establishment militaire, avec l'aide américaine. C'est sans doute cette conviction que le régime actuel est le dernier verrou d'un certain ordre politique en Irak qui explique, avec la répression et les campagnes de baassisation, l'apparente absence de réaction de la part des dirigeants de l'armée, si l'on excepte les actes isolés et désespérés. Que pourraient faire des militaires renversant le régime au nom de l'armée actuelle, sinon du Saddam sans Saddam ?

L'armée irakienne, telle qu'elle existe aujourd'hui, ne peut être la solution à la question irakienne, dont elle est un acteur essentiel. Ayant pour mission principale de faire la police à l'intérieur des frontières, cette armée n'a été un danger pour ses voisins que lorsque les conflits internes à l'Irak avaient des prolongements hors des frontières. Ce danger existera tant que le système qui le génère se maintiendra. D'une façon qui peut sembler paradoxale, la puissance de l'armée irakienne a été inversement proportionnelle à la faible légitimité de l'État qu'elle était censée défendre. C'est parce que l'État irakien souffrait d'un important déficit de légitimité que l'armée a atteint une telle puissance, bon exemple de force militaire comme palliatif à la faible cohésion d'une entité. L'avenir de l'armée irakienne est intimement lié à celui d'un système politique de domination confessionnelle et ethnique arrivé à sa fin logique et peu susceptible d'être réformé. Cette armée pourrait difficilement survivre, telle qu'elle existe depuis sa création, à la fin de l'État-nation. Elle est, avant tout, confrontée à un problème politique de fond, lié à l'avenir de l'État irakien, qu'aucun rééquilibrage, quel qu'il soit, en faveur des chiites ou d'autres, ne suffirait à résoudre.

Contrairement à l'Arabie saoudite, où le nom même du pays illustre l'institutionnalisation du règne d'une famille tribale, les Al Saoud, l'Irak de Saddam Hussein entend situer la légitimité du pouvoir sur la fiction d'une société civile, dont le parti Baas et la « révolution du 17 juillet 1968 » seraient l'expression. L'État irakien s'est donné, dès sa fondation, l'image d'une institution « moderne », garante d'un accès à une citoyenneté en gestation, légitimée au nom de la « nation arabe ». La république a remplacé la monarchie, l'anti-impérialisme et l'antisionisme militants se sont imposés, en même temps que le nationalisme arabe, comme autant d'idéaux « progressistes » et fondateurs d'utopies englobant l'ensemble du corps social, au-delà de ses divisions traditionnelles. Ce système a occulté pendant quelques décennies la domination confessionnelle et ethnique des Arabes sunnites sur les chiites et sur les Kurdes, mais il ne l'a pas résolue. Bien au contraire, la résurgence, à partir des années 1960, des aspirations identitaires a engendré une situation où les institutions « modernes » de l'État irakien ont été investies une à une par des 'asabiyya. D'origine provinciale dans la plupart des cas, ces nouvelles élites représentent désormais la seule base sociale du système en vigueur depuis 1920. La famille élargie et le clan sont aujourd'hui la base du pouvoir, même si l'idéologie et le système politique officiel tendent à masquer l'appartenance tribale et communautaire. Quatre-vingts ans après sa fondation, l'État irakien « moderne » a accouché d'un pouvoir qui, dans sa nature, ne diffère pas de celui de l'Arabie saoudite voisine.

# CHAPITRE 6

# Le roi pétrole, la banqueroute économique et la guerre

Comment l'Irak a-t-il pu en arriver à un tel degré de régression ? Le pétrole a eu une part décisive dans les tragédies successives qui se sont abattues sur le pays. L'ancienne Mésopotamie est un géant pétrolier. Avec des réserves en pétrole, récemment réévaluées, qui représentent plus de 10 % des réserves mondiales, ce qui le place au deuxième rang de la planète, l'Irak est, après l'Arabie saoudite, le pays arabe potentiellement le plus riche en hydrocarbures. Le premier gisement, on s'en souvient, avait été découvert près de Kirkouk, le 13 octobre 1927, par la Turkish Petroleum Company, mais son exploitation ne commença vraiment qu'en 1934, et dès lors le pétrole prit une place centrale dans l'économie irakienne. Bien avant cela, l'or noir avait eu un rôle primordial dans la formation de l'Irak moderne, puisqu'il fut à l'origine du rattachement du vilayet de Mossoul au pays. C'est certainement le pétrole aussi qui a permis au système politique irakien de se maintenir jusqu'à nos jours. Et c'est précisément par un conflit pétrolier avec l'émirat voisin que la seconde guerre du Golfe a débuté.

L'Irak est un géant pétrolier, mais c'est un géant aux pieds d'argile. Privé des fruits de sa principale ressource pour cause d'embargo, le pays aurait pu se retrouver aussi démuni que le plus sous-développé des États du tiers-monde, n'était la richesse représentée par deux générations ayant un haut degré d'éducation, acquis en Irak mais aussi aux meilleures écoles de la technologie occidentale et soviétique.

Le pays du Tigre et de l'Euphrate est celui des idées fausses. Jardin d'Éden pour les amateurs de mythes bibliques, le centre et le sud de la Mésopotamie offraient déjà, bien avant les deux guerres du Golfe, le visage désolé d'une agriculture sinistrée. Parler de l'industrie et de l'agriculture irakiennes, c'est évoquer à la fois le fantastique potentiel d'un pays exceptionnellement riche et la banqueroute d'une économie qui a abouti à la seconde guerre du Golfe. L'Irak dispose des hommes, de l'eau et du pétrole – des atouts rarement réunis dans un même pays. Ceux-ci ont été gâchés par la logique d'un système politique en fin de course, qui n'a pu survivre qu'en exportant ses crises à l'extérieur de ses frontières.

## Le poids de siècles de sous-développement et l'arrivée du roi pétrole

La décennie 1975-1985 a été celle d'une véritable révolution dans le niveau et le mode de vie des Irakiens grâce à l'afflux d'une manne pétrolière miraculeuse. Elle ne peut faire oublier l'incroyable état de sous-développement du pays jusqu'au milieu du XX$^e$ siècle. Ce sous-développement, qui continue à hanter les mémoires, était général et concernait aussi bien l'agriculture que l'industrie, pratiquement inexistante avant les années 1930. On était alors bien loin du paradis de la Genèse.

Exploitées par l'homme depuis des millénaires, la moyenne et la basse Mésopotamie ne se sont pas remises des multiples invasions. Selon la version de l'histoire en vigueur à l'époque ottomane, puis irakienne, les hordes mongoles au XIII$^e$ siècle seraient les seules responsables de la ruine du système d'irrigation. L'administration ottomane ne fit rien pour améliorer la situation des campagnes mésopotamiennes. Pas plus que le sultan d'Istanbul, les Mamelouks, qui gouvernèrent en son nom depuis Bagdad jusqu'en 1831, ne contrôlaient d'ailleurs les campagnes. Les contacts entre le monde rural et le gouvernement se limitaient en général à des expéditions militaires inefficaces, menées à partir des grandes villes, siège du pouvoir central, et souvent désastreuses pour l'agriculture. Au XIXᵉ siècle, la Porte s'engagea dans une politique de centralisation, attribuant des terres à de grands cheikhs tribaux, ce qui eut pour résultat d'introduire le virus de la division et des guerres entre tribus, et entre les membres d'une même tribu et les cheikhs. Au début du XXᵉ siècle, les campagnes étaient exsangues. Aux destructions de l'homme s'ajoutaient les crues dévastatrices du Tigre et de l'Euphrate, si bien qu'en 1918 il ne restait plus que 3 800 kilomètres carrés de surfaces correctement irriguées. Quant à l'industrie, elle se réduisait à un artisanat beaucoup moins développé que dans les provinces du Levant. La misère était aggravée par le climat torride en été et par les catastrophes naturelles. À quoi venaient s'ajouter les grandes épidémies de peste et les crues des deux fleuves, qui endeuillèrent régulièrement le pays jusqu'à la fin du XIXᵉ siècle pour les premières, et jusque dans les années 1930 pour les secondes.

Traditionnellement, le Kurdistan était le domaine de la petite propriété. Le Centre et le Sud, chiites, étaient davantage celui des grands domaines. La politique foncière des dernières décennies du gouvernement ottoman avait fait naître en Méso-potamie un système semi-féodal que les Britanniques encou-ragèrent à leur profit. On a vu comment les grands cheikhs tribaux reçurent des titres de propriété et devinrent un des piliers de la monarchie hachémite. Quelques grands cheikhs, souvent absents, tenaient d'immenses domaines, surtout dans les provinces chiites du Tigre, de Kout et d'Amara. Dans ces régions, le fellah connaissait une situation de quasi-servage, sous la surveillance constante des *sarkal*, à la fois contremaî-tres et gardes armés, qui agissaient au nom du cheikh. L'irri-gation était privée, ce qui empêchait la naissance d'une petite paysannerie en dehors des grands domaines. C'est là que, à partir des années 1930, le Parti communiste irakien développa ses bastions les plus importants parmi la masse d'agriculteurs sans terre. L'exode rural, commencé à la fin des années 1920, continua tout au long de la monarchie, vidant littéralement certaines campagnes chiites de leur main-d'œuvre. Cherchant à échapper à la tyrannie des cheikhs, les paysans vinrent peupler d'immenses quartiers de Bagdad et de Bassora, comme celui de Madinat al-Thawra, dans la capitale irakienne, qui compte à lui seul aujourd'hui près d'un million d'habitants. Objet de crainte de la part des riches citadins, ces *Sharâgwa* (les « Orientaux », ainsi appelés parce qu'ils venaient des campagnes chiites à l'est du Tigre) formèrent les premiers bataillons d'un prolétariat pauvre et sous-qualifié, où l'analphabétisme était quasi général.

On imagine difficilement aujourd'hui que, jusque dans les années 1930, l'Irak s'intégra progressivement au marché international comme exportateur de blé. L'industrie était très peu développée, et, contrairement à la Syrie – qui disposait déjà d'une main-d'œuvre qualifiée –, le pays ne pouvait compter que sur la masse de ses paysans fraîchement urbanisés. Le sous-développement industriel dura jusqu'en 1958, date à laquelle l'arrivée du roi pétrole bouleversa tout.

À partir de la fin des années 1930, le pétrole commença à remplacer le blé comme première ressource du pays. Partie de Kirkouk et de Mossoul, l'exploitation pétrolière gagna le Golfe en 1953, avec la découverte des champs de pétrole de Rumayla, que l'Irak partageait avec le Koweit. Dès lors, le pétrole représenta la moitié des ressources du pays. À partir des années 1960, la part de la rente pétrolière au sein du PIB s'accrut de façon significative, mouvement qui s'accéléra jusqu'à ce que les revenus pétroliers s'imposent comme la principale – sinon l'unique – source de revenus du pays.

C'est à la suite du second boom pétrolier des années 1970, on l'a vu dans le chapitre 4, que les revenus pétroliers ont permis de profondes transformations économiques, sociales et démographiques qui, en moins d'une décennie, ont radicalement modifié la vie des Irakiens. Mais l'afflux d'une rente pétrolière croissante, conjugué à la « socialisation » de l'économie après 1958 selon un modèle tiers-mondiste calqué sur l'expérience soviétique, eut deux effets majeurs. Le premier fut le sacrifice de l'agriculture, déjà négligée, au profit de la création d'une grande industrie considérée comme l'unique base possible pour l'indépendance économique du pays. Cette fascination pour la grande industrie, partagée alors par la plupart des pays en voie de développement, fit que le pétrole occupa une place centrale dans les conceptions industrielles. Il n'est pas exagéré de dire que c'est exclusivement autour du pétrole que l'industrie s'est organisée.

## Le pétrole au service de la guerre et l'échec de la politique de libéralisation

Bagdad n'aurait pu déclencher la guerre contre l'Iran si les ressources de son pétrole ne lui avaient fourni les bases de sa capacité d'armement. L'Irak disposait à ce moment de réserves de devises étrangères importantes, mais, très rapidement, les seuls revenus pétroliers ne purent couvrir les dépenses, car la guerre détruisit les principales infrastructures d'exportation du pétrole, et cela au moment même où le prix du baril connaissait une chute sévère. Les revenus pétroliers irakiens s'effondrèrent : de 26,3 milliards de dollars en 1980, ils passèrent à 7,8 milliards en 1983. Les réserves irakiennes en devises fondirent à vue d'œil, si bien que l'Irak se transforma d'État créditeur en État emprunteur. Deux protagonistes extérieurs intervinrent alors : l'Arabie saoudite et le Koweit, dont l'aide financière permit à Bagdad de maintenir son effort d'armement sans faiblir.

En 1982, la guerre se porta sur le sol irakien, et la Syrie ferma le pipeline passant sur son territoire. Les recettes pétrolières étant insuffisantes, le gouvernement irakien dut mettre un terme à sa politique de dépenses illimitées. Le Baas chercha alors à promouvoir le secteur privé. Pour atténuer la grave crise financière, due à la guerre et à la baisse des revenus pétroliers, il engagea dès 1980 une reconversion radicale de la politique économique qui fut officialisée par une loi de 1983. Cette politique fut réaffirmée par Saddam Hussein en 1984 et en 1986, puis en 1987, et se traduisit par le lancement d'ambitieux programmes de libéralisation économique et de privatisation. Elle se présentait comme un *infitâh* à l'irakienne, c'est-à-dire comme une politique de libéralisation de l'économie dans le but d'en accroître les performances, à l'image de ce qu'avait réalisé l'Égypte de Sadate. L'État conserva plusieurs industries, comme le pétrole, la défense, l'acier, la pétrochimie, les banques et les assurances, les chemins de fer et les services publics, mais en céda d'autres au secteur privé, afin de réduire la dépendance de l'Irak dans les importations, notamment de produits alimentaires. En 1975, 65 % des produits agricoles en valeur étaient importés. L'État vendit à bas prix ses terres et ses fermes, et céda un certain nombre d'usines au-dessous de leur valeur réelle. En outre, il prit une série de mesures visant à encourager le secteur privé : il y eut une dérégulation du marché du travail, avec l'abolition du Code du travail, des entreprises d'État furent réorganisées et des ministères restructurés, des sociétés chargées de gérer les entreprises publiques furent créées. De nouvelles lois devaient favoriser l'afflux des capitaux arabes, l'introduction d'une concurrence limitée entre banques, l'autorisation d'utiliser un financement étranger pour les importations. Tout cela représentait un tournant important par rapport à l'idéologie étatiste prônée par le Baas depuis 1968.

La reprivatisation des terres fut engagée par le ministère de la Réforme agraire, qui donna la liberté de louer, à bas prix, des surfaces illimitées de terres agricoles à « tout Arabe pour une période allant de cinq à vingt ans ». En 1985, 171 000 hectares avaient ainsi été distribués à un millier d'entrepreneurs. La privatisation des coopératives et des fermes collectives s'accompagna de mesures visant à encourager l'agriculture privée : vente à bas prix d'équipements agricoles importés, crédits aux entreprises privées, libération du marché des produits agricoles, relèvements des prix agricoles officiels. L'interminable conflit avec l'Iran forçait le régime à développer l'agriculture, mais les résultats furent loin d'être spectaculaires. Si l'on excepte l'élevage de volailles, où la production connut un réel accroissement, et le secteur des fruits et légumes, les autres productions agricoles, comme le lait, stagnèrent ou, au contraire, enregistrèrent un réel déclin, comme les céréales.

L'échec de la politique du Baas était donc patent dans le domaine de l'agriculture : en 1984, 3,1 milliards de dollars étaient consacrés à l'importation de produits alimentaires, en augmentation de 7 % par rapport à 1983, pour couvrir les deux tiers des besoins, soit 80 % de la consommation de blé, 75 % de celle de riz et des autres céréales. Un bon indicateur de crise est la relation entre le taux de croissance démographique et la production agricole ; or, entre 1980 et 1989, alors que la population irakienne s'était accrue de 38 %, la production agricole n'avait augmenté que de 34 %. Le tableau est plus sombre encore quand on regarde la production de céréales ; en 1989, elle n'atteignait plus que 72 % de son niveau de 1980. Pour remettre en chantier une agriculture sinistrée par des décennies d'abandon, le gouvernement irakien dut faire appel à de la main-d'œuvre étrangère. La politique des gouvernements irakiens successifs avait transformé les campagnes en désert humain et l'effort de guerre ne permettait pas de dégager du front les hommes nécessaires. Des millions d'ouvriers agricoles égyptiens arrivèrent pour sauver l'agriculture irakienne. Mais, au lieu d'être bénéfique, leur travail se révéla catastrophique : peu motivés et sans formation, la plupart reproduisaient dans les plaines de Mésopotamie les techniques qui leur étaient familières en Égypte, notamment en matière d'irrigation intensive, ce qui eut pour effet de stériliser encore un peu plus la terre.

La dépendance croissante de l'Irak pour les produits alimentaires, l'échec de l'industrialisation de substitution aux importations, l'impact de la guerre, les relations étroites avec les États-Unis à cette époque, étaient, avec la volonté de Saddam Hussein de consolider son pouvoir sur le Baas, les véritables raisons de la politique de libéralisation et de privatisation. Mais les huit ans de guerre avec l'Iran rendirent le pays de plus en plus dépendant des importations de produits agricoles et de biens de consommation. Sans le blé des gros céréaliers du Midwest des États-Unis et sans le riz du Sud américain, l'Irak aurait alors connu la famine.

Au bout du compte, les mesures prises pour résoudre la crise économique n'aboutirent qu'à l'aggraver. Le commerce extérieur, qui fut le plus grand secteur privatisé, ne réussit pas à répondre aux mesures de libéralisation, car les détenteurs de capitaux étrangers ne rapatrièrent pas leurs avoirs. De plus, ils s'engagèrent dans des opérations commerciales qui entraînèrent l'exportation sur une grande échelle du dinar irakien vers les pays voisins pour l'achat de biens de consommation, ensuite revendus en Irak au prix fort. L'inflation repartit ainsi de plus belle. En voulant répondre au mécontentement dû à la baisse du revenu pétrolier, l'État encouragea donc un retour en force de l'inflation. Dans sa hâte de privatiser, le régime n'avait pas pris le temps de créer le cadre légal, économique et financier permettant le développement du secteur privé. Le transfert d'entreprises d'État vers le secteur privé, la suppression des subventions, l'arrêt de la politique de plafonnement des prix, l'incapacité à contrôler l'inflation et à fournir du travail, tout cela aggrava la crise économique, au point que l'Irak devint fortement dépendant des importations d'énergie et de capitaux pour ses industries et les autres secteurs de l'économie. Un comble pour un pays pétrolier et potentiellement riche d'autres ressources ! La conséquence de la nouvelle politique fut d'abaisser encore le niveau de vie. À quoi s'ajouta, à la fin de la guerre, un problème d'ampleur, avec la démobilisation de centaines de milliers de soldats. L'État revint donc sur ses décisions en 1989 et reprit certaines subventions, notamment agricoles, mais cela ne fit qu'aggraver la crise financière sans faire repartir la production agricole.

Les pertes économiques de l'Irak dues à la guerre avec l'Iran sont estimées à 452,6 milliards de dollars. Ce chiffre comprend les pertes causées par les destructions des infrastructures pétrolières, industrielles et de communication (67 milliards de dollars), celles du produit national brut (environ 222,1 milliards de dollars, incluant la chute de 198 milliards de dollars des revenus pétroliers), celles liées à l'épuisement des réserves de devises étrangères irakiennes (évaluées à 35 milliards de dollars au début de la guerre), auxquelles il faut ajouter 35 autres milliards d'intérêts qu'elles généraient, celles représentées par les achats d'armement (80 milliards de dollars en plus des dépenses militaires en temps de paix), et, enfin, 4,7 milliards de dollars perdus du fait des itinéraires plus compliqués des importations à cause de la guerre.

De tels chiffres donnent le vertige. Il faut les rapporter au fait que les pertes de l'Irak dues à la guerre contre l'Iran représentaient 435 % des revenus pétroliers cumulés pendant les huit années du conflit, soit l'équivalent de 112 % de son PNB pour chaque année. Depuis le début des années 1950, l'Irak n'avait plus de dettes extérieures. À la fin de la guerre contre l'Iran, sa dette extérieure était de plus de 100 milliards de dollars (35 à 36 milliards de dollars aux banques des pays occidentaux, 11 milliards de dollars à l'URSS et aux anciens pays de l'Est, et 40 milliards de dollars aux pays arabes). On estime que l'Irak aurait emprunté un milliard de dollars par mois durant les deux premières années de la guerre. Bagdad n'aurait pu continuer son effort de guerre si le régime n'avait pas bénéficié de facilités de crédit sur le marché international et des immenses réserves financières de l'Arabie saoudite et du Koweit. Au boom des années 1970 succéda, presque sans transition, la lente paupérisation de la société irakienne. Le miracle avait été de courte durée. La guerre contre l'Iran avait démontré la vulnérabilité d'un pays pétrolier confronté à l'interruption de l'exportation de son pétrole. C'est la chute de ses revenus pétroliers qui poussera l'Irak, après la guerre contre l'Iran, à envahir le Koweit.

Cent milliards de dollars ! Honorer une telle dette signifiait que l'Irak devait utiliser près de 80 % de ses revenus pétroliers, encore au plus bas, pour rembourser ses créditeurs sur près de dix ans. Le régime était littéralement pris à la gorge. Les pertes immenses dues à la guerre contre l'Iran, l'endettement colossal et l'échec des mesures mises en œuvre en 1989 pour résoudre la crise économique poussèrent Bagdad à annoncer qu'il se considérait comme libéré de ses dettes envers les pays arabes du Golfe. L'Irak s'étant battu seul et ayant sacrifié des centaines de milliers de ses soldats pour défendre la « nation arabe » face à l'« ennemi perse », les riches émirats et l'Arabie étaient priés d'éponger ses dettes. Mais ces pays ne l'entendaient pas de cette oreille. Ils insistaient pour que Bagdad les rembourse. Le Koweit fournira ainsi lui-même à Saddam Hussein les raisons de passer à l'acte. C'est cette crise insondable de l'économie irakienne, à la mesure des immenses ressources pétrolières du pays, qui est sans aucun doute la cause de la seconde guerre du Golfe. Auparavant, l'or noir avait contribué à détruire l'agriculture et à rendre l'Irak, pourtant riche en ressources diverses, dépendant d'une seule d'entre elles. Il rendit ensuite possible les deux guerres les plus meurtrières de son histoire.

### Le rôle du pétrole dans l'effondrement économique irakien et dans l'invasion du Koweit

En théorie, les cours et les exportations de pétrole de l'Irak étaient fixés par décisions de l'OPEP. Mais, pour que de telles décisions soient effectives, il aurait fallu qu'elles soient respectées par tous, puisque le non-respect des règles par un seul affecte l'ensemble des pays membres de l'OPEP. Après la chute des prix du pétrole de 1986, l'OPEP avait décidé de rétablir le système des quotas et fixé un prix de référence à 18 dollars par baril. Le prix réel, cependant, avoisinait 16,92 dollars par baril en 1987, 13,22 dollars en 1988 et 15,69 dollars en 1989, car de nombreux pays produisaient plus que leur part. L'Irak, comme l'Algérie, le Nigeria, l'Iran, la Libye et le Venezuela, n'était pas en mesure d'augmenter sa production. Comme ces derniers pays, Bagdad considéra qu'il était prioritaire d'axer sa politique sur les prix, seul moyen possible d'augmenter, ou au moins de stabiliser, ses revenus pétroliers. Mais, dans le même temps, le Koweit, l'Arabie saoudite et les Émirats arabes unis privilégiaient la production. Grâce à leurs immenses réserves de pétrole, combinées avec une population relativement modeste, ces pays pouvaient prêter moins d'attention au prix du pétrole. Outre ses réserves en or noir, le Koweit avait des atouts qui le distinguaient des autres pays de l'OPEP : l'émirat disposait d'un important portefeuille d'investissements étrangers qui lui assurait des revenus annuels considérables ; il avait ses propres raffineries et ses propres débouchés sur le marché mondial, ce qui signifiait un coût moindre pour exporter un pétrole extrait à bas prix. Mais, pour produire ce pétrole en quantité, le Koweit devait empiéter sur la part de marché des autres pays.

Le conflit entre les intérêts des uns et des autres fut mis en lumière par les réactions de l'Irak et du Koweit lors des changements de prix de 1989 et de la première moitié de 1990. L'OPEP souhaitait établir un prix de référence à 18 dollars le baril. La réalisation de cet objectif était restée incertaine durant les années 1987-1989, mais elle fut atteinte en décembre 1989, le cours sur le marché étant alors de 18,84 dollars par baril, soit 84 cents au-dessus du prix de l'OPEP. La hausse des prix se poursuivit en janvier 1990 et le cours atteignit quelques mois plus tard 19,98 dollars par baril, après quoi, en juin, il s'effondra de 30 %, passant à 13,67 dollars le baril. La baisse de cours provoqua une chute importante des revenus pétroliers de l'Irak et des autres pays producteurs. Puisque l'Irak exportait près de 2,8 millions de barils par jour, ses pertes furent évaluées à plus de 7 milliards de dollars par an – pertes qui aggravèrent encore la très profonde crise économique que traversait le pays.

Au total, la guerre contre l'Iran eut des conséquences dramatiques sur l'économie irakienne. L'impuissance de Bagdad à modifier les conditions du marché pétrolier et la destruction d'une part significative des capacités d'exportation du pétrole irakien aboutirent à une chute brutale des revenus du pays. D'un revenu pétrolier par habitant de 2 000 dollars en 1980, on était passé à 792 dollars à la fin de la guerre, le total des revenus chutant de 26,3 milliards à 14,5 milliards de dollars. Quant au PIB par habitant, s'il était passé de 1 600 dollars en 1977, la dernière année « normale » avant la révolution iranienne, à 2 818 dollars en 1989, soit une hausse de 76 %, cette hausse n'avait guère de signification puisque les années 1980 furent une époque d'inflation galopante, avec un taux annuel de plus de 40 %. Selon les statistiques de l'ONU, le vrai PIB par habitant était de 1 674 dollars en 1980 et avoisinait 1 145 dollars dans les années 1983-1988, traduisant une chute du pouvoir d'achat de 32 %. Le PIB par habitant était donc bien moindre en 1988 qu'en 1975. En fait, le tableau était encore plus noir car une grande partie des revenus du pays était absorbée par les dépenses militaires ; leur augmentation passa de 30 % du PIB pour les années 1975-1979 à 60 % pour les années 1980-1986.

C'est Saddam Hussein lui-même qui révéla au début de 1990 l'état désespéré de l'économie irakienne : « Quelques milliards de dollars pourraient résoudre beaucoup de ce qui a été gelé ou remis à plus tard dans la vie des Irakiens. » L'extrême attention avec laquelle le gouvernement irakien considérait la chute des prix, attribuée à la surproduction du Koweit, fut exprimée pour la première fois par le président irakien au cours du sommet arabe extraordinaire qui se tint à Bagdad au mois de mai de la même année. Saddam Hussein annonça alors qu'il considérait les dégâts causés à l'économie irakienne comme une déclaration de guerre économique. Il ajouta que ce type d'action contre l'Irak ne pouvait pas être toléré et que le pays avait atteint un seuil critique de sorte qu'il ne pouvait pas supporter cette pression plus longtemps. Le 17 juillet, Saddam Hussein accusa à nouveau certains États arabes du Golfe de nuire à l'Irak en poussant les prix à la baisse. Il accusa aussi les États-Unis de conspirer pour provoquer une chute des cours, menaçant d'« une action pour que les choses reviennent à leur cours normal ». Le lendemain, dans un mémorandum à la Ligue arabe, le vice-Premier ministre et ministre des Affaires étrangères Tarek Aziz accusa à son tour le Koweit de « tenter d'affaiblir l'Irak » en violant sa souveraineté et en pompant le pétrole de la nappe de Rumayla (celle-ci est à cheval sur la frontière entre les deux pays). Il dénonçait la collusion du Koweit avec les Émirats arabes unis afin « d'inonder le marché [...], ce qui conduisait à l'effondrement des cours du pétrole ». Le mémorandum comparait la politique du Koweit à une agression militaire. L'émirat rejeta en bloc ces accusations.

Outre les questions pétrolières, l'Irak demandait au Koweit l'effacement des prêts que l'émirat lui avait consentis, faisant valoir que la guerre avait été menée non seulement pour défendre l'intégrité territoriale de l'Irak, mais aussi celle du Koweit et des pays arabes du Golfe. Le Koweit répondit par une fin de non-recevoir qui emporta la décision irakienne d'utiliser la force militaire. Le 27 juillet, alors que les troupes irakiennes se massaient le long de la frontière avec le Koweit, l'OPEP décida de relever le prix du baril de 18 à 21 dollars et vota l'adoption de nouveaux quotas, enjoignant aux pays membres de ne pas dépasser leur part. Mais il était trop tard. Quelques jours après le nouvel accord, l'Irak envahit le Koweit.

La crise économique aiguë avait enfermé l'Irak dans un cercle vicieux : lourde dette étrangère, inflation, chômage et prix du pétrole en chute libre. L'économie irakienne était ainsi arrivée à ce moment au bord du précipice, et la banqueroute semblait inéluctable. Les ressources économiques du Koweit apparurent comme un expédient pour résoudre la grave crise endémique de l'économie de l'Irak.

On peut se demander quel fut le rôle exact du Koweit durant toute cette période. C'était bien une guerre économique sans merci que l'émirat avait déclaré à l'Irak. Le Koweit n'avait pas de besoins financiers urgents l'obligeant à la surproduction pétrolière et à exiger le remboursement de la dette irakienne. Ce sont des motivations plus politiques qui expliquent son attitude envers l'Irak au lendemain de la guerre contre l'Iran. Les dirigeants koweitis ne faisaient rien de moins qu'acculer à la banqueroute immédiate un grand pays voisin, qui, de plus, représentait la première puissance militaire de la région. Leur politique provocatrice envers l'Irak était un jeu dangereux. Y a-t-il eu inconscience de leur part ? Ont-ils été poussés en ce sens par les Américains, en fonction d'un scénario préétabli dont la cible était l'Irak et sa puissance militaire, considérés comme une menace pour Israël ? Le Koweit n'a-t-il pas été utilisé pour pousser l'Irak à la faute ? La question reste posée.

L'Irak fit donc main basse sur le Koweit comme sur un coffre-fort de banque. Le vice-Premier ministre irakien affirma alors que l'Irak avait doublé ses ressources de pétrole, que son quota de production serait désormais de 4,6 milliards de barils par jour au lieu de 3,1 milliards, et que les revenus pétroliers du « nouvel Irak » atteindraient 38 milliards de dollars par an, et même 60 milliards dans un avenir proche. Le gouvernement irakien annonçait sa nouvelle solvabilité, promettant le remboursement des dettes en cinq ans.

Mais, loin d'apporter le salut, l'invasion du Koweit fut fatale à l'économie irakienne. Le gel des avoirs irakiens par l'ONU et l'embargo commercial et pétrolier qui s'ensuivirent la coupèrent du reste du monde. L'Irak, déjà mal en point, continua sa descente aux enfers. Un chiffre permet de mesurer l'efficacité de l'embargo : la production de pétrole irakien chuta de 86 %, passant de 3,3 milliards de barils par jour avant l'invasion à moins de 0,5 milliard les mois suivants – à peine assez pour les besoins de la consommation locale. Déjà durant la période du boom pétrolier et plus encore pendant la guerre contre l'Iran, le pays devait importer massivement des produits alimentaires agricoles et des biens de consommation. Or un rapport du Sénat américain en date du 5 décembre 1990 affirmait que, pendant les six mois d'embargo qui précédèrent le début des bombardements en janvier 1991, celui-ci avait empêché 90 % des importations irakiennes et 97 % des exportations, au premier rang desquelles le pétrole. Juste avant la guerre, le gouvernement irakien estimait le coût de six mois d'embargo à 10-17 milliards de dollars de pertes en exportation de pétrole. Mais cela n'était rien comparé aux destructions de la guerre.

Au lendemain de la seconde guerre du Golfe, les perspectives d'exportation de pétrole irakien n'avaient jamais été aussi sombres. En octobre 1990, Saddam Hussein s'était pourtant montré encore confiant : « Nous avons 20 % des réserves mondiales. Les sanctions seront levées, non pas pour nos beaux yeux, mais pour ceux de notre pétrole. » Pourtant, l'embargo allait se révéler redoutable. En 1994, la production de pétrole ne représentait plus que 15 % du quota de l'Irak, et seule une faible partie de ce pétrole était légalement exportée, notamment vers la Jordanie (60 000 barils par jour en 1993), le reste étant l'objet d'une contrebande active. Le PIB de l'Irak en 1994 représentait moins de 20 % de celui de 1989. Après la mise en application de la résolution 687, votée en avril 1991[1], l'Arabie saoudite a récupéré 75 % des exportations de pétrole irakien, avec environ 2 millions de barils par jour pris sur les quotas irakiens.

---

1. Il s'agit de la résolution qui a instauré l'embargo sur le long terme.

## *Quelles perspectives pour le pétrole irakien ?*

L'avenir économique de l'Irak dépend des revenus pétroliers, de la dette étrangère et, avant tout, de la fin des sanctions. Si l'on se place dans la perspective, aujourd'hui encore irréaliste, d'un retour normal de l'Irak sur les marchés pétroliers, on peut dire que les revenus pétroliers irakiens dépendront de la quantité de pétrole – et de son prix – que l'Irak se verra autorisé à produire dans le cadre de l'OPEP. Mais, étant donné la situation au sein de l'OPEP depuis 1990, avec la part prédominante de l'Arabie saoudite, qui s'est arrogée environ un tiers de la production de tous les pays membres, on a tout lieu de penser qu'il sera très difficile, sinon impossible, à l'Irak d'exporter autant qu'il le faisait avant la guerre du Golfe.

En 1990, l'OPEP a fixé le prix du baril à 21 dollars, mais ce barème a toujours été revu à la baisse dans les faits : en juillet 1993, il était seulement de 15,96 dollars pour les membres de l'OPEP. Cela illustre le refus de l'OPEP, sous le leadership de l'Arabie, de réguler la production pour atteindre les 21 dollars par baril. De plus, le marché international n'a pas eu besoin du pétrole irakien pendant les années 1990. Dans la situation de surproduction qui prévalait alors, le retour du pétrole de Bagdad selon les quotas d'avant guerre aurait fait encore chuter les cours. Si l'Irak avait été autorisé à rétablir son quota d'avant guerre, avec un cours de 21 dollars par baril, il aurait gagné 21,5 milliards de dollars par an, soit 107,5 milliards de dollars pour les années 1993-1997, mais ces revenus lui auraient assuré seulement la moitié des 214,4 milliards de dollars que le gouvernement irakien estime nécessaires pour rembourser ses dettes, financer ses importations, les projets de développement et les services, réparer les dommages de guerre et reconstituer les stocks.

Aux destructions des installations pétrolières s'est ajoutée la tutelle de l'ONU sur le pétrole irakien. Aujourd'hui, même si l'Irak, pays rappelons-le, qui recèle les secondes réserves au monde d'or noir, rétablissait ses capacités de production de pétrole, il ne serait plus libre d'en disposer à sa guise. En 1991, les premières résolutions de l'ONU (706 et 712) avaient institué une forme de supervision internationale des revenus pétroliers du pays, autorisant Bagdad à exporter des quantités limitées de son pétrole, sous contrôle de l'ONU, pour répondre aux besoins les plus urgents des Irakiens. Quelques années plus tard, l'embargo pétrolier laissa la place à la mise sous tutelle du pétrole irakien. La fameuse résolution 986, dite « Pétrole contre nourriture », votée le 9 décembre 1996, prévoyait initialement que l'Irak pourrait produire pour environ 2 milliards de dollars de pétrole tous les six mois, mais avec l'approbation et le contrôle de l'ONU ; cette résolution allouait 13 % des revenus du pétrole irakien au programme de l'ONU au Kurdistan autonome. Après avoir beaucoup espéré des effets de cette reprise limitée de la production pétrolière, les Irakiens en attendaient toujours les retombées un an après l'acceptation par Bagdad du principe de sa mise en application. Nombreux sont ceux qui voient déjà dans cette résolution un nouvel empiètement sur la souveraineté irakienne, qui semble éloigner encore la perspective d'une levée de l'embargo, en même temps qu'elle paraît ramener l'Irak à l'époque où le pays n'avait pas le contrôle de ses ressources naturelles.

Le régime des sanctions de l'ONU ne s'est pas limité à la mise sous tutelle des ressources minérales et du commerce irakiens. Il a institué toute une série de prélèvements effectués à la source sur les revenus pétroliers, au titre de dédommagements divers aussi bien envers l'ONU (12 % des revenus pétroliers irakiens sont destinés à financer les activités des différentes commissions et agences de l'ONU en Irak) qu'envers le Koweit. En d'autres termes, l'Irak n'a même pas la disposition de l'ensemble des revenus pétroliers autorisés par l'ONU. La résolution 687 d'avril 1991, acceptée par Bagdad, stipule que 30 % des revenus pétroliers irakiens seront placés sur le compte du Fonds spécial d'indemnisation *(Compensation Fund)* administré par l'ONU, en prévision de dédommagements auxquels l'Irak pourrait être contraint, incluant les dommages écologiques, les plaintes présentées par des institutions ou des gouvernements étrangers, du fait de préjudices qu'ils auraient subis à cause de l'invasion du Koweit ; les revenus restants devaient suffire à nourrir l'Irak, à l'achat de médicaments et aux produits civils de première nécessité, après l'approbation du secrétariat général de l'ONU. Ces « dédommagements » incluent même des compagnies privées ou des individus : en 2000, la Kuwait Petroleum Corporation s'est vu attribuer le double de ce que Bagdad a reçu pour satisfaire les besoins de la population irakienne.

Pendant ce temps, les gisements de pétrole irakiens ont continué d'être l'enjeu d'une véritable course entre anciens partenaires de l'Irak, qui tentaient de retrouver leur place dans le contexte des sanctions. Les gisements situés dans les marais du Sud irakien, Majnoun, Nahr al-Umar et Halfaya, ont ainsi été l'objet de tractations avec diverses compagnies. En dépit de l'embargo, Elf-Aquitaine-Total et la Russie ont signé des précontrats avec les autorités irakiennes. Mais, en dernier ressort, rien ne se ferait contre la volonté américaine. L'étau sur le pétrole irakien allait se desserrer très lentement, et les dirigeants irakiens voyaient plus d'avantages dans la contrebande du pétrole que dans un marché qui leur était fermé : entre 40 000 et 60 000 barils par jour étaient transportés illégalement par camion vers la Turquie en 1997, le PDK de Barzani touchant environ 10 % de la valeur de ces produits. La même année, entre 20 000 et 30 000 barils par jour auraient été chargés sur des bateaux au large des Émirats arabes unis, et entre 10 000 et 20 000 barils auraient transité chaque jour de l'Irak vers l'Iran.

C'est à la fin des années 1990 que les États-Unis, inquiets des fluctuations importantes des cours, ont manifesté leur besoin du pétrole irakien. Dès lors, il s'agissait pour Washington de masquer son souhait de voir l'Irak réintégrer le marché pétrolier mondial sous son contrôle. Les aménagements successifs du programme « Pétrole contre nourriture » ont été le cadre idéal pour cette opération, offrant un bel exemple de détournement des résolutions de l'ONU pour satisfaire les intérêts d'une grande puissance. Au fil des années, le prix et les modalités de vente ont toujours été fixés par l'ONU : c'est à New York qu'ont été décidés le cours du pétrole autorisé à la vente et le terminal par lequel l'Irak pourrait l'exporter. En 2001, le pays s'est vu autorisé à vendre des quantités pratiquement illimitées de son pétrole, mais toujours à des cours fixés dans des commissions de l'ONU où Washington sait imposer son choix. De cette façon, les États-Unis ont acquis un contrôle presque direct sur la fixation des cours mondiaux, l'importance croissante de la production irakienne faisant du pétrole irakien un moyen efficace d'agir sur le marché. De son côté, le régime de Saddam Hussein a pris l'habitude d'utiliser cette résolution comme une arme politique, n'hésitant pas à interrompre la production de pétrole pour faire pression sur l'ONU et sur Washington.

## Une économie d'embargo : fuite du capital productif, spéculation débridée et contrebande

C'est donc un pays totalement ruiné qui a émergé de la seconde guerre du Golfe. L'économie, déjà au bord de la banqueroute totale, se retrouvait entièrement paralysée par les destructions et par l'effet des sanctions internationales. Son avenir paraît aujourd'hui bouché, quelle que soit l'issue politique du conflit. L'énormité de la dette extérieure cumulée, les intérêts qui lui sont liés, le paiement des dommages de guerre réclamés par l'Iran et le Koweit, n'offrent pas de perspectives économiques réjouissantes pour ce pays, même si l'embargo prenait fin demain. Dans ce contexte d'exception, parler de « politiques industrielle et agricole » pour l'Irak relève d'un certain anachronisme. En fait de politique économique, le régime a paré au plus pressé.

Selon les estimations de l'ONU, l'évolution du produit intérieur brut réel reflétait déjà une chute du pouvoir d'achat de 32 % entre 1980 et 1988. En 1989, le PIB était de 1 088 dollars par habitant, puis il chuta à 780 dollars en 1990 et à 438 dollars l'année suivante. Le niveau de vie des Irakiens serait revenu, si l'on s'en tient aux seuls indicateurs économiques, à ce qu'il était en 1968 lors de l'avènement du second régime baassiste. Mais la réalité est tout autre. Dire que le pays est revenu économiquement vingt-deux ans en arrière occulte le contexte politique. À l'issue de la seconde guerre du Golfe, l'Irak est aussi ruiné par l'ampleur des destructions et par les sanctions internationales.

La première guerre du Golfe avait détruit en particulier tout ce qui touchait au pétrole : terminaux pétroliers de Fao, tankers coulés par dizaines. En 1982, les Israéliens avaient aussi bombardé Osirak, la centrale nucléaire construite par les Français. Il s'agissait là du nerf de la guerre. La seconde guerre du Golfe a visé les infrastructures de transport (ponts, routes), les industries dites d'« intérêt stratégique », les télécommunications. Les bombardements des Alliés ont anéanti les usines d'engrais, les centrales électriques, les raffineries de pétrole, les complexes sidérurgiques, les aires de stockage. Ils ont aussi réduit en poussière des hôpitaux et des bâtiments civils. Et les industries qui ont échappé aux bombardements ne peuvent plus fonctionner du fait du manque d'électricité et de carburant. L'ONU estime alors que le simple remplacement du système de production de l'électricité coûterait à lui seul 20 milliards de dollars. Une mission de l'ONU, envoyée en Irak en mars 1991, donne la mesure du désastre : « Il faut dire d'emblée que rien de ce que nous avions pu voir ou lire auparavant ne nous avait préparé à cette forme particulière de dévastation que connaît aujourd'hui ce pays. Le récent conflit a eu des conséquences quasi apocalyptiques sur ce qui avait été, jusqu'en janvier 1991, une société dotée d'un haut degré d'éducation, de savoir-faire et rompue aux formes les plus modernes de l'automatisation. Maintenant, la plupart des moyens d'une vie moderne ont été détruits ou rendus peu fiables. L'Irak a été ramené, pour une longue période à venir, à un âge préindustriel, mais avec toutes les contraintes d'une dépendance postindustrielle basée sur l'utilisation intensive de l'énergie et de la technologie. »

Au lendemain du cessez-le-feu, en 1991, la priorité est donnée à la restauration d'un visage « normal » pour la capitale irakienne. En un temps record, on répare les ponts détruits, les routes, les nœuds d'autoroutes, les centrales électriques, le réseau téléphonique, les réseaux de distribution d'eau potable, les raffineries proches de Bagdad. L'ingéniosité et le haut niveau technique de nombre d'Irakiens, alliés à la volonté politique du pouvoir d'utiliser Bagdad comme la vitrine du pays, permettent de gagner le pari. Dès 1993, on ne voit pratiquement plus de traces de la guerre dans la capitale. Le contraste est évidemment saisissant avec la province, notamment le sud et le centre chiites, qui ont le plus souffert des guerres et de la répression, et qui sont laissés à l'abandon, les dernières ressources du pays étant réservées à Bagdad.

Ailleurs, la priorité a été donnée à la production d'énergie : les raffineries, les centrales électriques ont été toutes remises en état, mais elles ne tournent qu'à 30 % de leur capacité à cause des effets combinés des destructions et de l'embargo (le manque de pièces détachées est le problème numéro un). La production de pétrole a repris dès 1991. Outre la quantité vendue avec l'autorisation de l'ONU, elle alimente une contrebande active vers l'Iran, la Turquie et les pays du Golfe, phénomène qui a pris une réelle importance économique. Raffiné ou pas, le pétrole irakien bradé est très compétitif, même dans des pays pétroliers comme l'Iran ou... les États-Unis. Les premières industries qui ont repris sont celles liées à l'armement. Encore ne fournissent-elles qu'une part infime de leur production d'avant guerre. Le secteur qui semble économiquement le plus dynamique est la construction, où un certain nombre d'entrepreneurs privés liés au régime ont fait fortune en quelques années. Le commerce extérieur est entre les mains d'hommes d'affaires qui dépendent du bon-vouloir du pouvoir, et plus particulièrement d'Oudaï, lequel s'est arrogé un droit de taxe sur toute importation. La situation de pénurie que connaît le pays donne à ce secteur d'immenses possibilités économiques. Avec la spéculation, la contrebande et le marché noir, il est la principale source d'enrichissement rapide. Le capital productif n'est pas encore près de revenir sur les rives du Tigre et de l'Euphrate.

Du point de vue agricole, on assiste en revanche à une réelle reprise de la production, comme si l'embargo et une autarcie obligée pouvaient faire davantage en ce domaine que les réformes agraires et les politiques de libéralisation menées par le Baas. L'initiative privée a été littéralement dopée par une demande massive et urgente de produits alimentaires. Les récoltes de céréales, de fruits et légumes, ainsi que les produits de l'élevage et la volaille sont en pleine expansion, encore qu'il soit difficile de donner des chiffres. Source d'enrichissement également rapide, la commercialisation des produits agricoles a profité à certains petits et moyens exploitants, ainsi qu'à des intermédiaires souvent voraces, la famille de Saddam Hussein s'attribuant le monopole de la commercialisation de la volaille et des œufs.

Les perspectives politiques ne sont guère favorables à un retour à des pratiques économiques à la fois légales et productives, dans un contexte où seul le très court terme prime. L'Irak s'est bel et bien installé dans une économie d'embargo, sans qu'on puisse évaluer la portée déstructurante exacte de l'étape actuelle pour l'avenir de l'économie irakienne. Pour l'heure, les politiques industrielles et agricoles, les plans quinquennaux et la manne pétrolière font partie du passé. Ils ont laissé la place à la pénurie sélective, à la spéculation et à la contrebande, dont tirent profit quelques mafias liées au régime et aux deux grands partis kurdes. Les sanctions internationales n'ont pas laissé d'autre choix à l'Irak que celui d'économies parallèles, terrain de prédilection de toutes les *'asabiyya.*

# CHAPITRE 7

# Un pays sous tutelle internationale, divisé et ruiné

Aucun régime ne pouvait logiquement survivre à un soulèvement aussi massif que celui de mars 1991. La répression de l'*intifâda* a éliminé la société irakienne, à l'exception des Kurdes, comme acteur potentiel sur la scène politique du pays. Le régime de Saddam Hussein a été traité par les vainqueurs de la guerre en vaincu, mais aussi comme le principal interlocuteur irakien. Pour le maître de Bagdad, il s'agissait de se maintenir au pouvoir envers et contre tous, même au prix d'une mise sous tutelle internationale de son pays.

## *Un marchandage entre vainqueurs et vaincus*

L'attitude des dirigeants irakiens depuis le cessez-le-feu de février 1991 montre bien qu'ils savent que leur statut de vaincus et leur meilleur atout de pérennité. Elle s'est traduite par un marchandage généralisé avec la communauté internationale et, plus particulièrement, en son sein, avec la première puissance du monde, les États-Unis. Les nombreuses résolutions de l'ONU sur l'Irak sont devenues les enjeux privilégiés de ce marchandage. C'est dans ce contexte qu'il faut les comprendre et non à l'aune d'une lecture strictement juridique.

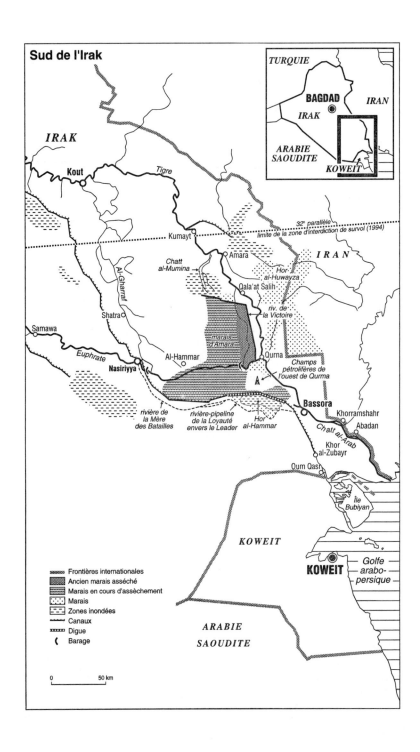

Sud de l'Irak

Ce marchandage a pris le visage d'un dialogue musclé entre Washington et Bagdad, à coups de résolutions de l'ONU, de gesticulations militaires, de bombardements et de frappes de missiles. Les dirigeants irakiens n'agissent pas à l'aveuglette à l'égard des résolutions internationales. Bien au contraire, ils savent que tout dépend, au-delà de l'ONU, de Washington et de Washington seul : leurs interlocuteurs autres qu'américains ne sont, à leurs yeux, qu'un moyen de pression sur la seule puissance qui semble détenir la clé de leur avenir.

Depuis le 6 août 1990, donc, l'Irak est soumis à un embargo total de la communauté internationale, décrété par la résolution 661 de l'ONU, puis renforcé par la résolution 670 du 25 septembre 1990, qui étend l'embargo au trafic aérien. Mais la population irakienne, littéralement prise en otage, est finalement la seule victime des sanctions. En effet, l'embargo a conforté le régime dans son rôle de redistributeur exclusif des richesses. Saddam Hussein a utilisé ce rôle pour punir telle ou telle région du pays, organisant, parallèlement au blocus international, celui du Kurdistan jusqu'en septembre 1996, ainsi que celui de nombreuses régions du centre et du sud de l'Irak. Absorbée par des efforts quotidiens de survie, la population irakienne s'est repliée sur les réseaux de solidarité familiale et tribale, ultime protection lorsque tout s'est effondré autour de soi. Sur le plan international, le régime utilise l'embargo pour tenter d'émouvoir, parfois avec succès, hommes politiques et intellectuels occidentaux, comme s'il n'était pas responsable de la situation tragique de la population irakienne, et comme si l'embargo n'était pas intimement lié à son maintien en place.

Selon les termes des résolutions de l'ONU, notamment la 687 du 3 avril 1991 du Conseil de sécurité, la levée progressive de l'embargo sur l'Irak ne dépendait que de la destruction des armes nucléaires, chimiques et bactériologiques, ainsi que des missiles à longue portée. Les États-Unis y ont rapidement ajouté la reconnaissance de la souveraineté du Koweit et de son intégrité territoriale, en fonction du nouveau tracé de la frontière irako-koweitienne tout en insistant sur le respect de l'ensemble des résolutions de l'ONU : la libération des Koweitis portés disparus, le paiement de dommages de guerre, la facilitation des efforts humanitaires de l'ONU, le respect des droits de l'homme.

Face aux exigences américaines, le régime irakien, malgré ses gesticulations, a successivement reculé, à l'exception évidemment du respect des droits de l'homme, seule résolution de l'ONU qu'il n'est pas en mesure d'appliquer, sauf à se suicider. La résolution 715 du 11 octobre 1991 du Conseil de sécurité, concernant la surveillance à long terme de l'industrie d'armement irakienne, a finalement été acceptée par Bagdad le 26 novembre 1993. Un système draconien de surveillance et de contrôle, devenu opérationnel le 8 octobre 1994, a systématiquement démantelé durant quatre années consécutives l'armement irakien. Un an plus tard, le 14 novembre 1994, le Conseil de commandement de la révolution acceptait la résolution 833 sur la reconnaissance par l'Irak de la souveraineté, de l'indépendance politique et de l'intégrité territoriale du Koweit, avec sa nouvelle frontière définie par une commission spéciale de l'ONU en vertu de la résolution 687, qui prive l'Irak d'un accès facile au port d'Oum Qasr, son seul débouché maritime, et octroie au Koweit tout le gisement de pétrole de Rumayla.

C'est en interprétation de la résolution 688 de l'ONU, visant à « protéger les civils respectivement kurdes au nord et chiites au sud », que les Alliés ont instauré des zones d'exclusion aérienne sur 60 % du territoire irakien : au nord du 36$^e$ parallèle jusqu'à la frontière turque et au sud du 33$^e$ parallèle jusqu'à la frontière du Koweit. Ces interdictions n'ont pas empêché l'armée irakienne de reprendre pied au Kurdistan, en septembre 1996, ni de poursuivre la répression dans le pays chiite et dans la partie du Kurdistan demeurée sous le contrôle de Bagdad. Décidées sans l'aval de l'ONU, elles sont le prétexte à des bombardements anglo-américains réguliers, notamment depuis l'opération « Renard du désert » en décembre 1998 – les raids aériens seraient responsables de la mort de plus de 300 personnes depuis cette date. Si l'on excepte certaines « provocations » limitées mais régulières, elles ont été respectées par Bagdad, bien que les dirigeants irakiens affirment ne pas en reconnaître la légitimité.

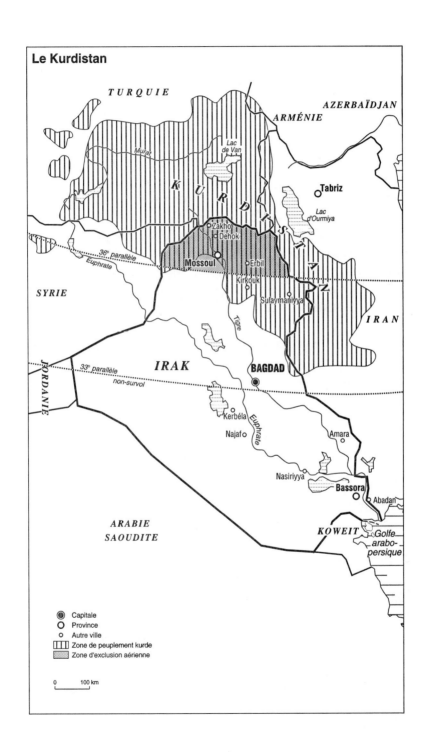

Le Kurdistan

La reculade la plus importante de Bagdad a été l'acceptation, le 20 mai 1996, d'un mémorandum sur l'application de la résolution 986 (votée le 14 avril 1995) dite « Pétrole contre nourriture ». Ce faisant, le gouvernement irakien a hypothéqué l'avenir de la principale ressource du pays pour une période indéfinie. Cette résolution n'était pas dans l'intérêt du régime, non pas tant parce qu'elle représentait un nouvel empiètement sur la souveraineté de l'Irak, comme les dirigeants irakiens l'ont clamé, mais parce que la contrebande de pétrole *via* l'Iran, la Turquie, la Jordanie et le Golfe lui rapportait beaucoup plus d'argent que la vente de pétrole pour une somme définie par l'ONU, dont, de surcroît, il n'a pas la libre disposition. Contrairement aux apparences, Washington y trouvait en revanche son intérêt. Politiquement, elle permettait d'abord d'alléger la pression internationale contre la prolongation sans fin de la « punition » imposée à la population irakienne, dont l'injustice apparaissait de façon de plus en plus flagrante. Elle lui donnait aussi la possibilité de satisfaire ses alliés arabes producteurs de pétrole, qui souhaitaient un retour limité, et sous contrôle, du pétrole irakien pour réguler les prix, ainsi que certains pays voisins alliés – au premier rang desquels la Turquie –, qui s'estimaient lésés par l'embargo. Cette nouvelle concession du régime irakien envers Washington était peut-être la plus chargée symboliquement, car le long et difficile combat qu'a mené le pays pour gagner la maîtrise de ses ressources naturelles a marqué des générations entières, qui voyait dans cette indépendance l'acquis le plus positif de trente années d'une vie politique agitée. Pour un grand nombre d'Irakiens, l'acceptation de la résolution « Pétrole contre nourriture » a été l'étape la plus significative de la fin de cette indépendance et la manifestation la plus tangible d'un retour déguisé à une forme de mandat international. Les dirigeants du pays n'étaient d'ailleurs pas en mesure de s'y opposer indéfiniment, mais ils ont trouvé, à chaque reculade, une compensation importante, puisqu'ils s'imposaient à chaque fois un peu plus comme un interlocuteur irremplaçable sur la scène politique irakienne aux yeux de Washington. De fait, en acceptant la résolution « Pétrole contre nourriture », Bagdad éloignait toute perspective d'une fin proche de l'embargo sur l'Irak. Les dirigeants irakiens, qui figurent parmi ses principaux bénéficiaires, politiquement et économiquement, n'ont pas été les premiers à s'en plaindre.

Dans leur gestion du marchandage sans fin avec l'ONU et les États-Unis, les dirigeants irakiens ont appris à maintenir une certaine pression et à ne pas tout lâcher d'un seul coup. Cette « résistance » s'est manifestée par le délai mis à accepter les résolutions 833 et 986, Bagdad dénonçant tout d'abord farouchement cette dernière. Elle a continué avec les interruptions répétées, et pour des périodes limitées, de l'exportation de brut irakien. Officiellement, ces interruptions avaient pour but de protester contre le prix du baril de brut imposé par l'ONU, ou de manifester la solidarité de l'Irak avec les Palestiniens. Depuis le déplafonnement des quantités de brut irakien autorisées à la vente, en 2001, Bagdad détient à nouveau avec le pétrole un moyen de pression efficace sur l'ONU et sur Washington : toute interruption de livraison porte désormais sur des quantités importantes de pétrole et implique un manque à gagner pour l'ONU, que celle-ci ne peut supporter longtemps.

Mais la « résistance » de Bagdad s'est affirmée de façon privilégiée à propos de la destruction et du contrôle de l'armement. Pendant longtemps, les missions régulières de la commission de l'ONU chargée du désarmement de l'Irak, l'UNSCOM, relevaient d'un rituel immuable : rapport défavorable, immanquablement suivi d'une reconduction des sanctions par l'ONU. Cette mascarade pourrait se prolonger indéfiniment, car, après le dossier balistique, il faudra encore « régler » ceux du nucléaire, du chimique et du bactériologique, dossiers qui risquent fort de n'être jamais fermés : on peut toujours fabriquer des virus dans une école ou dans un simple hangar. Ce jeu de dupes masquait des nécessités politiques : Washington voulait pouvoir justifier une reconduction régulière des sanctions, tandis que Bagdad cherchait à conserver une marge de manœuvre, réduite certes, dans ses marchandages avec les États-Unis. Les dirigeants irakiens, s'ils parvenaient à dissimuler une partie de leurs programmes d'armement, ne fût-ce que 15 ou 20 %, en tiraient un bénéfice politique face à Washington ; ils ne s'exposaient pas à des représailles décisives, les plus graves qu'ils encouraient étant une énième reconduction des sanctions contre l'Irak. Quand le gouvernement irakien a expulsé les inspecteurs de l'ONU, en décembre 1998, les Américains ont réagi en lançant l'opération « Renard du désert », une campagne de bombardements intensifs. La question de leur retour est depuis lors au centre d'un nouveau marchandage. Car la question du respect par l'Irak des résolutions de l'ONU n'est évidemment pas d'ordre juridique. Elle est avant tout politique. Ces résolutions prolongent le jeu qui s'est instauré entre un vainqueur et un vaincu. C'est d'ailleurs devenu leur seule raison d'être.

## La situation d'exception : une nécessité pour la survie du régime

Combien de temps le régime des sanctions, qui a été conçu pour être provisoire, peut-il durer ? La réhabilitation du régime et son retour dans la communauté internationale – et éventuellement son insertion dans le processus de paix avec Israël – s'imposaient, pour Washington et pour Bagdad, comme la seule perspective logique envisageable à long terme. Tarek Aziz a affirmé à plusieurs reprises que l'Irak n'était pas en guerre contre Israël, et on sait que des contacts existent entre les deux pays, notamment par l'intermédiaire de responsables israéliens d'origine irakienne. Par ailleurs, Bagdad s'est abstenu de prendre la tête des pays opposés à la normalisation avec Israël, rôle que l'Iran a repris d'une façon ambiguë, et n'a pas accueilli l'opposition palestinienne aux accords d'Oslo.

Ce sont finalement les réalités irakiennes qui ont empêché d'avancer sur la voie d'une réinsertion de Bagdad dans un jeu régional dominé par la politique américaine. Par un paradoxal retour des choses, c'est la pression de la population irakienne – éliminée d'entrée de jeu de toute solution à la crise du pays – qui interdit la réhabilitation de Bagdad. C'est grâce à une décision extérieure à l'Irak que le régime avait pu se maintenir, puis grâce à l'effet d'une situation d'exception, dont la répression et l'embargo font partie. À l'intérieur, ce n'est ni l'armée ni le parti Baas qui ont sauvé le régime en mars 1991, mais les services de renseignements, qui sont la clé du contrôle du pays. Or, qu'ils soient militaires, liés au Baas ou dépendant d'autres secteurs plus ou moins occultes de l'État, ces services sont tous sous le contrôle de membres de la famille de Saddam Hussein. C'est là le facteur intérieur le plus important de la pérennité du régime à quoi il faut ajouter la « solidarité » forcée des Arabes sunnites ; ceux-ci sont pris entre la crainte d'une revanche des chiites et leur rejet d'un régime dont ils constatent qu'il n'est pas réformable et dont ils se sentent maintenant aussi les victimes. Selon toute vraisemblance, le régime succomberait rapidement à un retour à une situation « normale », impliquant un minimum d'ouverture et la fin d'une situation d'exception. La population est aujourd'hui obsédée par des questions de survie quotidienne, mais elle réagirait différemment si l'embargo et les sanctions internationales étaient levés.

Saddam Hussein ne peut espérer retrouver la place qu'il occupait dans les années 1980. Victimes d'un système politique injuste, dont le régime est l'ultime avatar cauchemardesque, les Irakiens sont à la recherche désespérée d'un nouveau contrat de coexistence, comme le montrent les difficiles débats entre les différentes tendances de l'opposition, sur lesquels nous reviendrons dans le chapitre suivant. La question irakienne, dans sa dimension communautaire, se rappelle ainsi au bon souvenir de ceux qui ont cru pouvoir en nier l'existence. C'est probablement ce constat d'absence de perspectives à long terme acceptables pour eux, auquel sont arrivés de concert Américains et dirigeants irakiens, qui explique que se prolonge, au-delà de toute attente et sans fin prévisible, l'un des embargos les plus draconiens de l'époque moderne.

Le régime irakien redoute certainement les conséquences d'un retour à la « normale ». D'où son attitude ambivalente vis-à-vis des sanctions internationales, et ses actions parfois jugées gratuitement provocatrices envers la communauté internationale. Les rétentions d'information en matière de programmes d'armement, les gesticulations militaires, les déclarations guerrières sont, on l'a dit, une façon de conserver une marge de manœuvre minimale vis-à-vis de Washington, mais elles expriment aussi le désir secret du régime de prolonger indéfiniment une situation dont il craint la fin. Bagdad semble ainsi parfois tout faire pour que les sanctions soient reconduites.

## Paupérisation et désintégration de la société

Le gel du dossier irakien a eu toute une série de conséquences tragiques pour l'Irak. Sur le plan politique, il a peu à peu ramené au degré zéro toute expression politique dans le pays, avec le triomphe généralisé des 'asabiyya, ces solidarités locales qui, en l'absence de perspectives politiques à plus ou moins long terme, sont les seuls refuges des Irakiens. Les pratiques claniques et familiales du régime ont gagné toute la société et se sont étendues aux mouvements de l'opposition. Le rôle de Barzani et de son clan par rapport au Parti démocratique du Kurdistan (PDK) comme celui de Talabani par rapport à l'Union patriotique kurde (UPK) ne diffèrent pas sur le fond de celui des Takriti par rapport au parti Baas, si l'on excepte qu'ils sont incomparablement moins meurtriers. Partout, les positions idéologiques et politiques se sont effacées au profit des intérêts familiaux et tribaux. C'est là certainement l'une des menaces les plus graves qui pèsent sur l'avenir de l'Irak, car il sera très difficile de recoller les morceaux d'une société en miettes. Les risques d'implosion de la société irakienne, à l'image de ce qui se passe en Algérie, sont réels. Il ne s'agirait plus seulement d'un affrontement entre les chiites et le régime, entre les Kurdes et les Arabes, mais de mille affrontements entre tribus et clans rivaux, sans compter des conflits possibles entre les différentes armées coexistant dans le pays, puisque certaines d'entre elles ont un recrutement tribal.

Le régime donne une image assez fidèle de ce qui se passe à l'échelle du pays. Après les rébellions des Joubouri (1994-1995), des Dulaym (mai-juin 1995), les défections des gendres de Saddam Hussein (août 1995) et la mise à l'écart des al-Majid, encore accentuée à la suite de l'attentat contre Oudaï (décembre 1996), l'éternel jeu des alliances et des contre-alliances au sein du groupe familial élargi et avec certaines grandes familles et tribus sunnites s'est accéléré. Au Kurdistan, les mafias liées aux deux grands partis kurdes ont été en guerre jusqu'en 1999 ; elles ne sont plus les seules, depuis que la Turquie a imposé au PDK de Barzani les partis turkmènes proches d'Ankara (c'est-à-dire les Turkmènes sunnites) comme partenaire dans la répartition des droits de douanes. Avec l'encouragement de Téhéran, les Turkmènes chiites, exclus de l'arrangement entre Ankara et le PDK, se sont engagés dans une politique de concurrence exacerbée avec leurs congénères sunnites. Plus à l'est, le Mouvement islamique du Kurdistan est périodiquement en guerre contre les forces de l'UPK. On assiste ainsi à un véritable éclatement de la scène politique irakienne sur des bases d'abord régionales, confessionnelles et ethniques, puis tribales et claniques. L'opposition irakienne en exil n'y échappe pas : l'inflation des partis a repris de plus belle, aucun courant n'étant épargné par les multiples scissions.

Sur les plans économique et social, l'absence de perspectives politiques et l'embargo ont accéléré l'atomisation de la société irakienne. La paupérisation d'une immense majorité de la population a pratiquement fait disparaître la classe moyenne des villes. Cette classe était la plus importante numériquement jusqu'en 1990, et la manifestation la plus tangible de ce qui était considéré comme l'un des principaux acquis du régime : un développement économique général s'appuyant sur une redistribution assez large de la manne pétrolière. La chute vertigineuse du niveau de vie se mesure par la référence au *dînâr swîsrî*, ce dinar irakien, en majorité récupéré par les Kurdes, imprimé en Suisse avant les sanctions, vaut cent fois plus que le dinar irakien émis après les sanctions et imprimé sur du mauvais papier en Irak même.

L'effondrement du système d'enseignement a suivi. Les enseignants n'ont plus de quoi faire vivre leur famille, les livres n'ont pas été renouvelés depuis plus de dix ans, le papier manque et l'Irak demeure coupé du reste du monde.

Les bâtiments des écoles et des universités, comme la plupart des lieux publics, ont été l'objet d'un pillage généralisé : on a récupéré pour les revendre ici un bureau, là une chaise. Les nouvelles générations, sans être analphabètes, seront sous-qualifiées. L'Irak avait pourtant réussi à se hisser au premier rang des pays arabes pour l'éducation – même si le régime privilégiait les filières techniques à des fins peu pacifiques –, et une génération entière d'Irakiens, les 20-30 ans des années 1980, s'était jetée avec avidité dans l'acquisition de techniques nouvelles (une façon aussi d'échapper à la guerre contre l'Iran).

La ruine de ce qui faisait la fierté de la plupart des Irakiens, par la faute même de celui qu'ils pensaient être l'artisan de ce « miracle », a suscité une immense amertume en même temps qu'une révision radicale des jugements antérieurs. Ce sont le travail des Irakiens et les richesses du pays, pense-t-on désormais, qui avaient permis le développement du pays, à présent ruiné par la faute des dirigeants. Aujourd'hui, la génération éduquée a le sentiment d'avoir tout perdu. Il en est de même de l'ensemble de cette classe moyenne à laquelle la plupart appartenaient. Ceux qui ne sont pas au chômage ont un salaire qui permet à peine d'acheter de la viande pour leur famille plus d'une fois par mois et doivent trouver une autre source de revenus. Nombreux sont ceux qui travaillent comme chauffeurs de taxi après leur journée. Ceux qui ont de la famille à l'étranger dépendent des envois d'argent en dollars, dont la totalité constituerait à l'échelle du pays des sommes très importantes. La paupérisation de la société a entraîné une montée de la criminalité et un éclatement de la sphère familiale, une des bases traditionnelles de la société irakienne.

Les femmes sont les premières à souffrir de cette situation où le non-droit a libéré les pulsions les plus machistes et les plus violentes d'une société encore imprégnée des valeurs bédouines. De façon paradoxale, l'un des acquis dont le régime baassiste était crédité, sa volonté affichée d'émanciper les femmes, se trouve ainsi en partie effacé. La réforme du statut personnel, contenue dans la loi de 1978, visait à diminuer le pouvoir patriarcal dans la famille et à accroître l'indépendance des femmes. Les baassistes affirmaient vouloir promouvoir une « femme nouvelle », antithèse de la femme voilée des islamistes. Certes, le modèle baassiste de la femme moderne, éduquée et participant au développement du pays aux côtés des hommes, n'avait jamais concerné qu'une minorité. La plupart des femmes vivaient toujours sous le pouvoir masculin. Le cadre légal continuait d'ailleurs à sanctionner cette inégalité, faisant, par exemple, obligation à une femme désirant voyager à l'étranger d'être accompagnée par un membre masculin de sa famille ou, à défaut, par un membre féminin plus âgé. La conception baassiste de l'indépendance des femmes avait ses limites. Malgré tout, l'accès à l'éducation avait permis à une élite féminine de se former, et celle-ci était visible aussi bien à l'université que dans les hôpitaux ou dans les activités de services.

Les femmes ont été parmi les premières victimes du retour de la question irakienne. Déjà, en avril 1981, un décret encouragea le divorce d'avec les femmes irakiennes « d'origine iranienne ». Les civils y « gagnaient » 2 500 dinars, et les soldats, 4 000 dinars, alors l'équivalent de 2 000 francs, soit trois fois le salaire annuel d'un enseignant. La récompense valait également pour le mari qui faisait déporter sa femme « iranienne » vers l'Iran. En octobre 1982, le ministère de la Défense ordonna l'emprison- nement des femmes et des enfants de déserteurs. En décembre de la même année, un décret interdisait aux femmes irakiennes d'épouser un « non-Irakien ». En février 1990, la pratique tribale qui consiste à tuer les femmes reconnues coupables de relations sexuelles illicites fut reconnue par la loi. Par le décret 1110 du Conseil de commandement de la révolution, ratifié par Saddam Hussein, les hommes coupables du meurtre de leurs mères, filles, sœurs, tantes paternelles, nièces et cousines échappaient à toute poursuite s'il était avéré que les victimes étaient coupables de « crimes d'honneur ». En accord avec la tradition bédouine, le droit légal de tuer des femmes dans ces conditions revenait à un parent masculin, mais non pas au mari. En novembre 1993, le journal d'Oudaï, *Bâbel*, annonça que le CCR obligeait à divor- cer les femmes dont le mari était impliqué dans des activités « au service de l'ennemi ». De plus, depuis quelques années, le viol « officiel » de femmes d'un clan adverse, pratique en vigueur à l'époque ottomane et visant à détruire l'autorité de ce clan, a fait sa réapparition. La rumeur crédite Oudaï d'en être le premier adepte. La prostitution, qui ne concernait que des non-Irakiennes avant la guerre, s'est répandue, parfois avec l'assentiment des familles. Au Kurdistan, l'autonomie n'a pas amélioré la situation des femmes. Les témoignages d'abus de la part des différentes milices kurdes abondent. La disparition de l'État de droit a conduit beaucoup de femmes à trouver dans l'islam et le port du voile un moyen de résister au triomphe des pratiques traditionnelles les plus violentes dont elles sont la cible.

C'est dans le domaine de la santé que les conséquences de l'embargo sont particulièrement sensibles, les plus vulnérables étant les enfants et les vieillards. Les bombardements alliés de 1991 se sont acharnés sur les réseaux électriques et d'eau potable, avec les conséquences sanitaires que l'on peut imaginer. Nombre d'hôpitaux ne disposent ni du matériel ni des médicaments de base pour soigner leurs malades, et se sont transformés en mouroirs. Une maladie bénigne devient dramatique, et des fléaux que l'Irak croyait avoir éradiqués, comme la tuberculose et le choléra, sont revenus en force. Les chiffres de la mortalité infantile, donnés par les autorités irakiennes, relayés par nombre d'organisations humanitaires pour qui les sanctions sont assimilables à une arme de destruction massive, sont apocalyptiques : ils annoncent plus de 600 000 enfants morts du fait de l'embargo depuis 1990 ; ces chiffres sont difficiles à vérifier, d'autant qu'ils sont devenus un enjeu de propagande, mais le caractère tragique de la situation ne peut être mis en doute. Et l'application de la résolution « Pétrole contre nourriture » n'y a pratiquement rien changé.

À quoi s'ajoutent les effets de la guerre. Entre 320 et 350 tonnes d'uranium appauvri ont été larguées sur l'Irak en 1991, et de nombreuses bombes restent enfouies, notamment dans la région de Bassora. Les carcasses de chars pilonnés par ces bombes, dont les Irakiens, inconscients du danger, récupèrent systématiquement le métal, sont les plus redoutables. De même, la pollution chimique, avec les bombardements des complexes pétrochimiques, aurait provoqué de nombreuses « nouvelles » maladies. Le syndrome de la guerre du Golfe, constaté chez les soldats alliés, a avant tout touché des Irakiens.

Enfin, il existe de très grandes disparités entre les régions : si on trouve à peu près tout dans le centre de Bagdad et dans les grandes villes du Kurdistan, à condition d'y mettre le prix, il n'en va pas de même dans certains quartiers de la capitale, comme Madinat al-Thawra. Par rapport à la province, les contrastes sont saisissants : quand on va vers le sud, on voit de nombreuses villes, petites ou moyennes, encore privées d'électricité et d'eau potable. Douze ans après la guerre du Golfe, certains quartiers de Bassora n'ont toujours que quelques heures d'électricité par jour. Dans les provinces arabes sunnites, si l'on va vers Mossoul, on a au contraire l'impression d'une prospérité relative, celle-ci étant due aux effets conjugués de la politique du régime, qui privilégie ses clientèles confessionnelles, et du trafic avec la Turquie, la Syrie et le Kurdistan.

Dans ce contexte de paupérisation sélective, des fortunes considérables, sans précédent en Irak par leur ampleur, se sont édifiées en un temps record grâce à l'embargo. Ceux qui se sont enrichis sont souvent des nouveaux riches. Leur fortune vient de leurs liens avec le pouvoir en place dans chaque zone (le régime, le PDK ou l'UPK) ou d'une activité liée au trafic du pétrole et à la contrebande. Ainsi, le clan kurde des Hergi, à cheval sur la frontière irako-iranienne, a bénéficié de la situation au-delà de toute attente. C'est aussi le cas de certains entrepreneurs kurdes d'Erbil et de Sulaymaniyya, qui, avec le parrainage du PDK et de l'UPK, sont devenus des magnats locaux dans leur domaine, notamment dans la construction. Dans les cercles du pouvoir, le régime a laissé tout loisir aux membres de clan familial de s'enrichir. Oudaï s'est arrogé, on l'a dit, un véritable monopole dans certaines activités agricoles et contrôle les importations et les exportations, sur lesquelles il touche un pourcentage. Une grande partie des anciennes fortunes du pays, dont la plupart s'étaient constituées dans les années 1970 à la faveur du boom pétrolier, vivent dans un semi-exil, un pied en Irak, l'autre à Amman ou à Londres, et tentent de faire fructifier leur expérience et leur position d'intermédiaires auprès du régime.

Mais, dans une situation de pénurie généralisée, où l'industrie tourne à moins de la moitié de ses capacités, la meilleure source d'enrichissement rapide reste la spéculation – les changeurs de Bagdad en ont payé le prix, lorsqu'ils furent accusés d'être les responsables de l'inflation ; certains furent sommairement exécutés au cours d'une réunion avec les membres du CCR en 1995 –, la contrebande et les taxes prélevées sur les mouvements d'importation et d'exportation de marchandises.

# L'opposition irakienne entre projets politiques, projets communautaires et patronages étrangers

Depuis l'accession à la tête de l'État du tandem Saddam Hussein/Ahmad Hassan al-Bakr, en 1968, l'opposition irakienne a été décimée. Le régime a franchi un nouveau palier dans la guerre que les précédents gouvernements avaient menée contre les différents courants de l'opposition, recourant à l'emploi de l'arme chimique ou à la déportation massive de populations.

Après des années de marginalisation et d'exil, l'invasion du Koweit, en 1990, est l'occasion pour l'opposition irakienne d'apparaître de façon publique et organisée. Le 28 janvier 1991, le président américain Bush décrète un cessez-le-feu. Depuis plusieurs jours déjà, la population irakienne a commencé à se soulever massivement dans le Sud. En mars 1991, quinze des dix-huit provinces du pays échappent, partiellement ou entièrement, au contrôle du pouvoir. Aucune direction politique ne se dégage dans la partie arabe du pays, notamment parmi les chiites. Durant les douze jours où Najaf est entre les mains des insurgés, l'organisation de la vie dans la ville échoit à l'ayatollah Khoï et à ses fils. Mais cette direction improvisée, dépourvue de cadres, dans un pays livré à l'anarchie, ne suffit pas pour donner un sens au mouvement. L'implication de l'Iran dans les événements, dénoncée par le régime, est en fait limitée à l'infiltration de combattants chiites dans la région de Bassora. Toutefois, même dépourvue de direction, l'*intifâda* dans les provinces chiites prend un aspect clairement islamique, car c'est en tant que chiites que la plupart prennent les armes contre le régime. Dans le Nord, en revanche, les Kurdes bénéficient d'une véritable direction et d'un encadrement effectif, celui des partis kurdes. Le 4 mars, le soulèvement commence au Kurdistan, où en quelques jours toutes les villes tombent aux mains du Front du Kurdistan. Bien que les Alliés appellent les Irakiens à se soulever, les commandants américains autorisent le régime de Saddam, en pleine déroute, à utiliser la Garde républicaine contre l'*intifâda*. C'est le début de la répression la plus brutale de l'histoire de l'Irak, surtout dans les villes saintes chiites.

## *L'opposition confrontée à la non-résolution de la question irakienne*

Beaucoup d'interrogations demeurent sur la politique américaine envers l'Irak. Et d'abord, celle-ci existe-t-elle, ou s'agit-il d'un pragmatisme au jour le jour ? Il ne fait pas de doute en tout cas que les États-Unis ont décidé non seulement de ne pas intervenir lors de l'*intifâda* de mars 1991, mais aussi qu'ils ont permis au régime, en violation des termes du cessez-le-feu, d'utiliser toute sa puissance de feu, ses hélicoptères et même l'arme chimique pour écraser le soulèvement. Les Alliés, qui sont présents sur le sol irakien, assistent alors l'arme au pied au massacre. Les États-Unis ne peuvent ici invoquer ni l'indécision ni l'hésitation, encore moins le souci de non-ingérence : leur attitude découle bien d'une décision politique. Les soldats américains n'avaient pas besoin de marcher sur Bagdad ! Il aurait suffi de faire respecter les conditions du cessez-le-feu pour que le régime s'effondre. C'est d'ailleurs la perspective à laquelle se préparent à ce moment tous les Irakiens. Seul le Kurdistan, où un exode massif de la population prend des allures d'apocalypse, bénéficie d'un traitement spécifique. L'action des Alliés aboutit au retrait de l'armée irakienne, laissant le champ libre aux milices des partis kurdes qui proclament unilatéralement l'autonomie.

C'est dans ce contexte que se tient la première conférence significative de l'opposition irakienne, organisée à Beyrouth du 11 au 13 mars 1991, au moment où l'*intifâda* est encore en phase ascendante. Dans une atmosphère d'euphorie, plus de trois cents délégués représentant l'ensemble du spectre politique irakien prennent acte de leur volonté d'agir ensemble. Islamistes chiites, nationalistes arabes, Kurdes, communistes, délégués des minorités, démocrates et personnalités indépendantes, tous sont alors persuadés qu'ils vivent les derniers jours du régime. Le rassemblement est organisé par un Comité d'action commune, une coalition de groupes et de personnalités formée en décembre 1990 sous le patronage de la Syrie. La conférence de Beyrouth s'achève sur un appel à renverser le régime et à instaurer en Irak un État de droit, constitutionnel et parlementaire, respectant le multipartisme, avec l'organisation d'élections libres. À la suite des élections kurdes de mai 1992, une partie de ce Comité d'action commune décide de convoquer une seconde réunion, cette fois à Vienne. Mais, entre-temps, l'*intifâda* a été réprimée, et l'avenir apparaît alors bien différent qu'au moment de la conférence de Beyrouth. Les nationalistes arabes, le Parti communiste et les islamistes chiites ne participent pas à cette seconde réunion, ou de façon marginale. Ils reprochent à ses organisateurs d'avoir cédé aux pressions américaines et britanniques et de vouloir à tout prix imposer le droit des Kurdes à l'autodétermination dans l'ordre du jour.

C'est lors de la conférence de Vienne, qui rassemble environ deux cents délégués du 16 au 20 juin 1992, qu'est fondé le Congrès national irakien (CNI). Quelques principes de base sont établis : nécessité d'un régime constitutionnel et parlementaire, primauté du droit, préservation de l'intégrité territoriale de l'Irak, mais aussi autodétermination des Kurdes dans le cadre d'un État irakien unifié. Sous la pression des Kurdes, une nouvelle conférence est organisée à Salah al-Din, au Kurdistan, du 27 au 31 octobre 1992, à laquelle participent cette fois les islamistes chiites, les communistes et les natio-

nalistes arabes. L'assemblée générale est considérablement
élargie et élit une direction tricéphale composée d'un religieux pour les chiites (Muhammad Bahr al-Ouloum), d'un
militaire pour les Arabes sunnites (le général Hassan al-
Naqib) et de Massoud Barzani pour les Kurdes. Le fédéralisme, proclamé de façon unilatérale deux semaines auparavant par le Parlement kurde, est avalisé, malgré l'opposition
d'une majorité de délégués. Les nationalistes arabes se reti-
rent en condamnant la conférence.

Le CNI s'installe à Salah al-Din et à Erbil, dans ce
Kurdistan qui échappe au pouvoir de Bagdad et qui semble
symboliser la première portion du territoire national libéré.
Cependant, les tensions s'aggravent en son sein. Une partie de
l'opposition dénonce désormais publiquement les intentions
américaines, alors que le CNI, pour sa part, mise avant tout
sur le soutien américain. En septembre 1993, le parti Da'wa,
le plus ancien mouvement islamiste chiite, annonce son retrait
du CNI. Durant l'été de cette même année, le CNI réussit
pourtant à engranger d'importants succès diplomatiques. Ses
représentants sont reçus à un haut niveau aux États-Unis, en
Grande-Bretagne, en Arabie saoudite et au Koweit. Les
dirigeants de ce qui est déjà présenté comme le « Parlement
de l'opposition » ne peuvent toutefois peser en faveur d'une
solution à la question irakienne, dont la clé est entre les mains
des États-Unis. Or Washington décide de fermer la porte à
toute solution irakienne. L'avenir de l'Irak n'est plus qu'une
carte dans des enjeux régionaux et internationaux dont le
peuple irakien se trouve exclu.

## Projets politiques et projets communautaires

La société irakienne est composée, rappelons-le, de trois
grandes communautés. Les chiites, arabes dans leur
immense majorité, forment environ 54 % de la population ;
les Arabes sunnites et les Kurdes, ces derniers étant également sunnites, sont pratiquement à parité, puisqu'ils repré-

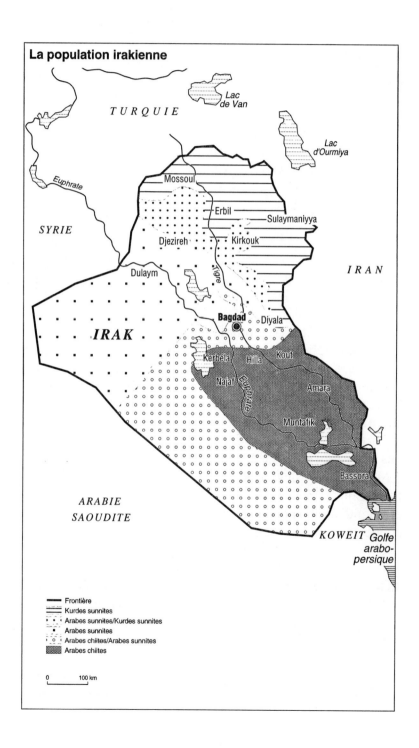

**La population irakienne**

Frontière
Kurdes sunnites
Arabes sunnites/Kurdes sunnites
Arabes sunnites
Arabes chiites/Arabes sunnites
Arabes chiites

0   100 km

sentent chacun entre 22 et 24 % de la population, avec peut-être une légère prédominance des Arabes sunnites. Chacune de ces trois grandes communautés a développé des projets politiques qui ne sont pas de simples projets communautaires, puisqu'ils s'adressent à l'ensemble de la population irakienne au nom d'entités plus vastes, mais où l'on peut voir une volonté d'échapper au cadre étriqué des frontières modernes de l'État irakien. Le mouvement religieux chiite parle au nom de l'*umma* islamique, les nationalistes arabes, au nom d'une nation arabe majoritairement sunnite, et les Kurdes, au nom de la patrie kurde. Chacune de ces communautés vit dans un territoire délimité, adossé à des régions par-delà les frontières où elle est majoritaire : l'Iran pour les chiites, les autres pays arabes pour les Arabes sunnites, les provinces kurdes de Turquie et d'Iran pour les Kurdes. Le retour en force de la question irakienne a sonné le glas d'un certain nombre de forces politiques. Les partis idéologiques transcommunautaires, comme le Parti communiste ou les partis nationalistes arabes, se sont divisés sur des bases communautaires – le Parti communiste irakien (arabe), où les chiites sont nombreux, est distinct du Parti communiste du Kurdistan d'Irak. Les chiites qui se réclament encore du nationalisme arabe, peu nombreux, sont aujourd'hui en majorité nassériens, tandis que les baassistes sont presque tous des Arabes sunnites.

Aujourd'hui, plus de treize millions de chiites vivent en Irak. Majoritaires sur les bords du Tigre et de l'Euphrate, ils représentent la plus importante communauté chiite du monde arabe, très loin devant le Liban. Par leur poids démographique comme par leur enracinement historique, ils sont aussi la minorité la plus importante à l'échelle du monde arabe, largement sunnite. La communauté, essentiellement arabe, compte également des Persans, des Kurdes et des Turkmènes (environ 40 % des Turkmènes d'Irak). Les Kurdes chiites (Kurdes Fayli) ont payé au prix fort le fait d'être à la fois kurdes et chiites.

L'histoire des chiites d'Irak n'est pas séparée de celle des sunnites, mais elle est distincte. Cette histoire a été occultée par les pouvoirs successifs, mais le régime baassiste actuel est allé plus loin dans sa volonté d'éradiquer toute mémoire chiite en s'attaquant de façon systématique aux lieux de sa conservation, en particulier aux bibliothèques des grandes familles religieuses, qui ont été détruites et dont les ouvrages ont été brûlés. Être chiite, c'est d'abord avoir une culture particulière, une culture marquée par des siècles d'exclusion du gouvernement ainsi que par la prédominance du clergé. Le milieu clérical a en effet façonné des générations entières. Son hostilité aux pouvoirs en place, son aptitude à lutter contre la domination étrangère et contre le despotisme, ont orienté les esprits vers la contestation de l'ordre gouvernemental, en encourageant un désir de justice sociale et un patriotisme irakien qu'il ne faut pas confondre avec le nationalisme arabe. Le milieu clérical chiite a été le terreau où sont apparus les pionniers de la presse en arabe à l'époque ottomane. Il a été l'animateur des premiers débats politiques du pays. Il a aussi développé les arts et les lettres, sans parler de l'architecture ou des travaux d'irrigation des campagnes environnant les villes saintes. Son cosmopolitisme, son ouverture sur l'extérieur, sur les cultures du chiisme, arabe, iranienne, indienne, africaine, mais aussi sur les idées européennes, expliquent en partie que la plupart, sinon la totalité, des intellectuels et des hommes de lettres soient aujourd'hui des chiites. Un ouléma chiite accompli se doit d'être poète. Tout lettré chiite connaît par cœur un ou plusieurs poèmes sur la tragédie de Kerbéla et sur le martyre de l'Imam Hussein face au « tyran omeyyade ». Les villes saintes ont été des centres littéraires de premier plan. Nombreux sont les poètes irakiens originaires de Najaf ou de Kerbéla. Parmi les plus illustres, Muhammad al-Jawahiri, décédé en exil à Damas à la fin des années 1990, est considéré comme le plus grand poète irakien contemporain. Chiite également, Ali al-Wardi, le père de la sociologie irakienne, mort en 1995. Ou encore le défunt Abd al-Razzaq al-Hasani, le grand historien de l'époque moderne de l'Irak.

La société chiite a fait naître au sein de la communauté un anticléricalisme que bien des sunnites, chez qui les oulémas ont toujours été de simples fonctionnaires du gouvernement, ont du mal à saisir. C'est ainsi que dans les années 1930-

1950 un grand nombre de chiites se rallièrent aux idées communistes, et dans une mesure bien moindre, baassistes. Après le reflux de la « vague communiste », les tendances laïques sont redevenues minoritaires, mais des chiites continuent aujourd'hui à adhérer au communisme, ou appartiennent à des courants se réclamant du libéralisme[1] et du nationalisme arabe version nassérienne (puisque le Baas représente maintenant les sunnites). Partageant une certaine vision confessionnelle, ils se satisferaient d'un simple rééquilibrage en faveur des chiites, là où le mouvement religieux remet en cause davantage le système politique en vigueur depuis 1920.

La culture chiite se caractérise également, on l'a dit, par un rapport particulier à l'argent et au commerce : exclus du gouvernement et de l'armée, les chiites se sont rattrapés dans le seul domaine qui ne leur était pas fermé, le commerce. Favorisées par les liens entre les grands religieux et les réseaux commerciaux tissés depuis le Liban jusqu'en Inde en passant par l'Iran, d'importantes fortunes chiites se sont constituées, avec la bénédiction des oulémas. La communauté chiite a ainsi donné naissance à une véritable bourgeoisie, dont la famille Chalabi, à laquelle appartient le président actuel du CNI, est un exemple. Quant aux Kubba, famille à laquelle appartient Layth Kubba, le porte-parole du CNI à Londres, ils avaient fait fortune à la fin du XIXe siècle grâce au commerce de la soie. Avant l'embargo, les plus riches Irakiens étaient des chiites, mais les plus pauvres l'étaient également. La communauté chiite est ainsi la seule communauté d'Irak à avoir une véritable structure de classes capitaliste, puisqu'on y rencontre, outre le clergé, une classe ouvrière nombreuse, une paysannerie, une riche et influente bourgeoisie commerçante et une classe moyenne importante, du moins jusqu'à l'embargo. Du fait

---

1. Fadel al-Jamali, Premier ministre sous la monarchie, décédé en exil à Tunis en 1997, a représenté ce courant chiite libéral et pro-occidental, auquel adhèrent également aujourd'hui Ahmad Chalabi, le président du Congrès national irakien (CNI), ou Muhammad Bahr al-Ouloum, un religieux membre de la direction du CNI.

de cette segmentation, qui transcende les solidarités locales et tribales, la communauté chiite a une aptitude à constituer une société civile que n'ont pas les autres communautés, en particulier les Arabes sunnites et les Kurdes. Il n'existe pas en effet de bourgeoisie nationale en Irak, mais des classes commerçantes communautaires, où les Juifs et les chiites ont occupé des places prédominantes. Les chiites remplacèrent les juifs, qui émigrèrent dans les années 1940, s'imposant encore davantage dans le domaine du commerce et de l'entreprise. Ces activités expliquent que les idées libérales se soient diffusées dans la communauté qui est également la plus ouverte aux idées constitutionnelles. La méfiance traditionnelle des chiites envers les pouvoirs en place peut aussi être considérée comme un atout supplémentaire dans l'émergence d'une véritable conscience politique.

Bien avant la Première Guerre mondiale, les oulémas chiites avaient été à l'origine du premier débat politique que connut la Mésopotamie ottomane, autour de la question de la Constitution. Près d'un siècle plus tard, les chiites semblent donc se distinguer des autres communautés par leur aptitude à penser le politique en des termes qui ne sont pas exclusivement liés au clan ou à la tribu. Tous ces atouts, avec le fait que les chiites se considèrent comme au cœur de l'identité irakienne, devraient leur conférer, en tant que majorité, une place centrale dans l'avenir du pays. Rien ne prédispose les chiites à une « sécession » ou à la création d'un « État confessionnel chiite ».

Un peu plus de cinq millions de Kurdes vivent en Irak. S'ils sont désormais nombreux à Bagdad, la majorité demeurent au Kurdistan. Les Kurdes d'Irak ne représentent qu'un cinquième de l'ensemble de la population kurde, elle-même estimée à 25 millions. Mais, s'ils viennent seulement en troisième position par leur nombre après ceux d'Iran et de Turquie, ils occupent une place particulière, car dans aucun autre État ils ne représentent un pourcentage aussi élevé de la population. De tous les pays où vivent des Kurdes, l'Irak est le seul à avoir poussé aussi loin la reconnaissance de leurs droits nationaux, mais aussi celui où la guerre a fait le plus de ravages. Le sentiment national kurde ne s'est développé qu'au cours du XX$^e$ siècle et est venu se superposer aux identités régionales et tribales.

Quant aux Arabes sunnites d'Irak, c'est probablement leur situation de minorité et leur face-à-face avec les chiites qui les différencient des autres Arabes sunnites, puisque les sunnites sont majoritaires dans les autres pays arabes. Cette situation exceptionnelle explique que la communauté ait toujours évité de se diviser. À l'époque ottomane, peu nombreux furent ceux qui s'opposèrent à la Porte : à la différence de ce que connurent les autres provinces arabes, le mouvement réformiste musulman se limita en Irak à une ou deux grandes familles. De même, à l'époque actuelle, le mouvement islamiste ne s'est pas développé parmi les Arabes sunnites. Les Frères musulmans n'ont jamais connu en Irak la fortune qu'ils connaissent ailleurs, en Syrie, en Jordanie ou en Égypte par exemple. Prélude à la révolution de 1920, les deux communautés musulmanes s'étaient rapprochées de façon spectaculaire pour les besoins de la lutte contre les Britanniques. Le mouvement patriotique de Bagdad avait alors décidé d'organiser des processions réunissant chiites et sunnites pour commémorer la naissance du Prophète et les cérémonies du deuil chiite. Le fait d'exalter ensemble les principales commémorations religieuses des deux communautés donnait un caractère symbolique à la volonté d'union islamique des sunnites et des chiites pour combattre l'occupation. Mais, lorsque le mouvement indépendantiste se transforma en insurrection, seuls quelques rares dirigeants arabes sunnites le rejoignirent ; ils vinrent se réfugier à Kerbéla, où ils se mirent sous la protection des grands *marja'*, reconnaissant ainsi la *marja'iyya* chiite comme direction du mouvement patriotique en Irak. Choisir entre l'indépendance de l'Irak et le maintien de leur mainmise sur l'État reste le principal dilemme des élites sunnites.

## Le retour du mouvement religieux chiite

La guerre contre l'Iran fut une épreuve sans précédent pour les chiites. Ne les conviait-on pas à combattre le pays considéré comme le protecteur des chiites dans le monde ? Cette guerre était le prolongement, hors des frontières, d'un combat intérieur irakien. Prise en étau dans un affrontement qui opposait directement deux États, soumise à une répression jamais vue et à des déportations massives qui décimèrent ses élites, la communauté chiite d'Irak put donner l'impression de manifester une certaine loyauté envers le régime dans sa guerre contre l'Iran. Il est vrai que la revendication islamiste, alors prônée par Téhéran, ne faisait pas l'unanimité au sein de la communauté chiite, mais ces divergences tendirent à s'effacer dès lors qu'il apparut que le pouvoir visait les chiites et leurs chefs religieux en tant que tels. La propagande officielle présentant le régime comme le seul défenseur de l'unité de l'État irakien pouvait aussi trouver un certain écho parmi les chiites, très attachés à l'identité irakienne. Grâce à la rente pétrolière qui lui permettait une large politique de redistribution, le régime put retarder les échéances d'une défection massive.

La communauté chiite se souleva au lendemain de la seconde guerre du Golfe. Elle était alors délivrée de la peur, et le pouvoir avait jeté les oripeaux idéologiques pour s'affirmer comme le défenseur des Arabes sunnites. Occultée par l'ampleur de l'exode kurde, l'*intifâda* de mars 1991 en pays chiite fut sans précédent, par son caractère généralisé et par la rapidité avec laquelle elle s'étendit. En quelques jours, l'ensemble des régions chiites furent soustraites à l'autorité du gouvernement. Seule une partie de Bassora, où s'étaient repliées des garnisons de la Garde républicaine, demeura aux mains du pouvoir. La brutalité de la répression, menée par les unités d'élite de la Garde républicaine qui utilisèrent massivement l'arme chimique, montre bien que la priorité du régime était de conserver le pays chiite, et non le Kurdistan. Les villes saintes furent les dernières à se rendre. À Kerbéla, on se battit maison par maison, le mausolée de l'Imam

Hussein, où s'étaient réfugiés de nombreux habitants, fut bombardé et littéralement éventré. Témoignage de la férocité des combats, toute trace de ville a disparu sur plusieurs centaines de mètres autour du mausolée. Il y aurait eu près de trente mille morts en quelques jours dans la seule ville de Kerbéla et plus de cent mille dans le pays chiite. Décimée par des décennies de répression, la hiérarchie religieuse chiite ne put reprendre le rôle de direction du mouvement qu'elle avait joué au début du siècle contre les Britanniques.

La soif de vengeance du régime devait même bouleverser la topographie et le milieu écologique de certaines régions où les insurgés avaient trouvé refuge. À partir de 1991, le gouvernement irakien entreprit en effet d'assécher de vastes zones des marais du Sud. D'immenses travaux de drainage furent entrepris qui durèrent jusqu'en 1995. Officiellement, l'objectif était de créer, en plus du Tigre et de l'Euphrate, un « troisième », puis un « quatrième fleuve » pour les besoins de l'irrigation ! Ces zones furent donc transformées en désert et des milliers d'habitants en furent chassés. Ainsi disparurent en partie une civilisation et un mode de vie millénaires, que le voyageur anglais Wilfred Thesiger, qui y séjourna dans les années 1950, a si bien décrit dans ses livres sur les Arabes des marais[1].

Aujourd'hui, le mouvement religieux chiite est, très paradoxalement, celui qui a la plus large audience. D'abord parce que la communauté chiite est majoritaire en Irak, mais aussi parce qu'il a remplacé le mouvement communiste, qui lui avait disputé le leadership de la communauté, avec les nationalistes arabes, dans les années 1940 et 1950 et jusqu'au début des années 1960. Ce mouvement jouit d'un héritage prestigieux : ce sont les oulémas chiites qui furent, au début du siècle, à l'origine des premières manifestations politiques des trois vilayets de la Mésopotamie ottomane ; ce sont les plus grands *marja'* qui s'engagèrent en faveur de la Constitution dans les empires persan et ottoman, puis organisèrent la lutte contre le colonialisme européen en terre

---

1. Wilfred Thesiger, *Les Arabes des Marais*, Plon, Terre humaine/Poche, 1987. C'est le seul de ses nombreux ouvrages en anglais traduit en français.

d'islam. L'exil forcé des autorités chiites vers l'Iran, en 1923, marqua la défaite du mouvement religieux indépendantiste.

Tout tableau de la vie politique irakienne doit inclure la *marja'iyya*, cette institution originale propre au chiisme duodécimain. De tous les pays arabes, l'Irak est, en effet, le seul à avoir un privilège dont les gouvernements du pays se passeraient volontiers : abriter sur son sol une sorte de Vatican des musulmans chiites que l'État ne contrôle pas. La direction religieuse des chiites se compose des plus grands *marja'* et a son siège dans les villes saintes.

La *marja'iyya* a été décimée sous Saddam Hussein. Cette répression sans précédent a culminé, on s'en souvient, en 1980. Cette année-là, pour la première fois dans l'histoire du chiisme en Irak, le pouvoir a fait mettre à mort un *marja'*, l'ayatollah Muhammad Baqer al-Sadr, exécuté secrètement le 8 avril. En 1985, ce sont dix membres de la famille du défunt ayatollah al-Hakim qui furent exécutés. Lors de l'*intifâda* de mars 1991, le gouvernement n'hésita pas à porter atteinte à la personne sacrée, aux yeux des chiites, d'un autre *marja'* : l'ayatollah Khoï est kidnappé et contraint d'apparaître à la télévision irakienne face à Saddam Hussein, tandis que la Garde républicaine bombarde les mausolées des imams chiites à Najaf et surtout à Kerbéla. Les familles religieuses al-Hakim, al-Sadr, Khoï, Bahr al-Ouloum, Khulkhali et Milani ont payé un lourd tribut à leur volonté de maintenir à tout prix la *marja'iyya* à Najaf. La répression a été telle qu'on peut considérer que la *marja'iyya* des chiites est aujourd'hui largement repliée à Qom, en Iran.

Cependant, le prestige de Najaf demeure, car l'ayatollah Khoï a formé plus des trois quarts des oulémas chiites de par le monde. Né en 1901 à Khoï, en Azerbaïdjan iranien, l'ayatollah Abou'l-Qasem al-Khoï était arrivé à Najaf à l'âge de treize ans, son père ayant fui le régime constitutionnaliste de Perse (après une alliance avec certains religieux, ce régime s'était retourné contre eux). Il fut, cependant, un élève des hérauts du constitutionnalisme religieux en Irak, Fath Allah Shaykh al-Shari'a al-Isfahani, Muhammad Hussein Na'ini et l'ayatollah Khurasani. Devenu le premier *marja'* du monde chiite à la mort de Muhsin al-Hakim, devançant même Khomeiny en popularité, l'ayatollah Khoï a consacré sa vie au développement des centres d'enseignement de la religion, si bien qu'aujourd'hui la grande majorité des oulémas chiites de par le monde sont ses élèves, notamment ceux qui sont actuellement les candidats à la *marja'iyya*. Parmi les élèves de ce religieux, il faut citer Muhammad Hussein Fadl Allah, l'ex-chef spirituel du Hezbollah libanais, Muhammad Mahdi Shams al-Din, décédé en 2001, qui dirigea le Conseil supérieur chiite au Liban, Muhammad Mahdi al-Asefi, ex-dirigeant du parti Da'wa, Mahmoud al-Hashimi, ex-porte-parole de l'Assemblée suprême de la révolution islamique en Irak, aujourd'hui à la tête de l'institution judiciaire iranienne. La Fondation Khoï, à Londres, peut être considérée comme une extension de la *marja'iyya* de Najaf ; elle est dirigée par deux des fils du grand *marja'*, Abd al-Majid et Yousif al-Khoï, en liaison avec le reste de l'opposition irakienne.

D'importants oulémas ont été les promoteurs de la revendication islamiste en milieu chiite. Lorsque Khomeiny apparut comme un nouveau *marja'*, une certaine confusion s'installa, une majorité des islamistes irakiens le suivant en politique, mais suivant les avis de Khoï pour la vie quotidienne. Toutefois, une majorité parmi la *marja'iyya* chiite a continué à suivre les préceptes quiétistes de Khoï, jusqu'à sa mort, en août 1992.

À ce moment, Abd al-A'la al-Musawi Sabzivari, un autre Iranien de Najaf, était, parmi les élèves de Najaf, celui qui apparaissait le plus apte à lui succéder, mais il mourut l'année suivante, et la répression en Irak rendait difficile un fonctionnement minimal de la *marja'iyya*. Le pouvoir irakien chercha à désigner un successeur à Khoï en la personne d'un ouléma arabe alors inconnu, Muhammad Sadeq al-Sadr, mais ses tentatives tournèrent court. La grande majorité des chiites se rallia donc à Mohammad Reza Gulpayegani, un religieux âgé de quatre-vingt-douze ans résidant à Qom, que les autorités iraniennes soutenaient pour succéder à Khoï. Mohammad Ruhani, son concurrent dans la ville de Qom, qui avait le soutien de la majorité des grands ayatollahs, dut battre en retraite. Gulpayegani mourut en décembre 1993. Après la *marja'iyya* transitoire d'Araki (mort peu après sa reconnaissance comme *marja' a'la*), une direction collégiale s'installa, car il n'y avait aucun candidat acceptable par tous, en particulier par le gouvernement iranien, qui soutient les prétentions de Khamena'i à la *marja'iyya*. L'ayatollah Sistani, un Iranien résidant à Najaf, poursuivait l'héritage de Khoï au prix d'immenses difficultés. Le 25 novembre 1996, sa résidence dans la ville sainte fut l'objet d'une attaque qui coûta la vie à l'un de ses gardes, nouvelle illustration des tentatives répétées d'intimidation du pouvoir. Les autres grands ayatollahs présents en Iran, et qui sont hostiles à divers degrés au régime de la république islamique, sont tous également des élèves de Khoï.

Muhammad Sadeq al-Sadr, le religieux que le gouvernement irakien avait tenté de promouvoir à la mort de l'ayatollah Khoï, s'est révélé bien plus indépendant que les autorités ne l'avaient imaginé. Tout en prenant ses distances avec le pouvoir, il a commencé à intervenir sur un terrain extrêmement dangereux, celui de la prière du vendredi. Chez les chiites d'Irak, cette prière est traditionnellement absente. Une raison en est leur répugnance à prier derrière un imam sunnite ou à invoquer le nom du dirigeant dans les prêches, obligation à laquelle sacrifient les sunnites. La revivification de cette prière fut l'un des thèmes récurrents du clergé militant, avant même que Khomeiny en fasse un élément majeur de la mobilisation contre le pouvoir. La prière du vendredi a toujours été pratiquée en Iran, où les pouvoirs successifs se sont réclamés, d'une façon ou d'une autre, du chiisme, mais le gouvernement irakien la considère comme un acte de guerre des chiites. Les prêches de Muhammad Sadeq al-Sadr à Najaf attiraient un public de plus en plus nombreux. Il continua malgré plusieurs avertissements et il fut tué le 19 février 1999. Son assassinat provoqua le plus important mouvement d'insurrection depuis l'*intifâda* de mars 1991. Les jours suivants, les émeutes se propagèrent dans le Sud, à Nasiriyya, Koufa, Kout et Amara, ainsi qu'à Bagdad. Son nom s'ajoutait à la longue liste des religieux chiites assassinés par le pouvoir depuis la fin de la seconde guerre du Golfe.

Aujourd'hui, la majorité des chiites irakiens, y compris les islamistes, considèrent l'ayatollah Sistani comme leur *marja'*. D'autres continuent à se référer au défunt Muhsin al-Hakim, bien que le dogme chiite interdise d'imiter un *marja'* mort, et certains suivent toujours les avis de Khomeiny. Les rapports entre le mouvement islamiste et la *marja'iyya* seront déterminés, en grande partie, par l'évolution de la scène politique intérieure iranienne, mais aussi par la Fondation Khoï à Londres.

Le mouvement religieux, s'il n'a pas retrouvé le monopole dont il jouissait au début du XX$^e$ siècle, est à nouveau la première manifestation politique de la communauté chiite d'Irak. À l'intérieur du mouvement, c'est probablement la tendance « irakienne » qui prédomine, c'est-à-dire celle qui, islamiste ou non, entend préserver l'indépendance de l'Irak par rapport à l'Iran, même si nul ne remet en cause l'importance de l'Iran et la nécessité de préserver les liens historiques, religieux et culturels entre les deux pays.

Sur un plan plus strictement politique, le mouvement religieux chiite compte aussi des partis islamistes. Après l'exécution de l'ayatollah Muhammad Baqer al-Sadr, en 1980, il ne semblait demeurer que des nains religieux et politiques : Muhammad Baqer al-Hakim, l'un des fils de l'ayatollah Muhsin al-Hakim, sans charisme et considéré par beaucoup comme prisonnier de la politique iranienne, ou les Mudarrisi, trop marqués par leur origine de Kerbéla. Seuls Mahdi al-Hakim, le fils aîné de Muhsin al-Hakim[1], et cheikh Muhammad al-Asefi, le porte-parole du parti Da'wa, semblaient avoir la stature de véritables dirigeants à la fois religieux et politiques.

Le parti Da'wa apparaît aujourd'hui comme le plus ancien parti islamiste d'Irak et aussi comme le plus « irakien », c'est-à-dire le plus indépendant par rapport à l'Iran. Il a certainement été le premier parti du pays dans les années 1990. S'il a soutenu sans réserve la révolution islamique en Iran, certains de ses dirigeants sont opposés au principe de la *wilâyat al-faqîh* ou le restreignent dans d'importantes proportions. L'une de ses figures les plus connues, cheikh Muhammad al-Asefi, résidant à Qom, en Iran, occupe une

---

1. Il a été assassiné par des agents baassistes irakiens à Khartoum en 1988.

place de premier plan, non seulement au sein du mouvement islamique en Irak, mais aussi dans l'opposition tout entière. Longtemps dirigé de façon collégiale par un bureau politique où, aux côtés de cheikh Muhammad al-Asefi, on trouvait un certain nombre de religieux, le parti Da'wa a participé aux premiers congrès de l'opposition, mais s'est retiré du CNI en août 1993, comme on l'a dit plus haut. Préconisant la lutte armée à l'intérieur du pays, il refuse de lier le destin de l'Irak à la politique américaine. Différentes forces de guérilla dépendent de lui et opèrent dans le sud de l'Irak et à Bagdad, sous le nom de Hezbollah irakien ou de « Forces du martyr Al-Sadr ». Le parti Da'wa a ainsi revendiqué l'attentat contre Oudaï, le fils aîné de Saddam Hussein, le 14 décembre 1996.

À la différence des autres organisations islamistes, le parti Da'wa a un programme politique précis. Il a été le premier parmi les islamistes à accepter le principe des élections libres et le multipartisme, dans le cadre d'un régime constitutionnel et parlementaire, ainsi que la coopération avec les partis laïques, notamment le Parti communiste, son ancien rival au sein de la communauté chiite. Dès 1980, il a publié un *Manifeste pour la compréhension mutuelle* dans lequel il déclarait que toutes les forces de l'opposition devaient s'unir pour renverser le régime de Saddam Hussein. Face au fédéralisme prôné par les Kurdes, il préconise une décentralisation de l'Irak, selon les anciens vilayets ottomans ; cette décentralisation serait géographique, mais non pas fondée sur les divisions ethniques ou confessionnelles, que le parti refuse d'institutionnaliser car il y voit un premier pas vers la partition de l'Irak. Après la seconde guerre du Golfe, il a très vite dénoncé la « collusion entre les États-Unis et Saddam Hussein ». À ce titre, il a critiqué les différentes attaques alliées contre l'Irak depuis 1993, qui visaient selon lui « à détruire l'Irak ». De même, il a rejeté la politique américaine de reconduction indéfinie de l'embargo, y voyant avant tout une « punition contre le peuple irakien » et non contre le régime, « qui profite de l'embargo ».

Le parti Da'wa reconnaît la *marja'iyya* de l'ayatollah Sistani à Najaf, tout en semblant favoriser les prétentions à la *marja'iyya* de Muhammad Hussein Fadl Allah, l'ex-guide spirituel du Hezbollah libanais. Il a connu plusieurs scissions, souvent causées par la question des rapports avec l'Iran, d'où sont nés le parti Da'wa - *wilâyat al-faqîh*, qui soutient les prétentions de Khamena'i à la *marja'iyya*, et, à l'opposé, les Cadres du parti Da'wa (*Kawâdir hizb ad-Da'wa*), qui trouvent le parti trop aligné sur la politique iranienne. Muhammad Abd al-Jabbar, qui en est le principal dirigeant – et qui est resté au CNI –, pense que les islamistes doivent prendre le pouvoir pacifiquement et respecter le droit des autres à la différence. Considéré comme proche du parti, le *hujjatulislam* Hussein al-Sadr est un religieux indépendant, établi à Londres, où il dirige un institut islamique qui publie le journal *Al-Minbar* ; tacticien hors pair, il s'est acquis une place importante au sein de l'opposition. Le parti Da'wa s'est divisé à nouveau quand son porte-parole, cheikh al-Asefi, s'est retiré de sa direction après avoir annoncé son soutien à la *marja'iyya* du Guide iranien de la révolution, Ali Khamena'i. Et l'assassinat de Muhammad Sadeq al-Sadr, en 1999, a suscité des tensions avec Muhammad Baqer al-Hakim[1], résidant à Téhéran et considéré comme le protégé des Iraniens. En effet, l'ascension de l'ayatollah de Najaf avait été considérée par les religieux exilés en Iran comme une concurrence, et certains, dont Muhammad Baqer al-Hakim, ne s'étaient pas privés de le critiquer. Depuis, le parti Da'wa revendique l'héritage des « deux Sadr », Muhammad Baqer et Muhammad Sadeq, « martyrs de la foi » à presque dix ans d'intervalle, et dont l'arabité est parfois opposée à l'iranité d'autres religieux.

Seconde en importance au sein de la mouvance islamiste chiite, l'Assemblée suprême de la révolution islamique en Irak (*Majilis a'la li-ath-thawra al-islâmiyya fî al-'Irâq*) – ASRII – a un statut particulier. Fondée en 1982 en Iran, sous la présidence de l'un des fils de l'ayatollah Muhsin al-Hakim, cet organisme était censé représenter toutes les organisations islamistes chiites d'Irak. À ses débuts, l'Assemblée regroupait

---

1. Des exilés irakiens le prirent violemment à partie dans la ville sainte iranienne de Qom, lui reprochant une part de responsabilité dans le sort tragique du religieux de Najaf.

les partisans de Muhammad Baqer al-Hakim, le parti Da'wa, l'Organisation de l'action islamique et d'autres groupes islamistes chiites. Mais, aujourd'hui, l'ASRII apparaît comme le principal bras politique iranien en Irak, ce qui a éloigné d'elle plusieurs partis importants. Le parti Da'wa, en particulier, a gelé sa participation, et les deux organisations sont désormais indépendantes l'une de l'autre.

L'ASRII est présidée par Muhammad Baqer al-Hakim, l'un des rares survivants de la famille al-Hakim, né à Najaf en 1937, il dirige l'Assemblée depuis Téhéran. Force est de constater qu'il n'a pas réussi, malgré une volonté affichée, à apparaître comme l'unique héritier et le successeur légitime de Muhammad Baqer al-Sadr. Contrairement à ce dernier, il n'est pas reconnu comme un *marja'*, et son manque de charisme est patent. Reprenant généralement les positions du gouvernement iranien au sein de l'opposition irakienne, il a longtemps maintenu une appartenance formelle au CNI, sur l'insistance des autorités iraniennes, qui voyaient là un moyen pour elles d'entrer en contact avec les États-Unis. Depuis la seconde guerre du Golfe, il s'est engagé, avec l'approbation de l'Iran, dans une politique d'intenses contacts tous azimuts, multipliant les visites dans les pays arabes, notamment au Koweit, afin de s'assurer de leur soutien.

Interlocuteur privilégié des autorités iraniennes dans tout ce qui touche au dossier irakien, Muhammad Baqer al-Hakim l'est également pour la délicate gestion des camps de réfugiés irakiens en Iran. Il revendique le rôle de défenseur des intérêts des milliers de chiites qui vivent dans les camps le long de la frontière, et a pris plusieurs initiatives pour calmer un mouvement de mécontentement qui a entraîné des manifestations à Téhéran en 1995, 1996 et 2001 – les manifestants protestaient contre le sort fait aux réfugiés irakiens et contre leur absence de droits, notamment celui de travailler en Iran ou de se déplacer librement. C'est parmi ces réfugiés qu'ont été recrutés et entraînés, à partir de 1983, les hommes qui forment aujourd'hui les « Brigades Badr », le bras armé de l'ASRII. Ces forces, évaluées à environ 15 000 soldats armés par l'Iran, mais qui disposeraient de 25 000 hommes en réserve, se composent d'une division d'infanterie, d'une division d'artillerie, d'une division blindée et d'une unité de guérilla. Elles se répartissent entre le Sud, où les bonnes relations de l'ASRII avec le gouvernement iranien leur permettent d'entrer en Irak par les marais (ce qu'elles firent lors de l'*intifâda* de mars 1991), et le Kurdistan ; elles étaient présentes à Erbil et Salah al-Din, avant la reconquête par le PDK, avec l'aide de l'armée irakienne, en septembre 1996[1]. Les Brigades Badr mènent des actions ponctuelles contre l'armée irakienne dans les régions de Bassora, Kout, Amara et Nasiriyya. Elles constituent probablement la force armée la mieux équipée de l'opposition religieuse chiite.

L'ASRII est dirigée par un conseil consultatif *(majlis shûra)* de dix-sept membres. Celui qui fut le numéro deux de l'ASRII et son porte-parole, Mahmoud al-Hashimi, est un élève de l'ayatollah Khoï, mais aussi de Muhammad Baqer al-Sadr ; il est considéré comme un *mujtahid*. Ses nouvelles responsabilités iraniennes lui ont fait prendre de la distance avec l'opposition irakienne, puisqu'il se considère maintenant avant tout comme un Iranien (son parcours est expliqué dans le chapitre sur la politique iranienne). Le troisième personnage de l'Assemblée est cheikh Muhammad Baqer al-Nasiri, qui dirige l'Association des oulémas *(Jamâ'at al-'ulamâ')*[2]. Le frère cadet du président de l'ASRII, Abd al-Aziz al-Hakim, dirige de son côté le Mouvement des moudjahidin ira-kiens *(Harakat al-mujâhidîn al-'irâqiyyîn)*, qui fut le premier embryon des forces armées du mouvement islamiste chiite.

L'ASRII considère que l'Iran est la base arrière de la révo-lution islamique en Irak. Elle a apporté un soutien total à Khomeiny pendant et après la guerre entre l'Irak et l'Iran, espérant que la guerre entre les deux pays lui permettrait de renverser le régime de Saddam Hussein et, éventuellement, d'accéder ainsi au pouvoir. Sa déception l'a contrainte à

---

1. Le gouvernement iranien, hanté par la menace d'une attaque américaine, n'a alors pas autorisé les Brigades Badr à intervenir aux côtés des forces de Jalal Talabani pour tenter de repousser l'attaque irakienne.

2. Héritière d'une prestigieuse organisation d'oulémas créée en 1959 par cheikh Murtada Al Yasin, celle-ci symbolisait alors le réveil du mouvement religieux.

modifier son discours, mais elle n'a pas de programme politique à proprement parler. Dans sa charte fondatrice, l'ASRII ne proposait, par exemple, aucun règlement de la question kurde autrement que par l'application des principes de l'islam. Elle ne faisait aucune mention des forces politiques irakiennes laïques, notamment communistes et nationalistes arabes, ni d'ailleurs de la présence en Irak de nombreuses minorités. Son discours était entièrement islamique chiite, l'islam devant résoudre tous les problèmes du pays. Après la fin de la guerre entre l'Irak et l'Iran, elle a entamé une ouverture qui s'est grandement confirmée par la suite, puisqu'elle participe à présent à tous les rassemblements de l'opposition irakienne, où elle tente d'apparaître à la fois comme le représentant du mouvement religieux et comme celui de tous les chiites.

Les liens de l'ASRII avec la politique iranienne transparaissent dans ses positions, qui, à la différence de celles du parti Da'wa, ont parfois paru accréditer l'idée d'une volonté américaine de renverser le régime de Saddam Hussein. Ainsi, l'ASRII a toujours appelé les Alliés à établir, dans le Sud, une zone de protection identique à celle dont les Kurdes bénéficient dans le Nord. L'Assemblée est confrontée, plus que toute autre organisation, aux contradictions de la politique iranienne envers l'Irak, celle-ci oscillant entre un discours appelant à un front antiaméricain avec le régime de Bagdad et un autre qui approuve tacitement les coups portés par les États-Unis à l'ancien ennemi. Elle a ainsi approuvé les attaques américaines contre l'Irak, tout en regrettant qu'elles soient insuffisantes pour faire tomber le régime. En même temps, elle affirme ne compter que sur un nouveau soulèvement pour mettre fin au régime, et privilégie à cette fin l'action militaire intérieure… Enfin, l'ASRII a été longtemps partisane d'un renforcement de l'embargo sur l'Irak, tout en dénonçant ses conséquences pour la population irakienne. C'est aussi au nom des intérêts d'État iraniens qu'elle a approuvé les nouvelles frontières entre l'Irak et le Koweit, imposées par l'ONU en 1994. Au contraire du parti Da'wa, qui a dénoncé le nouveau tracé comme injuste et source de conflits, l'ASRII a paru vouloir se concilier les dirigeants koweitis.

À l'instar du parti Da'wa, en revanche, l'ASRII préconise aujourd'hui des élections libres, un régime constitutionnel et parlementaire, et le multipartisme en Irak. Elle est très réticente à l'idée du fédéralisme, qu'elle assimile à une division de l'Irak, tout en affirmant comprendre la méfiance des Kurdes envers les Arabes, du fait de leur expérience passée. Pour Muhammad Baqer al-Hakim, le fédéralisme est une idée occidentale à laquelle correspond, « dans le vocabulaire islamique, la décentralisation en vilayets ».

L'une des composantes de l'ASRII est l'Organisation de l'Action islamique (*Munazammat al-'amal al-islâmî*), qui s'est formée à Kerbéla, à l'initiative des familles Shirazi et Mudarrisi. Créée en 1961, cette organisation s'est manifestée de façon publique en 1979 par des actions de guérilla à Bagdad. Elle est dirigée par Muhammad Taqi Mudarrisi (né en 1945 à Kerbéla) et par son frère Muhammad Hadi Mudarrisi. Autre organisation membre de l'ASRII, les Soldats de l'Imam (Jund al-Imâm). Malgré son nom guerrier, elle se voulait d'abord un mouvement de réislamisation culturelle, avant que la violence de la répression baassiste ne l'oriente vers la lutte armée. L'ASRII comprenait également des mouvements islamiques kurdes et turkmènes. Le Hezbollah kurde, dirigé par un cousin de Massoud Barzani, et le Mouvement islamique du Kurdistan représentaient les sunnites au sein de l'Assemblée et étaient au Kurdistan d'Irak ce que l'ASRII est dans la partie arabe du pays : les relais locaux de la politique iranienne. Leur participation à la structure présidée par Muhammad Baqer al-Hakim s'est par la suite distendue.

Il existe aussi un Mouvement des Kurdes Fayli (chiites), déportés en masse vers l'Iran dans les années 1970 et 1980. Fondé au début des années 1980 et membre de l'ASRII, ce mouvement a finalement rejoint le Parti démocratique du Kurdistan de Barzani en 1993. Également proches de l'Assemblée, les Turkmènes chiites sont représentés par l'Union islamique des Turkmènes d'Irak (*Ittihâd islâmî li-Turkmân al-'Irâq*), dont les dirigeants, résidant à Damas, sont soutenus par Téhéran.

Enfin, plusieurs organisations islamistes chiites indépendantes se sont formées autour de personnalités religieuses. Le

Mouvement islamique en Irak (*Haraka islâmiyya fi al-'Irâq*) est lié à cheikh Muhammad Mahdi al-Khalisi, petit-fils de cheikh Mahdi al-Khalisi, le grand *marja'* exilé par le gouvernement irakien à l'instigation des Britanniques en 1923. Fondé à la fin des années 1970, il condamne l'alignement de l'opposition sur les États-Unis et prône une politique fondée sur l'indépendance de choix du peuple irakien. Il faut citer le Rassemblement islamique irakien (*Tajammu' islâmî 'irâqî*), qui regroupe Arabes chiites et Kurdes sunnites, fondé en 1990 et dirigé par Hazem al-Samarra'i, et le Rassemblement des forces islamiques, dirigé par Izzat Shabandar.

Quant aux grandes confédérations tribales du sud et du centre de l'Irak, si puissantes au début du siècle, elles n'ont plus aujourd'hui qu'un rôle marginal. Liées au mouvement religieux par leur commun chiisme, elles sont plus conservatrices et davantage portées vers des positions pro-occidentales. Cible de la répression de tous les gouvernements irakiens, les tribus demeurent un puissant cadre d'identité, même si elles ont perdu leurs structures économiques et sociales d'antan. Un certain nombre de grands cheikhs du Centre et du Sud se sont dotés d'une représentation, comme le Conseil des tribus irakiennes (*Majlis al-'ashâ'ir al-'irâqiyya*), dirigé par cheikh Sami Azzara Al Ma'joun, le cheikh de la tribu des Bani Hukaym du moyen Euphrate.

L'après-11 septembre a précipité la recomposition du mouvement religieux. À l'instar des autorités iraniennes et des autres dirigeants religieux chiites, presque tous les responsables chiites irakiens ont dénoncé les attentats contre les États-Unis comme contraires à l'islam. À la suite de cheikh Muhammad Hussein Fadl Allah au Liban, ils ont rejeté les appels au djihad de Ben Laden et des talibans, ces derniers étant désignés comme une secte sortie de l'islam. À l'instar de l'Iran, le mouvement islamiste chiite d'Irak semblait se retrouver, pour la première fois depuis longtemps, dans le même camp que l'Occident face à des adversaires talibans. Après avoir été à la tête de l'antiaméricanisme, les diverses composantes de l'opposition religieuse chiite sont convaincues que les États-Unis sont décidés à renverser le régime de Bagdad.

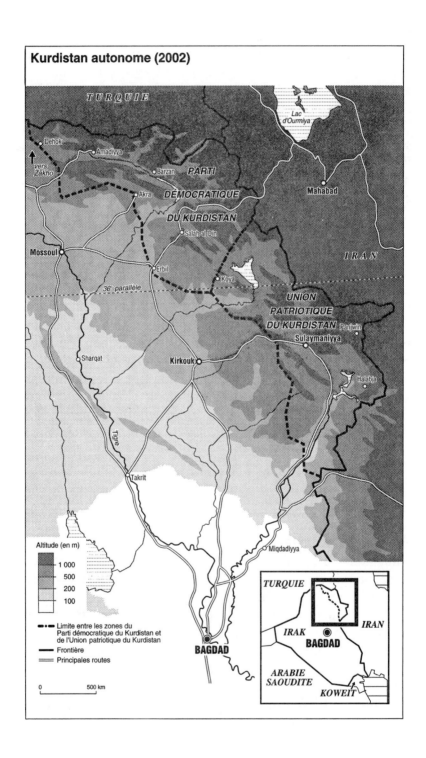

Kurdistan autonome (2002)

En 2002, l'ASRII, renonçant à sa prétention d'accueillir tous les mouvements islamistes chiites d'Irak, s'est transformée en parti politique. Cette organisation est plus que jamais le vecteur privilégié de la politique iranienne en Irak. À ce titre, elle affirme attendre d'une action américaine le renversement du régime, attente qui est devenue celle de la quasi-totalité des mouvements islamistes. On mesure le chemin parcouru par des mouvements qui se considéraient, à l'instar de Khomeiny et du Hezbollah libanais, comme le fer de lance du combat contre le « grand satan » dans la région. Ayant reçu le feu vert iranien, l'ASRII s'est déclarée disposée à étudier avec Washington son éventuelle participation au renversement du régime de Saddam Hussein. Et pour la première fois, en août 2002, un représentant de l'ASRII a officiellement participé à Washington à une réunion de l'opposition irakienne.

Face à la tentation de l'ASRII d'apparaître, aux côtés des partis kurdes, comme un interlocuteur privilégié des États-Unis, un regroupement s'est opéré en 2002 entre le parti Da'wa, des proches de cheikh Mahdi al-Khalisi et des mouvements islamistes sunnites issus de la tendance anti-saoudienne des Frères musulmans. Une Union des forces islamiques a vu le jour. Indépendante des autorités iraniennes, elle est opposée à toute « solution américaine » en Irak.

## Le Kurdistan, entre la tentation du cavalier seul et l'obligation d'une solution irakienne

La guérilla avait recommencé au Kurdistan dès 1976, mais c'est lors de la guerre entre l'Irak et l'Iran que le mouvement kurde reprit pied au Kurdistan d'Irak sur une grande échelle. Le PDK revint alors à sa politique d'alliance avec l'Iran, désormais république islamique, malgré l'expérience tragique que les Kurdes d'Irak avaient de ce type de configuration. L'UPK le suivit à partir de la fin de 1985 : Talabani abandonna ses négociations avec Bagdad et s'en remit à son tour à une alliance qu'il avait jusqu'alors refusée. Mais le régime de Bagdad, considérant que les Kurdes l'avaient poignardé dans le dos au plus fort de sa guerre contre l'Iran, se vengea au-delà de toute prévision : ce fut la campagne *Al-Anfal* de 1988-1989, au cours de laquelle l'arme chimique fut utilisée. Le nom de Halabja devint alors synonyme d'Oradour kurde : le bilan d'*Al-Anfal* est estimé à 180 000 morts et disparus. De vastes régions du Kurdistan furent bombardées ou soumises à des déportations massives. Une fois encore, l'alliance des Kurdes d'Irak avec l'Iran s'était révélée funeste. C'est à la suite de ces dramatiques événements que fut fondé, en mai 1988, le Front du Kurdistan unifié, qui réunissait les forces politiques kurdes face au gouvernement de Bagdad.

C'est encore une guerre, celle du Koweit, qui permit aux mouvements kurdes, rassemblés au sein de ce front, de revenir au Kurdistan. L'Union patriotique du Kurdistan et le PDK ont dirigé l'insurrection consécutive à la défaite irakienne. Toutes les villes du Kurdistan étaient tombées entre leurs mains, et leurs forces occupèrent temporairement Kirkouk le 20 mars 1991. Mais dès le début mars, les unités de la Garde républicaine commencèrent à reprendre le terrain perdu, et les souvenirs apocalyptiques de la campagne *Al-Anfal* poussèrent près de deux millions de Kurdes à un exode sans précédent vers les frontières iraniennes et turques. Les deux leaders kurdes, Massoud Barzani[1] et Jalal Talabani, n'eurent d'autre solution que de venir négocier à Bagdad avec Saddam Hussein un hypothétique arrangement. Cependant, le 24 avril, une zone de sécurité était établie dans la région de Zakho, où les Alliés s'étaient déployés dans le cadre de l'opération « Provide Comfort ». Et le 7 juin, lorsque, face à l'ampleur de l'exode kurde, les Alliés proposèrent à l'ONU de créer officiellement une zone de sécurité dans une grande partie du Kurdistan en interdisant à l'armée irakienne le survol des territoires kurdes situés au nord du 36ᵉ parallèle, les deux dirigeants kurdes décidèrent de ne plus s'engager envers Bagdad. L'ONU organisa la surveillance terrestre et aérienne

---

1. Après la mort de son père, puis celle d'Idris, son frère, tué au combat en 1988, Massoud Barzani prit seul la tête du Parti démocratique du Kurdistan.

des régions concernées, et, en octobre, Bagdad, dont les armées avaient dû reculer, acheva de retirer du Kurdistan les derniers vestiges de son administration civile, tout en annonçant un blocus total de la région. Le vide fut rapidement comblé par les partis du Front du Kurdistan. Une situation d'apparente liberté sans précédent s'était créée. Les Kurdes en profitèrent pour proclamer unilatéralement leur autonomie. Ils allaient bientôt former un gouvernement et élire un Parlement basé à Erbil, où les minorités ethniques (les Turkmènes) et religieuses (les Assyro-chaldéens) du Kurdistan auront leurs représentants.

Les élections se tinrent en mai 1992, sous le contrôle d'experts internationaux, et consacrèrent la prédominance des deux grands partis kurdes : Massoud Barzani (PDK) et Jalal Talabani (UPK) prenaient en main les rênes du Kurdistan. Bien que concurrencé par son rival, le PDK retrouvait son rôle d'antan. Massoud Barzani représenta les Kurdes au sein de la direction tricéphale (élue le 2 novembre 1992) du Congrès national irakien (CNI)[1].

Le PDK entendait d'abord résoudre la question kurde dans le cadre de la république irakienne, sur la base d'une auto-nomie interne. Son slogan « L'autonomie pour le Kurdistan, la démocratie pour l'Irak » résumait sa volonté d'apparaître comme un parti irakien, concerné par l'avenir de l'ensemble du pays. Mais la situation créée par la zone de sécurité garan-tie par les Alliés changea la situation, et le PDK mit alors en avant le mot d'ordre du fédéralisme, présenté comme la seule manifestation possible du droit des Kurdes à l'autodétermina-tion[2]. En accord avec l'UPK, il fit proclamer l'« État fédéral » par le Parlement kurde le 4 octobre 1992 et œuvra pour que le Congrès national irakien ratifie le fédéralisme, alors que seuls le Parti communiste et les libéraux y étaient favorables.

---

1. Le chef du PDK était secondé par Hoshyar Zibari et Muhsin Diza'i. Sami Abd al-Rahman, ex-dirigeant d'un petit parti kurde de gauche ayant fusionné avec le PDK en 1993, devint le numéro deux du parti.

2. Les dirigeants kurdes virent dans l'opération humanitaire « Provide Comfort » un engagement en faveur de l'autonomie, ce qu'elle n'était pas.

L'entente remarquable avec l'UPK, réalisée au sein du Front du Kurdistan unifié, ne résista pas aux conditions très difficiles faites à la zone autonome kurde, région enclavée, soumise à un double embargo, qui ne vivait que des aides internationales, des droits de douanes prélevés à la frontière turque et de la contrebande. Les deux formations se mirent d'accord sur le principe d'un partage politique dans les institutions kurdes, mais non sur celui des ressources. L'UPK accusa le PDK de garder ce qui aurait dû être redistribué sur tout le territoire du Kurdistan. De fait, la parité de représentation des deux partis favorisait la constitution de deux zones, chacune dominée par un parti. Dès 1993, les forces du PDK et celles de l'UPK se livrèrent à des escarmouches qui dégénérèrent en véritable conflit. Cette guerre entre les Kurdes fit plusieurs milliers de morts. Le Kurdistan se transforma en champ d'intervention des armées turques et iraniennes, chacun des deux partis rivaux tissant des alliances successives avec les pays voisins. Alors que les conditions de vie empiraient, de véritables fiefs se constituèrent qui divisèrent le Kurdistan autonome en zones d'influence relevant de l'un ou l'autre parti.

C'est dans ce contexte que l'UPK s'opposa au Mouvement islamique du Kurdistan, ce dernier soutenu par Téhéran, dans une véritable guerre qui dura plusieurs mois, fin 1993 et début 1994. Pour faire pression sur le PDK, afin qu'il accepte de redistribuer les droits de douanes perçus à la frontière turque, l'UPK occupa Erbil, le siège des institutions kurdes ! Malgré les médiations françaises et surtout américaines, l'UPK semblait être en passe de l'emporter en 1995. Accusé de recevoir un soutien iranien, Jalal Talabani vit alors la situation se retourner de façon inattendue et dut se réfugier en Iran, criant à la « trahison » de Barzani.

En effet, le chef du PDK s'était allié à Bagdad, avec la bénédiction de la Turquie, pour chasser l'UPK de la « capitale » du Kurdistan, Erbil. Face à l'opposition irakienne, unanime à dénoncer la « trahison » du PDK, Massoud Barzani se justifia en arguant de l'aide que l'Iran apportait à l'UPK. À la fin d'août 1996, les troupes du PDK, secondées par l'armée irakienne, entraient donc dans la ville d'Erbil. Le PDK réussit même à pousser son avantage jusqu'au fief de l'UPK, Sulaymaniyya. Le traumatisme causé par la « trahison » de Barzani fut compensé par le fait que, pendant tout le mois de septembre 1996, le PDK et son chef apparurent comme les seuls maîtres du Kurdistan. Le répit était appréciable pour une population éprouvée par des combats féroces qu'elle considérait comme fratricides. Mais dans le courant de novembre, à la suite d'une médiation américaine ayant abouti à un accord tacite avec l'Iran, l'UPK récupérait une grande partie de son territoire, à l'exception d'Erbil, qui resta sous le contrôle le du PDK.

Après une nouvelle médiation américaine, menée sous les auspices turcs, un processus de normalisation amenait une sorte de retour à la situation précédant les événements de septembre 1996. Entre-temps, le retour très momentané des Irakiens au Kurdistan avait coûté la vie à plusieurs dizaines d'opposants communistes, islamistes et turkmènes, qui s'étaient imaginés en sécurité dans la « capitale » du Kurdistan « libre ».

Aujourd'hui, l'UPK ressemble beaucoup au PDK dans son mode de fonctionnement, malgré ses prétentions à incarner une alternative politique démocratique et de gauche au PDK. Ahmad Bamarni, son porte-parole, et Fouad Ma'soum, le premier chef du « gouvernement kurde », constitué le 22 juillet 1992, sont les plus proches collaborateurs de Talabani. L'UPK a été rejointe, à la fin de 1992, par de petits partis kurdes marxistes-léninistes, comme *Râyat ath-thawra* (L'étendard de la révolution) et *Hizb al-kâdihîn* (Le Parti des travailleurs).

Lors de sa fondation, en 1988, le Front du Kurdistan unifié se composait de cinq partis : le PDK, l'UPK, mais aussi trois petits partis de gauche, bientôt rejoints par d'autres, dont le Parti communiste-région du Kurdistan et le Mouvement démocratique assyrien. Ces petits partis étaient censés former une troisième force au Kurdistan, face aux deux mastodontes du PDK et de l'UPK. Mahmoud Uthman était à la tête du Parti socialiste du Kurdistan (*Hizb ishtirâkî kurdistânî*) – PASOK, fondé en 1976. Ancien dirigeant historique du mouvement kurde, notamment du PDK, il fut sensible un moment aux propositions de Bagdad et se retrouva ministre dans la capitale irakienne, avant de rejoindre l'opposition. En 1992, le PASOK, le Parti socialiste kurde (*Hizb ishtirâkî kurdî*), fondé en 1979, et le Parti démocratique kurdistani du peuple (*Hizb ash-sha'b ad-dîmûqrâtî al-kurdistânî*), fondé en 1981 par Sami Abd al-Rahman, ont tous les trois fusionné en un seul parti, le Parti kurdistani de l'unité (*Hizb al-wahda al-kurdistânî*). En août 1993, ce dernier parti s'est dissous pour rejoindre le PDK lors de son XI<sup>e</sup> congrès. Une partie de l'ancienne direction du Parti kurdistani de l'unité a refusé de se fondre dans le PDK et a créé, en novembre 1994, le Parti socialiste démocratique kurdistani (*Hizb ishtirâkî dîmûqrâtî kurdistânî*).

À côté de ces partis socialisants, des forces politiques issues du PCI sont implantées à Sulaymaniyya, à Erbil et dans le Badinan, où certaines ont des relations étroites avec le Parti des travailleurs du Kurdistan de Turquie (PKK), dont les militants pourchassés par l'armée turque ont trouvé refuge au Kurdistan d'Irak. Entre trois mille et cinq mille hommes armés de ce parti, prêts à vendre chèrement leur vie, sont regroupés à la lisière sud du Kurdistan, au contact de l'armée de Saddam Hussein et des milices de l'UPK.

En fait, la troisième force au Kurdistan est le mouvement religieux kurde. Le Mouvement islamique au Kurdistan – MIK (*Haraka islâmiyya fî Kurdistân al-'Irâq*) demeure la force politique la plus importante à l'extérieur du Front du Kurdistan, de même qu'il est considéré comme la troisième force politique et militaire dans la région. Cette mouvance est sunnite, comme l'immense majorité des Kurdes. Le MIK regroupe de nombreux membres de l'ancienne Union des oulémas, fondée en 1971 et reconstituée à la faveur de l'*intifâda* de mars 1991. Il a été fondé en 1986 au plus fort de la guerre entre l'Irak et l'Iran, sous la direction de cheikh Uthman Abd al-Aziz, son guide spirituel, et est dirigé par le frère de ce dernier, cheikh Mulla Ali Abd al-Aziz. « Cheikh Ali » se déplace fréquemment entre l'Iran et le Kurdistan irakien. Le MIK, qui publie le mensuel *An-Nafîr*, a un bureau à Téhéran. Certains de ses militants ont été combattre en Afghanistan. Le MIK s'est considérablement renforcé au cours des années 1990. Aujourd'hui, il a ses propres zones libérées adossées à l'Iran, dans la région de Halabja. L'Arabie saoudite le finance dans le souci de contrebalancer l'influence prépondérante de l'Iran dans les zones qu'il contrôle. Crédité de 6 % des voix aux élections de 1992, le MIK ne prône pas la violence, même si des accrochages réguliers l'opposent aux miliciens de l'UPK.

À côté du MIK, il existe d'autres formations religieuses, comme le Hezbollah kurde, dirigé par cheikh Muhammad Khalid Barzani, un cousin de Massoud Barzani, réfugié en Iran depuis 1974. Fondé en Iran en 1982, ce mouvement est arrivé en Irak avec les Gardiens de la révolution iraniens en 1985, dans la région de Hajj Umran. Il est implanté entre Barzan, Rawandouz et Merga Sor, dans une région montagneuse, à la jonction des frontières irakienne, turque et iranienne.

Au Kurdistan, le mouvement religieux bénéficie du rejet par la population des deux grands partis, qui monopolisent les ressources de la région et qui sont tenus pour responsables des combats qui ont ensanglanté la zone autonome kurde tout au long des années 1990. Il bénéficie également du désir de réislamisation de la société kurde, aujourd'hui visible partout dans les villes, et encouragée par un large financement saoudien. Le MIK et le Hezbollah kurde sont dirigés par des mollahs qui entretiennent des clientèles locales et concurrencent les chefs de confréries soufies, notamment la Naqshbandiyya, à laquelle sont liés les Barzani, et la Qadiriyya, dont le leadership, traditionnellement assumé par la famille Barzinji, est aussi revendiqué par les Talabani. Héritiers des premiers mouvements de résistance kurde contre les Britanniques, les cheikhs Barzinji ont créé en 1995 l'Union islamique du Kurdistan (*Ittihâd islâmî fi Kurdistân*), dirigée par Umar Shaykh Ahmad Barzinji.

De même que dans la zone arabe, les tribus ont leurs propres organisations, de même dans la zone kurde, deux regroupements qui représentent certains clans et tribus kurdes, notamment les Sourtchi, les Khoushnau et les Bradost, se sont formés après le soulèvement de mars 1991. L'Association des tribus kurdes (*Jam'iyyat al-'ashâ'ir al-kurdiyya*), dirigée par Jawhar Hussein Sourtchi, le représentant des tribus kurdes irakiennes à Londres, a son siège à Shaqlawa. À la suite des élections de mai 1992, cette association s'est divisée, donnant naissance à un autre regroupement centré sur Erbil. Le PDK et l'UPK rivalisent pour s'attirer les faveurs de ces deux associations. L'Association des tribus kurdes, traditionnellement proche du PDK, a rompu avec lui. Les exactions commises par le PDK à l'encontre des Sourtchi, en juin 1996, au cours desquelles un village fut entièrement rasé et le cheikh Hussein Agha Sourtchi tué, a consommé le divorce entre le PDK et certains clans kurdes importants.

Troisième groupe ethnique en Irak, après les Arabes et les Kurdes, les Turkmènes sont devenus le vecteur privilégié de l'influence turque au Kurdistan. Si l'Iran a fait du MIK son bras armé dans la région, la Turquie fait aujourd'hui du Front turkmène d'Irak, qui regroupe quatre partis, son principal agent. La Turquie a imposé au PDK, dont les relations avec les Turkmènes ont été souvent conflictuelles, de partager avec les partis turkmènes une partie des droits de douanes prélevés au poste frontière d'Ibrahim al-Khalil, entre Zakho et Silopi. Le trafic des passeports et des visas est également partagé. Parmi les Turkmènes, seuls les chiites, qui ont formé l'Union islamique des Turkmènes, proche de Téhéran, en sont exclus. Lors de l'occupation d'Erbil, en septembre 1996, de nombreux Turkmènes ont été exécutés par les Irakiens, sans doute une forme de mise en garde adressée à la Turquie.

Enfin, les autres minorités ethniques et religieuses du Kurdistan sont représentées au sein du Front du Kurdistan d'Irak et des institutions kurdes. La communauté assyrienne est majoritairement représentée par le Mouvement démocratique assyrien (*Haraka dîmûqrâtiyya 'ashûriyya*), fondé en 1979, et dirigé par Yonadam Yousif. Malgré une émigration massive vers les pays occidentaux, entre cinquante et cent mille chrétiens – assyriens et chaldéens en majorité – vivent encore dans le nord de l'Irak. Depuis 1993, les Assyriens se plaignent de confiscations répétées de leurs terres et d'exactions commises par des familles kurdes liées au PDK.

Depuis 1996, il existe donc deux administrations parallèles dans la zone autonome kurde. Au nord, le PDK dirige depuis Erbil une région montagneuse qui comprend les villes de

Zakho et Salah al-Din. L'UPK règne depuis Sulaymaniyya sur les contrées les plus méridionales du Kurdistan. Les deux grands partis kurdes ont enterré la hache de guerre après qu'un accord, tacitement garanti par les États-Unis et l'Iran, leur assure davantage d'équité dans la répartition d'une manne financière en pleine expansion. Depuis le retour de la paix, en 1998, les Kurdes de la zone autonome connaissent une prospérité aussi nouvelle qu'artificielle. Artificielle, car essentiellement fondée sur des ressources financières liées à une conjoncture forcément transitoire et non sur un effort de production. Au contraire, la manne financière qui se déverse à différents titres sur le Kurdistan autonome a contribué à ruiner l'agriculture comme les industries locales. Il est devenu plus intéressant d'organiser le trafic du pétrole irakien vers la Turquie et l'Iran et de maintenir des positions qui permettent aux Kurdes de toucher 13 % de ce qui est vendu au titre du programme humanitaire de l'ONU « Pétrole contre nourriture », plutôt que d'investir dans la production locale.

Le PDK et l'UPK ont enterré la hache de guerre, mais la faiblesse du nationalisme kurde est apparue lors de l'alliance conjoncturelle entre le PDK et le régime de Bagdad pour chasser l'UPK d'Erbil en 1996. Condamnée par l'ensemble de l'opposition, elle a illustré le dilemme du mouvement kurde : faire cavalier seul en jouant une carte étrangère (iranienne ou occidentale) – politique qui a toujours abouti à des désastres jusqu'à aujourd'hui – ou tenter de trouver un terrain d'entente avec le pouvoir, option qui semble vouée à l'échec tant que se maintiendra le régime actuel.

La seule option possible semble être à présent un nouveau contrat de coexistence avec les principaux courants de l'opposition arabe au régime de Saddam Hussein, notamment avec ses composantes les plus représentatives, islamique et nationaliste arabe. Or aucune de ces forces n'est favorable au fédéralisme unilatéralement proclamé par les Kurdes, à l'exception du Parti communiste irakien et de quelques groupes libéraux. Les islamistes chiites, on l'a vu, préfèrent la décentralisation en vilayets sur des bases non ethniques, et les nationalistes arabes restent attachés à une conception unitaire de l'État irakien. C'est toutefois dans le dialogue entre ces différents mouvements que réside la solution de la question kurde en Irak. Le véritable problème tient, au-delà des positions de mouvements politiques d'opposition à la représentation incertaine, au probable refus d'une majorité d'Arabes irakiens à voir l'État se transformer en État fédéral. L'absence, du côté arabe, d'autorité capable de « convaincre » les Arabes de reconnaître le droit à l'autodétermination des Kurdes est aussi en question. Les dirigeants religieux chiites, qui, dans le passé, ont déjà déclaré illicite au regard de l'islam le fait de porter les armes contre les Kurdes, pourraient à cet égard jouer à nouveau un rôle important.

En attendant une hypothétique solution irakienne, le Kurdistan autonome, où vivent environ 3,7 millions d'habitants, connaît la situation d'un protectorat américain. Près de deux millions de Kurdes demeurent par ailleurs dans la zone contrôlée par Bagdad, notamment à Kirkouk, où ils sont la cible d'une politique visant à les faire partir dans le sud de l'Irak. Enclavée et divisée entre deux administrations liées au PDK et à l'UPK, sans perspectives claires, puisque tous les pays voisins semblent exclure l'indépendance, la zone autonome profite d'une liberté et d'une prospérité sans précédent. Les Kurdes veulent espérer qu'elle n'est pas qu'un répit. Mais, à l'image du soudain bien-être matériel dont jouit la région, cette situation est largement artificielle, car elle dépend avant tout de facteurs extérieurs à l'Irak. Ni les droits de douanes, ni les différents trafics, ni la part du pétrole irakien qui leur est reversée sous contrôle de l'ONU ne pourront s'éterniser.

Pour les Kurdes également, le 11 septembre a signifié un changement tangible, avec la guerre annoncée en Irak par Washington. Comme les autres dirigeants de l'opposition irakienne, Barzani est convaincu, tout autant que Talabani, du caractère inéluctable de celle-ci. Cette opération est devenue un sujet d'angoisse général car, outre son caractère aléatoire, un éventuel changement de régime à Bagdad pourrait signifier pour les Kurdes la fin de la parenthèse de l'autonomie telle qu'elle existe actuellement. La protection américaine sera-t-elle reconduite si un nouveau régime ami des États-Unis s'installe à Bagdad, alors que tous les voisins de l'Irak refusent l'autonomie prolongée du Kurdistan irakien ?

## Élites arabes sunnites, mouvement nationaliste arabe et armée

Le mouvement nationaliste arabe en Irak revendique la paternité de l'association Al-'Ahd (Le Serment, qui disparut dans la tourmente de la révolution de 1920). Née à la fin de la période ottomane, celle-ci était l'expression des sentiments panarabistes des ex-officiers de l'armée du sultan qui s'étaient mis au service du projet chérifien soutenu par la Grande-Bretagne[1]. Mais, en Irak, ce sont le mouvement religieux chiite et son allié, le mouvement patriotique de Bagdad, représenté par le parti *Haras al-Istiqlâl* (Les Gardiens de l'indépendance), qui étaient alors les forces politiques représentatives d'une société à majorité arabe et chiite. Dans la guerre entre la Grande-Bretagne et le mouvement religieux, la plupart des dirigeants d'Al-'Ahd demeurèrent à l'écart. Certains d'entre eux encouragèrent même les Britanniques à réprimer davantage le mouvement pour l'indépendance conduit par les oulémas chiites.

Dès ses débuts, le nationalisme arabe en Irak a principalement servi à légitimer la domination confessionnelle des sunnites sur les chiites et celle, ethnique, des Arabes sur les Kurdes, bien plus qu'à réaliser une mythique union des Arabes. Comme on l'a vu, les élites arabes sunnites qui tenaient les rênes du pays trouvaient dans la vaste nation arabe une base de légitimation qui leur faisait défaut à l'intérieur des frontières de l'Irak. Ce n'est qu'après la seconde guerre du Golfe que nombre d'intellectuels et de militants, dont certains proches du mouvement nationaliste arabe, ont semblé

---

1. On se rappelle que de nombreux officiers de la révolte arabe du chérif Hussein, présents au Hedjaz et en Syrie, étaient originaires de l'Irak.

découvrir que le nationalisme arabe était devenu un simple paravent masquant la domination d'un clan.

De fait, pour les élites qui s'en sont fait les hérauts, le pana-rabisme a d'abord été une idéologie fonctionnant dans un contexte irakien dominé par les rapports communautaires. L'armée irakienne, pivot de l'État-nation arabe, a eu dès ses débuts la mission essentielle de réprimer tous ceux, nombreux, qui rejetaient l'injustice de ce système imposé par la force britannique. Elle a gardé ce rôle jusqu'à aujourd'hui, n'intervenant sur un terrain extérieur que lorsqu'il prolongeait un conflit interne. Ce fut le cas pour les revendications réité-rées sur le Koweit, lors de la guerre contre l'Iran, puis lors de la seconde guerre du Golfe, les deux derniers conflits étant la conséquence de la guerre intérieure avec le mouvement reli-gieux chiite renaissant. Ni les partis nationalistes arabes ni l'armée n'ont jamais vraiment œuvré en Irak pour l'unité arabe.

L'idéal nationaliste arabe est à présent dévalué, d'abord par le fait que le régime de Saddam Hussein continue à s'en réclamer. Il est difficile de faire oublier la responsabilité de ce mouvement dans les pires moments de répression qu'a connus le pays depuis 1963. L'époque où le nationalisme arabe réu-nissait Arabes sunnites et chiites semble à jamais révolue[1]. Toutefois, il occupe encore une place importante au sein de l'opposition, et se répartit aujourd'hui entre différents cou-rants, baassistes (sunnites en majorité), nassériens (sunnites et chiites) et indépendants. Une bonne partie des militaires en exil (tous sunnites) s'y retrouvent.

Les baassistes dissidents sont en majorité au sein du parti Baas, de tendance prosyrienne. Ce parti, à l'audience réduite et largement redevable au soutien du gouvernement syrien, est dirigé par Fadel al-Ansari. Il milite pour un regroupement de l'opposition nationaliste arabe et islamiste hostile à la poli-tique américaine, dont l'influence sur le CNI est jugée trop pesante. Côté nassérien, le Rassemblement national démocra-

---

1. Les chiites ont soit en majorité déserté les rangs du mouvement nationaliste arabe, soit rejoint (c'était le contraire en 1963) des partis nassériens.

tique (*Tajammu' qawmî dîmûqrâtî*) regroupe plusieurs petits partis comme le Parti de l'union socialiste, le Mouvement socialiste arabe (*Harakat ishtirâkiyya 'arabiyya*), le Mouvement des officiers libres unionistes (*Harakat al-dubbât al-wahdawiyyîn al-ahrâr*) et le Rassemblement unioniste démocratique. Il est dirigé depuis Le Caire par Ahmad al-Habboubi, le petit-fils de Saïd al-Habboubi, un dirigeant chiite du djihad contre l'invasion britannique en 1914-1916. D'autres petits partis nassériens existent en exil.

Le mouvement nationaliste arabe ressemble donc à une nébuleuse de groupuscules, chacun lié à une personnalité. Bien qu'il ait entrepris, à l'instar du Parti communiste, un aggiornamento réel, il ne semble pas avoir arrêté de programme politique clair, en remplacement des anciennes professions de foi panarabistes qui ne font plus recette.

L'armée irakienne a été victime de purges successives qui ont entraîné de nombreuses défections au sein de l'état-major. Les militaires qui ont pu s'exiler se sont d'abord installés en Arabie saoudite, où ils sont entrés en contact avec les Américains, ainsi qu'en Syrie, et ils se répartissent entre les différentes organisations du courant nationaliste arabe ou leurs avatars démocratiques. Ancien vice-chef d'état-major de l'armée irakienne, le général Hassan al-Naqib[1] représente les Arabes sunnites au sein de la troïka présidentielle du CNI élue le 2 novembre 1992. Il se rapprocha des baassistes prosyriens, avant de créer un Rassemblement des indépendants irakiens (*Tajammu' al-mustaqillîn al-'irâqiyyîn*), un groupement nationaliste arabe à l'influence restreinte. Le général Wafiq al-Samarra'i, ex-chef des services secrets militaires, qui a fait défection en 1993, a également rejoint le CNI. Le général Nizar al-Khazraji, qui fut chef d'état-major de l'armée irakienne au moment de l'invasion du Koweit, a quitté l'Irak en avril 1996 pour se réfugier en Jordanie. Khazraji et Samarra'i se sont rapprochés du Mouvement de l'entente nationale d'Ayyad Allawi. Divers regroupements autour de

---

1. Baassiste depuis 1960, il fut ambassadeur d'Irak à Stockholm, puis à Madrid.

militaires en exil sont basés en Arabie saoudite, comme le Mouvement des officiers irakiens ou le Rassemblement des officiers révolutionnaires. D'autres se partagent entre Londres et Damas, comme le Parti de la patrie (*Hizb al-watan*) ; formé en 1996, ce parti regroupe des officiers baassistes dissidents et est présidé par Mish'an al-Joubouri, dont la tribu arabe sunnite, soutien traditionnel du régime, a été à son tour victime de la répression en 1993. La plupart des militaires en exil – on parle de deux cents officiers – ont été sollicités par les Américains, qui voient en eux de possibles alternatives dans l'hypothèse d'un renversement du régime de Saddam Hussein.

Face au CNI, et en opposition au congrès de Salah al-Din et « à l'influence américaine qu'il reflète », le mouvement nationaliste arabe s'est regroupé au sein d'une structure basée à Damas et créée en janvier 1993, le Comité d'action nationaliste et démocratique (*Lajnat al-'amal al-qawmî al-dîmûqrâtî*), qui publie le mensuel *Al-Watan* (La Patrie). Regroupant cinq partis nationalistes arabes, ce comité prône le renversement du régime de Saddam Hussein, notamment avec l'aide de l'armée, et l'instauration d'un régime pluraliste et parlementaire. Il s'efforce de réconcilier le panarabisme et la démocratie, tout en refusant ce qu'il considère comme des violations de la souveraineté et de l'unité de l'Irak. À ce titre, il a rejeté le nouveau tracé de frontière avec le Koweit, imposé par les États-Unis, qu'il considère comme injuste. De même, il refuse le principe du fédéralisme kurde, dans lequel il voit une première étape vers la partition de l'Irak. À l'instar des islamistes chiites et du Parti communiste, il a condamné les attaques américaines contre l'Irak depuis le cessez-le-feu. Ce courant a boycotté le congrès de Vienne, puis a dénoncé les conclusions de celui de Salah al-Din, auquel il a malgré tout participé. Conscient de son statut minoritaire, il a cherché, pour une partie, à former un front antiaméricain de l'opposition, avec notamment le mouvement religieux chiite. Par un retournement notable de l'histoire, ce dernier se voit aujourd'hui courtisé par ceux dont il fut la principale victime.

La tendance nationaliste arabe a dû prendre acte du change-ment du rapport des forces en sa défaveur. Les 17 et

18 décembre 1992, une première réunion à Damas entre les nationalistes arabes et le courant islamiste chiite allait institutionnaliser leur rapprochement. Juste à la suite du congrès de Salah al-Din, pour faire contrepoids à cette réunion jugée proaméricaine, les deux courants formèrent en janvier 1993, toujours à Damas, le Comité de coordination et de suivi des courants islamique et nationaliste arabe (*Lajnat al-tansîq wa al-mutâba'a li-al-tayyârayn al-islâmî wa al-qawmî al-'arabî fi al-'Irâq*). Ce comité, qui se voulait la principale alternative au CNI, jugé prisonnier de son pari sur la politique américaine, a aussitôt dénoncé les attaques alliées contre l'Irak de janvier 1993. Il préconise la résolution de la question irakienne de l'intérieur, c'est-à-dire sans rien attendre des puissances occidentales, et le développement de la lutte armée pour renverser le régime. Il appelle à une coordination avec le Front du Kurdistan, bien que les partis nationalistes arabes n'acceptent pas l'idée du fédéralisme. Mais une autre partie du courant nationaliste arabe, notamment les militaires, s'est ralliée à la politique américaine.

## Le petit mouvement religieux sunnite

Confrontés à des clivages confessionnels et ethniques, les sunnites d'Irak se divisent pour moitié entre Arabes (hanafites) et Kurdes (chaféites), avec une minorité turkmène. Leur position n'a pas favorisé l'émergence d'un mouvement fondamentaliste fort, à l'image de ce qui se passe dans les autres pays arabes. Les Arabes sunnites se savent minoritaires en Irak et beaucoup vivent dans la hantise d'une revanche des chiites. Ils sont pris entre un réflexe confessionnel d'autodéfense et le constat que le système politique qui a assuré la prédominance de certains d'entre eux a conduit le pays à la catastrophe. Le petit mouvement fondamentaliste arabe sunnite a des liens privilégiés avec l'Arabie saoudite. Chez les Kurdes, le mouvement religieux s'est développé récemment à la faveur de la victoire de la révolution islamique en Iran ; bien que sunnite, ce mouvement a des liens avec l'ASRII et sert de relais kurde à la politique iranienne.

Chez les Arabes, c'est le Bloc islamique (*Kutla islâmiyya*), fondé dans les années 1970 par cheikh Muhammad al-Alousi, qui semble le plus actif. Basé à Riyadh, il s'agit, en fait, des Frères musulmans irakiens de tendance prosaoudienne. Malgré ses liens avec l'Arabie saoudite, ce groupe est plutôt antiaméricain et prône une politique indépendante de l'Occident, qui préserve l'unité de l'Irak et son identité islamique. Hostile au fédéralisme prôné par les Kurdes, il reflète les conceptions unitaires de l'État, traditionnelles chez les élites arabes sunnites. Le Bloc islamique s'est retiré du CNI en décembre 1993. D'anciens généraux de l'armée irakienne en exil, comme Hassan al-Naqib, proche du Baas pro-syrien, Al-Rawi et Ibrahim al-Dawud se sont déchirés pour diriger ce mouvement qui demeure très faible.

Une autre tendance, qui représente les Frères musulmans hostiles à l'Arabie saoudite, le Parti islamique irakien (*Hizb islâmî 'iraqî*), entretient des liens privilégiés avec le Soudan. Ce groupement s'est joint au parti Da'wa et à des personnalités religieuses chiites en 2002 pour former l'Union des forces islamiques. Il prône une solution irakienne et récuse toute ingérence étrangère pour renverser le régime en place.

## Un mouvement communiste en mutation

Bien que très amoindri par la répression, par l'effondrement du camp socialiste, et aussi par la résurgence du mouvement religieux, le PCI demeure un acteur important de l'opposition, mais il n'en est plus la force principale. Il est l'un des rares partis, avec le parti Da'wa, à bénéficier encore d'une base active à l'intérieur de l'Irak.

Lors de son V$^e$ congrès, tenu au Kurdistan en octobre 1993, le PCI a mis en avant des mots d'ordre « démocratiques ». Soutenant le fédéralisme kurde, il s'est scindé en deux organisations : le PCI pour l'Irak arabe et le Parti communiste kurdistani-Irak pour le Kurdistan (ce dernier parti a sa propre direction, avec un secrétaire général, Umar Ali al-Shaykh, assisté d'Aziz Muhammad) ; les deux partis ont gardé des liens étroits, même si chacun dispose de son propre comité central. Lors du même congrès, le PCI a élu une nouvelle direction, chargée de mener à bien l'aggiornamento en cours de sa politique. Plus de la moitié de l'ancien comité central n'a pas été renouvelée dans ses fonctions. Son nouveau secrétaire général, Hamid Majid Musa al-Bayati, un chiite de Hilla, est de la troisième génération des dirigeants communistes en Irak. Né en 1946, il a adhéré au parti au milieu des années 1960 et a étudié les sciences politiques en Bulgarie avant de se spécialiser dans les questions pétrolières. Arrêté en 1968, puis libéré, il a été élu en 1984 au comité central, dont il était alors le plus jeune membre.

Le PCI refuse toute solution imposée de l'extérieur à la situation qui prévaut en Irak. Il prône la lutte armée contre le régime et l'instauration d'un régime démocratique, pluraliste et constitutionnel. Il n'appelle plus à une rupture préalable avec le capitalisme, mais au contraire réhabilite l'initiative privée dans le cadre d'une économie dirigée par un État interventionniste. Il se veut le principal moteur d'une « alternative démocratique » qui permettra le passage pacifique au socialisme. À l'instar des islamistes et des nationalistes arabes, le parti dénonce la politique américaine envers l'Irak. Condamnant toutes les attaques aériennes menées par les États-Unis depuis le cessez-le-feu, il a appelé très tôt à la levée des sanctions contre l'Irak, dénonçant les effets de l'embargo sur la population irakienne. Le PCI a considéré ainsi que la mise en application de l'accord « Pétrole contre nourriture » était une victoire du peuple irakien sur Saddam Hussein. Le parti, qui a participé à toutes les conférences de l'opposition, à l'exception de Vienne, s'est retiré dau CNI, dont les positions lui semblent refléter les intérêts américains. Il a toujours entretenu des relations étroites avec le mouvement kurde, auprès duquel il a souvent trouvé refuge – cela s'est traduit par l'adhésion du PCI-région du Kurdistan (aujourd'hui constitué en Parti communiste kurdistani-Irak) au Front du Kurdistan, par le soutien du parti à l'idée fédérale et par sa participation aux élections kurdes de mai 1992.

Depuis les années 1960, le PCI est doublé sur sa gauche par une mouvance qui ne peut que se renforcer du fait de l'évolution du parti vers des positions proches de la social-démocratie. Le PCI-Mouvement de base, une scission du PCI de 1984, refuse ainsi l'évolution « démocratique » du PCI. D'autres partis se réclamant d'un communisme orthodoxe sont apparus, notamment au Kurdistan, tels le Parti communiste ouvrier irakien (*Hizb shuyû'î 'ummâlî 'irâqî*), implanté à Sulaymaniyya et Erbil, et d'autres petits groupes marxistes-léninistes, qui ont en commun de refuser toute négociation avec Bagdad. À l'opposé, le seul groupe à avoir répondu à l'« ouverture » du régime irakien en 1995 est un parti marxiste-léniniste qui a été légalisé, mais dont l'existence réelle est sujette à caution.

## *Un nouveau venu, le mouvement « démocratique et libéral »*

Toutes les tendances de l'opposition irakienne préconisent au moins certaines procédures démocratiques, telles que les élections libres, un régime constitutionnel et le multipartisme. L'émergence de ce courant « démocratique » est aujourd'hui largement redevable à la pression américaine et ne concerne que des groupes en exil, formés autour de personnalités qui ont souvent troqué leurs options nationalistes arabes, ou plus rarement religieuses, pour un libéralisme affiché. Les chiites y sont assez nombreux : renouant avec une certaine tradition au sein de cette communauté, ils illustrent la volonté de contester au mouvement religieux l'exclusivité de la représentation chiite, rôle auparavant dévolu au Parti communiste.

Le plus important de ces mouvements est peut-être celui qui a défrayé la chronique de l'année 1996. Le Mouvement de l'entente nationale irakienne (*Harakat al-Wifâq al-watanî al-'irâqî*) a été fondé en mars 1991 en Arabie saoudite par un certain nombre d'anciens nationalistes arabes proches du pouvoir, dont Salah Umar al-Ali, Ayyad Allawi et Salah al-Shaykhli. Arabe sunnite né en 1937 à Takrit, Salah Umar al-Ali a été un homme du sérail baassiste : membre de la direction régionale du Baas, membre du Conseil de commandement de la révolution et ministre de l'Information dans le gouvernement du président Ahmad Hassan al-Bakr (1968-1970), il a occupé ensuite divers postes diplomatiques (1973-1982). Il a démissionné de toutes ses fonctions le 30 juillet 1982, en signe de protestation contre la « dictature de Saddam Hussein » et contre la guerre faite à l'Iran. Il réside depuis lors à Londres. Exilé également à Londres de longue date, Ayyad Allawi, qui pour sa part est chiite, s'opposa rapidement au précédent. Les deux tendances se sont séparées dès 1992. L'une, dirigée par al-Ali, s'intitule désormais Rassemblement démocratique irakien de l'Entente (*Tajammu' al-Wifâq ad-dîmûqrâtî al-'irâqî*), du nom de son journal *Al-Wifâq*, publié à Londres. Elle professe des positions assez critiques envers l'Occident, qu'elle accuse de vouloir entamer un dialogue avec le régime irakien, et a dénoncé les attaques alliées contre l'Irak dès janvier 1993.

L'autre tendance, qui rassemble, derrière Allawi, une majorité de chiites, le Mouvement de l'Entente nationale (*Harakat al-Wifâq al-watanî al-'irâqî*), est davantage ouverte aux Américains. Lorsque le roi Hussein de Jordanie changea de politique envers l'Irak, à la faveur de la défection des deux gendres de Saddam Hussein en août 1995, le Mouvement de l'Entente nationale d'Allawi a été le premier groupe de l'opposition irakienne à obtenir l'autorisation d'ouvrir un bureau à Amman. Le président Clinton aurait fait débloquer six millions de dollars pour ce mouvement, qui est rapidement devenu, avec l'aide de la CIA, la couverture politique des agissements américains réels ou supposés. Une tentative présumée de coup d'État contre le régime de Saddam Hussein aboutit ainsi à un fiasco. Probablement infiltré par des agents du régime, le Mouvement de l'Entente nationale, qui avait supervisé l'affaire, dut assister à l'arrestation et à l'exécution par les services de renseignements irakiens d'une centaine de ses partisans en juin 1996. Cette tendance est aujourd'hui accusée d'être financée par la CIA et de n'être qu'un instrument de la politique américaine.

Également pro-occidental et rallié à l'idéal démocratique, il existe enfin un petit courant royaliste en exil, notamment à Londres, où il a ressuscité en 1993. Toutefois, l'option hachémite bénéficie d'une nostalgie générale dans le monde arabe pour les « anciens régimes », qui, à côté des régimes actuels, paraissent aujourd'hui, avec le recul du temps, comme un moindre mal. La politique jordanienne envers l'Irak et un certain soutien occidental ont permis la constitution du Mouvement royaliste constitutionnel (*Harakat malakiyya dustûrtiyya*) autour de la personne du chérif Ali bin al-Hussein al-Hashimi, le prétendant actuel au trône d'Irak, qui est un cousin de Faysal II.

Dans les pays occidentaux qui accueillent la diaspora irakienne en exil, notamment en Grande-Bretagne et en Amérique du Nord, un grand nombre de mouvements se réclamant d'idéaux démocratiques se sont formés ces dernières années. La plupart ne représentent que des personnalités aux passés divers. Leur dénominateur commun est de présenter la démocratie comme « la solution » à la question irakienne et de s'en remettre aux pays occidentaux pour renverser le régime. Le groupe le plus important semble l'Union des démocrates irakiens (*Ittihâd al-dîmûqrâtiyyîn al-'irâqiyyîn*), fondée à Londres en 1990, et qui défend des idées libérales.

Le Congrès national irakien (*Mu'tamar watanî 'irâqî*) dont nous avons vu plus haut la naissance peut être classé dans cette tendance démocratique pro-occidentale. Le CNI a symbolisé les espoirs mis par l'opposition irakienne dans l'aide des pays occidentaux, avec à leur tête les États-Unis, sinon pour résoudre la question irakienne, du moins pour aider au renversement du régime. Le sort tragique de nombreux membres du CNI au Kurdistan, lors de l'occupation d'Erbil par l'armée irakienne en septembre 1996, a sanctionné la fin des illusions en la matière. Les services secrets irakiens, munis de listes nominales et d'adresses, ont alors arrêté plusieurs centaines d'opposants arabes et turkmènes. Une centaine d'entre eux ont été exécutés à Qush Tepe, tandis que d'autres, emmenés à Mossoul, à Kirkouk ou à Bagdad, ont disparu. La faillite de la protection américaine dans la « capitale » du Kurdistan autonome a abouti à l'évacuation vers la Turquie et l'île de Guam de tous ceux qui, parmi les Irakiens, avaient travaillé avec le CNI, les Américains et les organisations humanitaires. L'opération, commencée le 13 septembre 1996, a concerné plusieurs milliers de personnes, en majorité des Kurdes. L'intervention de l'armée irakienne aurait ainsi mis en échec une opération financée par la CIA pour renverser Saddam Hussein, dont le CNI aurait été la cheville ouvrière. La presse américaine a comparé cette opération à la débâcle américaine lors de la chute de Saigon, mais cette comparaison est très exagérée, car les États-Unis n'ont jamais misé sur le CNI pour renverser le régime, si jamais un tel projet a vu le jour. Une autre tentative de « soulèvement » à partir du Kurdistan, conduite par le général dissident Wafiq al-Samarra'i, sous l'égide du CNI et financée par la CIA, aurait également échoué au printemps 1995.

Aujourd'hui, le CNI a perdu les bases dont il disposait en territoire irakien (dont plusieurs centaines de combattants et une station de radio au Kurdistan). La plupart des grands mouvements de l'opposition, comme le parti Da'wa, le PCI, les nationalistes arabes, l'ont quitté, et il n'apparaît plus que comme une coquille vide. Ses principaux représentants soit s'en sont retirés, soit ont gelé leur participation. Mises en cause, ses sources de financement obscures ont été l'objet de nombreuses interrogations : la CIA ? Ou même le Koweit, moyennant une reconnaissance par le CNI de la nouvelle frontière entre les deux pays ? Son échec est avant tout celui des espoirs mis par l'opposition dans la politique américaine et de sa dépendance totale à l'égard du mouvement kurde pour assurer sa présence en territoire irakien. La guerre entre factions kurdes, qu'il a été incapable de contenir, comme à nombre d'autres médiateurs, lui aura été fatale. De façon presque ironique, c'est l'un des membres de la troïka présidentielle qu'il avait mise sur pied, Massoud Barzani, qui a signé sa fin sur le sol irakien en appelant Bagdad à la rescousse.

Le CNI a pourtant eu son heure de gloire, notamment en 1992 et 1993, quand il se présentait comme le représentant de toute l'opposition irakienne. Il entreprit alors une vaste campagne de relations publiques en direction des pays arabes et de l'Occident. À la fin de juillet 1992, James Baker reçut ainsi les trois futurs membres de la présidence du CNI, Hassan al-Naqib, Massoud Barzani et Muhammad Bahr al-Ouloum, qui représentait les chiites. Ce dernier est un religieux chiite indépendant, qui fut le représentant de l'ayatollah Muhsin al-Hakim et l'un des premiers oulémas expulsés d'Irak en 1968. Né en 1927 à Najaf, il a suivi des études religieuses dans la ville sainte, puis à l'université de Bagdad et à Téhéran jusqu'en 1970. Il a travaillé comme juge religieux spécialiste du statut personnel au Koweit de 1971 à 1977 et a obtenu un doctorat de droit musulman au Caire en 1980. En tant que représentant des chiites au sein de la direction présidentielle collective du CNI élue le 2 novembre 1992, lui-même gagné aux idées libérales, il a tenté, en vain, d'inciter les dirigeants chiites basés à Téhéran à participer à la conférence de Salah al-Din. En mai 1995, il a « gelé » sa participation au CNI, son retrait venant après une cascade de démissions, dont celle de Hani al-Fkayki, un ancien dirigeant baassiste chiite, le vice-président de l'assemblée du CNI, aujourd'hui décédé.

Le principal représentant du CNI reste un riche entrepreneur chiite, Ahmad Chalabi. Se définissant comme un « libéral indépendant », il a été élu président de la *lajna tanfidhiyya* (l'assemblée du CNI, présentée un moment comme le « parlement de l'opposition ») en novembre 1992. Ses bonnes relations avec Talabani et Barzani et son chiisme semblaient faire de lui un candidat fédérateur. C'est pourtant une personnalité contestée. Ses activités l'ont amené à être condamné par un tribunal jordanien à vingt-deux ans de prison pour des malversations à la banque Pétra, qui depuis a déposé son bilan au Liban et en Suisse.

Malgré son échec, le CNI compte à son actif un réel pragmatisme, qui lui a permis de conserver de bonnes relations avec toutes les tendances de l'opposition, un important réseau de propagande illustré par sa radio et son journal *Al-Mu'tamar* (Le Congrès), qui pénètrent largement la zone sous contrôle du gouvernement irakien. On peut aussi le créditer d'avoir été un élément fédérateur, dans ses premières années d'existence, ce qui lui a permis de faire avancer plusieurs questions au sein de l'opposition, notamment à propos du respect du pluralisme et des élections. Il a également lancé le débat sur le fédéralisme, dont il s'est fait, avec les Kurdes, le plus fervent avocat. Le CNI a salué l'application de l'accord « Pétrole contre nourriture » comme une victoire sur le régime.

Le long tableau que nous venons de faire montre l'incroyable éclatement de la scène politique irakienne. L'émiettement de l'opposition n'est pas seulement l'expression de la « mosaïque ethnique et confessionnelle » de l'Irak – cette expression consacrée ne dit pas que 95 % de la population irakienne est musulmane et que 75 % est arabe ; l'Irak ne compte pas davantage de communautés que la Syrie ou le Liban, même si leur répartition géographique et démographique rend plus difficile qu'au Levant un équilibre politique. La cause de cette culture de la division réside surtout aujourd'hui dans l'élimination de la société irakienne, même si cette propension à se diviser est elle aussi une donnée traditionnelle dans l'histoire du pays.

La seule façon de résoudre la question irakienne n'est-elle pas de prendre en compte les projets politiques des trois grandes communautés du pays, et, en premier lieu, celui de la première communauté d'Irak, la communauté chiite, aujourd'hui à nouveau représentée majoritairement par le mouvement religieux ? Certes, la politique de cavalier seul que mène le mouvement kurde illustre le fait que ses dirigeants s'intéressent d'abord au Kurdistan : ces derniers affirment avec raison qu'il n'existe pas de solution à la question kurde en Irak indépendamment d'une solution de la question irakienne, mais ils donnent souvent le sentiment d'agir comme si peu leur importait la nature du pouvoir à Bagdad. La division de l'opposition arabe et son incapacité, qu'elle soit chiite ou sunnite, à répondre clairement aux aspirations kurdes font qu'ils préfèrent, une fois encore, un illusoire soutien extérieur (aujourd'hui américain, hier iranien) à une politique d'entente nationale avec les autres forces de l'opposition.

De plus, les grands clivages au sein de l'opposition ne sont pas seulement confessionnels et ethniques. Il existe un fossé entre les partis religieux, qu'ils soient chiites ou sunnites, kurdes et arabes, d'une part, et les partis laïques, comme le PCI, les partis nationalistes, arabes ou kurdes, et le courant libéral, d'autre part. L'appréciation de la politique américaine, qui est devenue la clé de l'avenir du pays, est aussi un facteur de division : si les partis kurdes, le courant libéral et le CNI s'en remettent à la volonté présumée des États-Unis, sinon de renverser le régime, du moins de protéger la population, les islamistes chiites, les nationalistes arabes et le PCI ont long-temps dénoncé la duplicité américaine, accusant Washington de maintenir le régime en place pour mieux mettre l'Irak sous tutelle. Enfin, le parrainage des pays voisins a encore renforcé l'éclatement de l'opposition : le mouvement religieux chiite se répartit entre Téhéran, Damas et Londres, les nationalistes arabes, entre Damas, Le Caire et l'Arabie saoudite, les Kur-des, entre la Syrie, la Turquie et l'Iran, et le PCI, entre la Syrie, d'autres pays arabes et l'Europe.

Aux divisions communautaires, politiques et en fonction d'allégeances envers différents pays s'ajoute aujourd'hui l'effet du triomphe généralisé des 'asabiyya, qui ne touche pas seulement le pouvoir. Ainsi s'explique le fractionnement sans fin des partis politiques irakiens. Ce qui se passe au sommet de l'État, accaparé par un clan, se produit aussi dans la société et dans l'opposition, fût-elle en exil. La négation des identités du pays depuis la fondation de l'État, la politique du vide pratiquée par le régime de Saddam Hussein, liées à la non-résolution de la question irakienne, ont abouti à une situa-tion où la politique tend à s'effacer devant la solidarité fami-liale et tribale. Lors des sanglants événements de l'automne 1996 au Kurdistan, le clan arabe sunnite des Takriti s'est allié au clan kurde des Barzani contre l'autre clan kurde des Talabani, l'intérêt du clan passant devant celui du mouvement national kurde. La communauté internationale, en refusant d'aider à une remise à plat du système injuste qu'elle avait elle-même créé, court le risque de voir l'Irak se transformer en zone de crise permanente et violente de plus en plus diffi-cile à contrôler.

La régression inimaginable de la société irakienne apparaît maintenant comme le trait majeur d'un pays qui se défait et qui est menacé d'implosion. Cette régression est d'abord politique. Le mouvement religieux chiite, le mouvement nationaliste arabe, le mouvement communiste, le mouvement nationaliste kurde, qui étaient porteurs d'utopie pour l'ensemble de la population malgré leurs connotations communautaires, sont tous aujourd'hui contraints à l'exil, à l'exception des Kurdes. Deux millions d'Irakiens y forment une diaspora éclatée entre les pays arabes, l'Iran et les pays occidentaux, notamment la Grande-Bretagne. En l'absence de perspective politique, ces mouvements ont été à leur tour touchés par le triomphe, en leur sein, d'allégeances qui semblent les priver de toute possibilité de jouer un rôle politique majeur en Irak. Vaincue lors de l'écrasement de l'*intifâda* de mars 1991, la société irakienne a été éliminée des enjeux politiques. Privée de son terreau naturel, l'opposition, qui la représentait, manifeste, par ses divisions, la fermeture tragique de toute solution irakienne à la crisc de ce pays.

# CHAPITRE 9

# L'Irak au milieu d'enjeux régionaux contradictoires

En consacrant la domination américaine au Moyen-Orient, la seconde guerre du Golfe a éliminé d'anciens partenaires importants de l'Irak. La France et l'ex-Union soviétique, par leurs poids respectifs, ne sont plus en mesure de concurrencer le vainqueur de la guerre, et se trouvent réduites à se positionner pour les futurs marchés irakiens de l'après-embargo, par la signature de précontrats sans valeur juridique, sous le regard vigilant et soupçonneux de Washington. Utilisées par Bagdad comme de simples moyens de pression dans le dialogue musclé que mène le régime avec les États-Unis depuis 1991, elles sont exclues de l'élaboration de toute perspective politique pour ce pays. Leur absence en rappelle une autre : celle de l'Europe et de la Russie dans le processus de paix entre les pays arabes et Israël. De fait, les intérêts des pays voisins de l'Irak sont devenus les seuls contrepoids à la puissance américaine dans ce pays.

## *La disparition de l'Irak de la scène politique moyen-orientale*

La défaite irakienne de 1991 a ouvert la voie à une politique américaine mettant l'ancienne Mésopotamie entre parenthèses pour une période indéfinie. Cette politique s'est manifestée par la mise sous tutelle internationale de l'Irak et a fait disparaître le pays de la scène politique moyen-orientale. Cette situation est inédite, d'autant que l'Irak avait occupé, durant les années 1970 et 1980, une place de plus en plus importante dans la région.

La guerre contre l'Iran avait été incomparablement plus rentable pour Saddam Hussein que toutes les « causes arabes » traditionnelles, à commencer par la question de Palestine, où l'Irak ne joua qu'un rôle secondaire. Lors des conflits israélo-arabes, chaque désengagement irakien était en général suivi d'une surenchère maximaliste anti-israélienne visant d'abord l'Égypte. Lors de la seconde guerre du Golfe, Bagdad devait utiliser à nouveau la carte palestinienne, dans une tentative désespérée de lier les enjeux palestiniens à ceux de son régime. Tel était le sens des tirs de scuds irakiens sur Israël en janvier 1991. Une fois de plus, l'arabisme servait de caution à un pouvoir irakien menacé. À ce propos, il faut rappeler que les chiites suspectent régulièrement les autorités irakiennes d'avoir accepté, sur la demande conjointe des États-Unis et d'Israël, des plans visant à l'implantation massive de Palestiniens en Irak, permettant ainsi à la fois à l'État hébreu de se débarrasser d'une population dont il ne veut pas et au gouvernement irakien de rééquilibrer en faveur des Arabes sunnites la composition de la population irakienne.

Fort de ce qu'il considérait comme « sa victoire » dans la guerre contre l'Iran, Bagdad en était arrivé à disputer à l'Égypte et à l'Arabie saoudite leur leadership au sein du monde arabe. Saddam Hussein se posait alors en « protecteur » des pays arabes du Golfe. Cette nouvelle puissance, l'Irak l'avait obtenue avec la bénédiction des pays occidentaux et de l'Union soviétique, mais aussi avec l'aide financière et militaire des pays arabes. À l'exception de la Syrie, ceux-ci considéraient qu'il était de leur intérêt d'utiliser le régime baassiste de Bagdad pour contrer la révolution islamique en Iran et le mouvement religieux en Irak même et dans la région. Les pétromonarchies du Golfe et l'Arabie saoudite financèrent l'effort d'armement irakien, sans précédent dans la région si l'on excepte Israël, contribuant de façon décisive à la puissance militaire de Bagdad.

Les ambitions de Bagdad se sont effondrées après la défaite de 1991. Geler le dossier irakien, du moins jusqu'à l'aboutissement du processus de paix entre Israël et les pays arabes, semblait être l'option retenue par les États-Unis depuis leur victoire. La défaite de l'Irak de 1991 a bouleversé les rapports de forces régionaux, notamment entre Israël et les pays arabes. Après la disparition de l'Union soviétique, celle de l'Irak et la fin de sa puissance militaire ont permis la signature des accords mort-nés d'Oslo en 1993, si défavorables aux Palestiniens qu'ils peuvent être interprétés comme une capitulation en rase campagne d'une OLP alors en pleine déliquescence. On ne peut que remarquer une certaine similitude entre les « sauvetages » *in extremis* de Saddam Hussein en 1991 et de Yasser Arafat et de l'OLP au moment d'Oslo. Dans les deux cas, Washington a fait le choix d'interlocuteurs affaiblis, l'un par une défaite militaire totale, l'autre par des échecs politiques répétés. Un an après Oslo, la Jordanie signait à son tour un traité de paix avec Israël, alors que l'État hébreu s'était déjà engagé dans une politique de violation systématique des accords conclus avec les Palestiniens. Une autre conséquence, et non des moindres, de la guerre et de l'élimination de l'Irak des enjeux régionaux fut l'installation de bases militaires américaines permanentes en Arabie saoudite, bases que ce pays avait jusqu'alors refusées.

## Une reconnaissance régionale de la suprématie américaine en Irak

Le contexte régional a joué un rôle important dans la décision américaine de persévérer à considérer le régime de Saddam Hussein comme le seul interlocuteur valable en Irak. Pourtant, la situation ne militait pas en faveur d'un pareil choix. Au lendemain de la guerre du Koweit, et jusqu'à la fin de l'année 1991, tous les pays de la région étaient convaincus que le régime vivait ses derniers jours et qu'une solution à la question irakienne allait donc se poser rapidement en termes concrets. Une unanimité semblait se faire parmi eux pour considérer le maintien du régime irakien comme la première menace pesant sur la stabilité du Proche et du Moyen-Orient. Il ne leur était plus possible de soutenir un régime politique qui, bien qu'arabe et sunnite, risquait de conduire l'ensemble de la région à la catastrophe par l'exportation de plus en plus systématique de ses crises internes. Ce constat était une révision particulièrement douloureuse pour l'Arabie saoudite et les pays arabes du Golfe, qui avaient financé la guerre de huit années menée par l'Irak contre l'Iran au nom de la nécessité de contrer l'Iran chiite et révolutionnaire. Il leur fallait donc accepter de reconnaître l'injustice du système irakien et prendre langue avec ceux qui, en Irak, le combattaient : le mouvement kurde et, surtout, le mouvement religieux chiite.

Cette prise de conscience bouleversait des décennies de réflexes bien ancrés dans un pays comme l'Arabie saoudite, porte-drapeau d'un islam wahhabite qu'une hostilité historique oppose aux chiites du Golfe et d'Irak. Les visites successives en Arabie saoudite de l'ayatollah Muhammad Baqer al-Hakim, président de l'Assemblée supérieure de la révolution islamique en Irak (ASRII), couronnées par un entretien personnel avec le roi Fahd le 26 décembre 1992, étaient autant de premières historiques. Pour la première fois, des ennemis héréditaires se parlaient. Les principaux mouvements de l'opposition irakienne semblaient alors se répartir les tâches : le mouvement religieux chiite devait prendre contact avec les pays arabes et l'Iran, les Kurdes se chargeant des relations avec la Turquie, vitales pour eux puisque de celles-ci dépendait l'avenir de la zone de sécurité au nord du 36e parallèle. Ce fut une période de lune de miel entre les principales forces de l'opposition irakienne et les pays voisins.

On sait cependant aujourd'hui qu'en mars 1991, au plus fort de l'*intifâda* irakienne, l'Arabie saoudite avait envoyé des signaux pressants aux Américains, leur demandant de ne pas soutenir un mouvement qui risquait, en cas de victoire, de mettre des chiites au pouvoir à Bagdad. La haine des chiites et de leur révolution islamique en Iran avait pris le dessus à Riyadh. Les dirigeants saoudiens pesèrent d'un poids non négligeable quand Washington décida de permettre au régime irakien de réprimer le soulèvement. Mais lorsqu'ils furent assurés de l'échec de l'*intifâda* irakienne, les Saoudiens changèrent de position, ce qui accrédita l'idée qu'ils avaient toujours favorisé la chute de Saddam. En réalité, ce n'est qu'à partir du moment où les pays voisins de l'Irak comprirent que Washington avait décidé de geler le dossier irakien – et qu'il n'était pas en leur pouvoir d'influer sur l'avenir de l'Irak sans l'accord des États-Unis – que, pour des raisons différentes et souvent contradictoires, chacun trouva dans l'élimination provisoire de l'Irak des motifs de satisfaction. Les voisins de l'Irak considérèrent alors le maintien du régime de Saddam Hussein comme un moindre mal, et il n'y eut guère que le Koweit pour souhaiter un véritable changement à Bagdad. Ce retournement régional vis-à-vis de l'Irak date de 1993, année où peu à peu s'imposa l'idée que les États-Unis s'étaient désormais engagés dans un marchandage avec Bagdad et que la chute du régime irakien n'était plus à l'ordre du jour. Dès lors, puisque tout dépendait des États-Unis, les pays de la région prirent acte de la domination américaine en entreprenant d'exploiter à des fins « égoïstes » la disparition de l'Irak des rapports de forces régionaux. Au sein du monde arabe, l'élimination de l'Irak a permis un nouvel équilibre précaire, dominé par l'Égypte et l'Arabie saoudite, les deux rivaux traditionnels de l'Irak pour le leadership arabe.

## L'Irak et les alliés des États-Unis dans la région

L'Irak est ainsi virtuellement devenu une chasse gardée américaine. Parmi ses voisins et les autres pays de la région, les États-Unis ne semblaient prêts à reconnaître un rôle qu'à leurs alliés. La Jordanie et la Turquie ont ainsi joué un rôle important. La Jordanie, qui a accueilli certains transfuges irakiens célèbres, a servi de tremplin à une opposition irakienne financée par la CIA. Les propositions du défunt roi Hussein sur une solution « fédérale chiite-sunnite-kurde » pour l'Irak, énoncées en septembre 1995 à la suite de la défection des gendres de Saddam Hussein, peuvent être considérées comme des ballons d'essai américains pour l'avenir de l'Irak. La levée de boucliers dans les pays arabes, mais aussi de la part de l'Iran, suscitée par ces propositions, a depuis ramené la Jordanie à une position plus habituelle : celle d'un pays engagé dans le processus de paix avec Israël, dépendant du pétrole irakien, qui doit tenir compte du fait qu'il est le premier pays arabe pour les transactions commerciales avec l'Irak.

C'est la Turquie, dont les intérêts en Irak sont avant tout liés à la question kurde, qui s'est vu octroyer le droit d'intervention le plus important par Washington. Les États-Unis sont obligés, dans leur vision de l'avenir de l'Irak, de prendre en compte ce qui est considéré à Ankara comme des questions de sécurité nationale. Depuis la fin de la guerre, le gouvernement d'Ankara est coincé entre la nécessité de ne pas se démarquer des Occidentaux, notamment en ce qui concerne l'embargo et l'organisation de l'opération « Provide Comfort », puis « Northern Watch », menées à partir de son territoire, et un désir, publiquement affiché, de renouer politiquement et économiquement avec le régime de Bagdad. L'arrivée des islamistes du Refah au pouvoir en 1996 n'a fait qu'accentuer cette volonté. Ankara ne peut que souhaiter la fin de l'autonomie kurde, autoproclamée sous la forme de l'État fédéral, et le retour d'une véritable autorité qui interdise la transformation de la région kurde d'Irak en sanctuaire pour les maquisards du Parti des travailleurs kurdes de Turquie (PKK), sa préférence allant à un retour de l'autorité de Bagdad sur l'ensemble du nord de l'Irak. En attendant, la Turquie est décidée à remplir elle-même le vide laissé par le pouvoir central irakien.

Les États-Unis ont permis à la Turquie de jouer son va-tout, fin août 1996, puisque Washington ne pouvait ignorer l'accord d'Ankara à l'intervention de l'armée irakienne en soutien au PDK. Ce n'est que lorsque les causes d'instabilité provoquées par l'élimination militaire de l'UPK apparurent évidentes que Washington finit par accepter, avec l'accord tacite d'Ankara et de Bagdad, de réintégrer l'Iran dans le jeu kurde irakien. Toutefois, la fin du volet terrestre de « Provide Comfort », en décembre 1996 – qui apparut comme une forme de « lâchage » américain des Kurdes d'Irak – n'a pu que combler d'aise Ankara. Sur le plan économique, Washington a donné satisfaction à la Turquie, qui s'estime lésée par l'embargo contre l'Irak. Le pétrole irakien, dans le cadre de la résolution « Pétrole contre nourriture », s'écoulera donc en majorité par le pipeline de Turquie.

De façon plus générale, c'est par la reconnaissance du rôle militaire et politique de la Turquie au Kurdistan d'Irak que Washington a donné toute la mesure de son soutien à Ankara. L'armée turque a engagé de multiples et massives campagnes en Irak contre le PKK, avec le soutien actif du PDK. Des dizaines de milliers de soldats turcs ont pénétré de plus de dix kilomètres en territoire irakien pour faire la chasse aux militants du PKK, la plupart du temps sans succès décisif. Il faut rappeler ici qu'Ankara dispose de deux leviers dans le nord de l'Irak : les Kurdes (Ankara s'est imposé comme le médiateur incontournable entre le PDK et l'UPK) et les Turkmènes. Mais l'existence de deux factions kurdes rivales ne facilite pas les choses : l'alliance de l'une d'elle avec la Turquie et contre le PKK amène systématiquement l'autre à soutenir le PKK et à se rapprocher de l'Iran. De plus, les relations souvent conflictuelles entre Kurdes et Turkmènes d'Irak conduisent la Turquie à naviguer entre une majorité kurde, à laquelle elle fait la guerre du côté turc, et des communautés turkmènes dont elle gonfle systématiquement le nombre (avec moins de 250 000 âmes, les Turkmènes sont quinze fois moins nombreux que les Kurdes en Irak), ce qui fait resurgir chez les Arabes les craintes de visées turques sur l'ancien vilayet de Mossoul[1]. Ankara a imposé au PDK un partenariat avec les partis turkmènes, rassemblés dans un Front des Turkmènes d'Irak, qu'il s'agisse de la répartition des ressources des taxes perçues à la frontière turco-irakienne, ou de celle des sièges dans les instances politiques de la zone contrôlée par le PDK. En se proclamant « protecteur des Turkmènes » d'Irak, la Turquie a franchi un pas supplémentaire dans une

---

1. Rappelons que ce vilayet, revendiqué par la Turquie kémaliste, fut finalement rattaché à l'Irak en 1925, sur l'insistance de la Grande-Bretagne, alors puissance mandataire de l'Irak.

politique que beaucoup d'Arabes, mais aussi de Kurdes, jugent irrédentiste. Le projet turc de « ceinture de sécurité » le long de la frontière en territoire irakien, qui n'est pas sans rappeler celle instaurée par Israël dans le sud du Liban, a rencontré la « compréhension » des Américains. Seule l'opposition unanime et véhémente des pays arabes et de l'Iran en ont jusqu'ici dissuadé Ankara. Par ailleurs, l'alliance militaire et politique israélo-turque, renforcée au fil des ans avec la bénédiction de Washington, est devenue un sujet d'inquiétude majeur pour les pays arabes et pour l'Iran. C'est la manifestation la plus tangible d'une recomposition régionale sous égide américaine dont les Arabes se sentent les premières victimes.

Après avoir servi de base arrière pour la coalition anti-irakienne, l'Arabie saoudite et les pays arabes du Golfe ont récupéré la part de l'Irak sur le marché pétrolier. Dans l'immédiat, la présence militaire américaine et la mise sous tutelle de l'Irak éloignent la menace militaire irakienne sur la région. Les dirigeants arabes du Golfe préfèrent le maintien en place du régime de Saddam Hussein, affaibli, à la perspective d'un nouveau système politique en Irak et à l'instabilité qu'ils associent à une telle éventualité. Toutefois, les Saoudiens ne peuvent ignorer l'impopularité des militaires américains sur leur sol et l'antiaméricanisme qui a gagné tous leurs sujets. L'Irak est devenu une simple carte dans les relations entre les pays du Golfe et l'Arabie saoudite. Les plus récalcitrants à l'égard de la domination saoudienne, comme le Qatar, Oman ou le Yémen, se contentent de prendre des initiatives de rapprochement avec Bagdad pour manifester leur indépendance par rapport à Riyadh.

Le Koweit, en raison de son expérience passée avec l'Irak, est conduit à une certaine réserve. Les sept mois d'occupation de l'émirat par l'armée irakienne, du 2 août 1990 à la fin février 1991, ont laissé le souvenir d'une grande brutalité et d'un pillage généralisé. Les soldats irakiens se sont servis au Koweit comme dans un immense supermarché. La revendication de Bagdad sur l'émirat était le prototype même de ces « causes nationales » que les pouvoirs irakiens en difficulté mettaient en avant pour susciter un élan et une unité patriotiques, mais cette cause était d'autant plus factice que la population irakienne, dans son ensemble, considérait déjà depuis longtemps comme acquise l'indépendance de l'émirat. Si la cause palestinienne est véritablement populaire en Irak, les Irakiens ne sont pas prêts à se mobiliser pour le Koweit. Toutefois, l'Irak manque cruellement d'un accès sûr vers le Golfe. Le nouveau tracé de la frontière entre l'Irak et le Koweit, défini par l'ONU en 1994, prive pratiquement le pays du Tigre et de l'Euphrate de tout débouché maritime. La logique des vainqueurs a causé une injustice qui, si elle n'est pas réparée, suscitera inévitablement de nouveaux conflits. Malgré ce passif, l'Irak et les pays arabes du Golfe se sont réconciliés lors des différents sommets arabes et islamiques qui se sont tenus en 2001 et 2002. Depuis le 11 septembre 2001, les dirigeants irakiens, se sachant désignés comme la prochaine cible des États-Unis, ont en effet multiplié les opérations de charme envers leurs anciens adversaires.

L'Égypte, pour sa part, ne pouvait que se satisfaire de voir son rival de toujours hors course. Elle a pu ensuite jouer auprès des Occidentaux le rôle de parrain d'un pays ruiné et divisé, en prenant la tête des pays arabes réclamant la fin des sanctions contre l'Irak (désormais demandée par l'ensemble des pays arabes, y compris le Koweit et l'Arabie saoudite). Lors de la guerre de l'Irak contre l'Iran, Le Caire, comme la quasi-totalité des capitales arabes, avait soutenu militairement Bagdad. Combattre les mouvements islamistes était alors une priorité aussi bien sur les bords du Nil que sur les rives du Tigre. Par centaines de milliers, des travailleurs égyptiens étaient venus en Irak pour remplacer une main-d'œuvre locale occupée au front. Le sort de ces millions de travailleurs égyptiens émigrés en Irak fut d'ailleurs un sujet d'inquiétude majeur quand les soldats irakiens furent démobilisés et revinrent occuper leurs postes. Après s'être engagée militairement contre l'Irak au sein de la vaste coalition dirigée par les États-Unis en 1991, l'Égypte a désormais tout intérêt à lui permettre de se réinsérer au sein du monde arabe. Le Caire se fait ainsi l'avocat du peuple irakien, présentant ses souffrances comme la seconde injustice envers les Arabes après le sort réservé aux Palestiniens.

## La Syrie bien seule

La Syrie ne figure pas parmi les alliés des États-Unis. Pour Damas, l'élimination de l'Irak était celle d'un rival régional autant qu'idéologique, puisqu'il s'agissait du frère ennemi baassiste. Il faut rappeler que ce sont des militants venus de Syrie qui implantèrent le Baas en Irak. Arrivé au pouvoir en même temps, en 1963, d'abord à Bagdad puis un mois plus tard à Damas, le Baas avait subi en Irak une éclipse de près de cinq années pendant lesquelles la Syrie accueillit les baassistes irakiens pourchassés. Mais, en 1966, les chefs historiques du Baas syrien, Michel Aflaq et Salah Bitar, à leur tour écartés du pouvoir, se retrouvèrent en exil à Bagdad. À partir de l'avènement du second régime baassiste en Irak, en 1968, Aflaq devint le gardien de la doctrine baassiste sur les bords du Tigre.

Malgré des rapprochements conjoncturels, notamment après Camp David et les pourparlers égypto-israéliens, les deux Baas ne se sont pas réconciliés. Le soutien qu'apporta la Syrie à l'Iran pendant les huit années de guerre était considéré à Bagdad comme la pire des trahisons. On ne se privait pas de suggérer, à Bagdad, que l'alliance « contre nature » d'un pays arabe, la Syrie, et de l'Iran, contre un autre pays arabe ne pouvait venir que d'une perversion du baassisme en Syrie. Aux yeux des dirigeants irakiens, l'accaparement du pouvoir à Damas par des Alaouites, une ramification du chiisme, expliquait la connivence qui s'était établie entre Téhéran et Damas.

La Syrie a pris une place discrète dans la coalition anti-irakienne de 1991. Et la défaite irakienne l'a mise dans le camp des vainqueurs. Damas pourrait ainsi s'engager dans le processus de paix avec Israël sans devoir craindre la condamnation irakienne. Mais la faiblesse de l'Irak est aussi un facteur négatif dans le rapport général des forces arabes face à Israël, dont la Syrie a pâti à son tour. C'est devenu la première préoccupation de Damas, confronté à un blocage du processus de paix et à l'alliance israélo-turque. La réouverture en 2000 de l'oléoduc reliant Kirkouk et Baniyas, en Syrie, a consacré la normalisation de relations entre les deux pays interrompues depuis une vingtaine d'années. Déjà, les frontières avaient été rouvertes aux hommes d'affaires, et le commerce entre les deux pays était très actif.

Jusqu'au 11 septembre 2001, la plupart des pays voisins s'accommodaient donc plus ou moins du statu quo en Irak. Un à un, ils avaient tous renoué des relations diplomatiques avec Bagdad. Profiter d'un commerce inégal avec un pays riche sous embargo semblait avoir remplacé toute politique à long terme. En faisant du renversement du régime de Saddam Hussein leur prochaine priorité, après la guerre d'Afghanistan contre les talibans, les États-Unis ont réussi à convaincre l'ensemble des dirigeants de ces pays du sérieux de leur volonté. Peut-être à leur corps défendant... Quoi qu'il en soit, l'image de puissance qui leur est renvoyée, notamment lors des visites effectuées par les responsables américains dans ces pays, les oblige à se conformer à cette conviction, sous peine de perdre toute crédibilité. La logique de puissance, par son caractère irrationnel, peut susciter des actes que ni le principal protagoniste ni les autres ne jugent souhaitables sur le fond.

Une action militaire américaine contre Saddam Hussein ne semble ainsi plus faire de doute aux yeux des dirigeants des pays de la région. La plupart d'entre eux la redoutent, et beaucoup ont mis Washington en garde contre les conséquences qui pourraient en découler. Mais ils sont aussi convaincus de leur impuissance à modifier la décision américaine, et se positionnent donc en vue d'un changement en Irak. Seuls le Koweit et la Turquie ont dit officieusement qu'ils pourraient accepter de servir de point de départ pour une attaque américaine. Les pays arabes, en particulier l'Arabie saoudite, ont rejeté toute idée de prêter leur territoire ou leur espace aérien à une éventuelle opération contre l'Irak. Du coup, de petits pays comme le Qatar ou Bahrein pourraient pallier la défection de l'Arabie. D'ores et déjà, des soldats américains se sont déployés au Qatar, tandis que la III$^e$ flotte américaine se renforce à Bahrein. Étant donné le degré de dépendance de la plupart des régimes arabes envers les États-Unis, il n'est d'ailleurs pas exclu que ces pays reviennent sur leur hostilité affichée à une intervention américaine une fois mis devant le fait accompli. Des soldats américains seraient également arrivés dans la zone autonome kurde. La Turquie a affirmé qu'elle était prête à accepter l'autonomie kurde en Irak à condition que Kirkouk, ville à majorité turkmène, en soit exclue. Les pays arabes, dans leur ensemble, insistent pour que soit préservées l'unité de l'Irak et les frontières du pays, et que soit mis fin à l'embargo.

Pendant longtemps, Washington ne reconnaissait un droit de regard dans les affaires irakiennes qu'à ses alliés turcs, saoudiens et jordaniens, et continuait à exclure de tout règlement la Syrie et, surtout, l'Iran, deux pays qui ont d'importants intérêts directs à défendre en Irak. La seule évocation de la perspective d'un pouvoir proaméricain à Bagdad a suscité un vent de panique aussi bien à Damas qu'à Téhéran, où l'on est prêt à tout pour l'éviter. Les deux pays ont renforcé leur soutien à l'opposition irakienne hostile à une « solution américaine » en Irak, notamment aux islamistes chiites et aux nationalistes arabes. Car, à Damas comme à Téhéran, on semble aussi convaincu que l'attaque américaine est inéluctable.

# CHAPITRE 10

# La politique irakienne de l'Iran

Aucun pays, même arabe, ne bénéficie en Irak d'une influence comparable à celle de l'Iran. Après les États-Unis, le grand voisin de l'Irak est celui qui, par sa culture, pèse le plus sur les rives du Tigre et de l'Euphrate. Cette influence est d'abord un héritage de l'histoire, et en particulier des liens religieux qui unissent la majorité chiite d'Irak à l'État iranien, dont l'identité est avant tout chiite, de même qu'à la société iranienne dans toute sa diversité.

C'est en Irak, depuis la ville sainte de Najaf, que Khomeiny a énoncé pour la première fois sa théorie de la *wilâyat al-faqîh*, au début des années 1970. C'est depuis Najaf, où il résida de 1965 à 1978, qu'il dirigea le mouvement qui allait aboutir à la révolution islamique en Iran et au renversement de la dynastie des Pahlavi. Najaf, rappelons-le, était alors la pépinière des futurs cadres des mouvements islamistes chiites que l'on retrouvera par la suite à la tête de l'État iranien et, au Liban, au Hezbollah. Le père de la Constitution de la République islamique d'Iran est un ayatollah arabe irakien, Muhammad Baqer al-Sadr, exécuté par le régime de Saddam Hussein en 1980. Aujourd'hui, l'Iran est le pays qui accueille le plus grand nombre de réfugiés irakiens. Sayyid Mahmoud al-Hashimi, qui fonda l'Assemblée suprême de la révolution islamique en Irak (ASRII), dont il fut le premier président avant l'ayatollah Muhammad Baqer al-Hakim, est désormais le chef du pouvoir judiciaire en Iran (où il est connu sous le nom de Mahmoud Hashemi Shahroudi). L'ayatollah Muhammad Ali Taskhiri, un autre Irakien d'origine, est à présent ministre sans portefeuille au ministère iranien de la Culture et de la Guidance. Le ministre iranien de la Défense, Ali Shamkhani, s'il n'est pas d'origine irakienne, est un Arabe du Khouzestan, province peuplée d'Arabes périodiquement revendiquée par les gouvernements de Bagdad sous le nom d'Arabestan. Les exemples de l'interpénétration des sociétés des deux pays pourraient être multipliés.

## L'Iran et la création du nouvel État irakien

La révolution islamique de Téhéran a mis en lumière la question irakienne, notamment parce qu'elle a exhumé une partie importante de l'histoire des chiites d'Irak et a précipité les événements dans le pays. Mais la politique de Téhéran envers l'Irak est aussi l'héritière d'une histoire conflictuelle plus ancienne.

Marche orientale de l'Empire ottoman, face à l'Iran, le futur territoire de l'Irak fut longtemps le théâtre des rivalités entre les deux empires musulmans, l'un porte-drapeau du sunnisme, l'autre, du chiisme. Comme aujourd'hui, les conflits se polarisaient sur des questions de frontières et sur le libre accès des pèlerins iraniens aux villes saintes chiites d'Irak. L'Irak actuel a hérité des conflits de frontières entre la Perse et l'Empire ottoman. C'est au milieu du XIXe siècle, en 1847, que la souveraineté sur le Chatt al-Arab échut aux Ottomans, en vertu du traité d'Erzouroum. Des traités successifs la confirmèrent, puis reconnurent les droits de l'Irak sur le Chatt al-Arab, mais l'Iran, qui demandait une frontière au milieu du fleuve, ne les respecta pas. Après son indépendance formelle, en 1932, l'Irak se reposa sur les Britanniques pour faire reconnaître le traité d'Erzouroum par la Société des Nations. Malgré l'appel de l'Iran à la SDN, l'Irak conserva la souveraineté sur le Chatt al-Arab.

Cependant, les conflits actuels entre l'Irak et l'Iran ne sont pas la simple continuation de la rivalité entre l'Empire ottoman et la Perse. Depuis le début du XIX<sup>e</sup> siècle, les représentants de l'islam chiite, qui étaient arabes ou persans, jouaient un rôle à la fois religieux et politique. Ayant pris la tête de la lutte contre le colonialisme européen, en Perse comme dans l'Empire ottoman, ils se trouvèrent en première ligne de l'opposition contre les Britanniques lorsque ceux-ci fondèrent un État sous mandat dont la légitimité était fondée sur l'arabité, à la place du lien religieux qui fondait la légitimité ottomane (les puissances européennes utilisaient depuis longtemps l'arme du nationalisme arabe pour détacher les provinces méridionales de l'Empire ottoman, prélude à son démembrement). À l'appel des plus grands *mujtahid* chiites, la population irakienne se souleva pour signifier son refus du mandat britannique. Le principal dirigeant de l'insurrection était alors un Iranien, l'ayatollah Mohammad Taqi al-Shirazi. La création de l'État irakien, en 1920, modifia donc profondément la nature des rapports entre les deux voisins. Les dirigeants iraniens alors eux-mêmes soumis à la pression conjuguée des Britanniques et des Russes, y virent une menace directe contre leur pays. C'est en Iran que s'exilèrent les oulémas chiites d'Irak qui avaient dirigé le mouvement indépendantiste.

La fondation, sur les rives du Tigre et de l'Euphrate, d'un État sous mandat se réclamant d'un arabisme exclusif était une déclaration de guerre à la société irakienne. Mais elle portait aussi les germes d'un conflit récurrent avec le pays voisin, l'Iran, empire multiethnique dont l'identité nationale repose sur le chiisme, puisque les élites arabes sunnites au pouvoir à Bagdad considérèrent l'État irakien, dès l'époque du mandat, comme le « gardien » de la nation arabe face à la Perse. Vu de Téhéran, l'État irakien était une création coloniale qui n'était pas différente des monarchies du Golfe sous domination britannique. Faysal, le premier roi d'Irak, qui est volontiers présenté comme un patriote arabe à Bagdad et à Damas, a toujours été considéré en Iran comme une marionnette entre les mains des Britanniques. Ce « péché originel » est demeuré dans les consciences iraniennes comme l'explication de tous les problèmes causés par l'Irak. L'injustice du système politique irakien, qui réservait le pouvoir à une minorité confessionnelle, est aux yeux des Iraniens la cause de l'instabilité des gouvernements de Bagdad[1].

La fondation de la dynastie Pahlavi en 1925, avec le soutien britannique, ne modifia pas cette perception. Reza Chah, comme son fils Mohammad Reza, durent toujours prendre en compte l'opinion de la société iranienne, largement hostile à l'État irakien car elle craignait que cette création coloniale ne soit utilisée par les Britanniques contre les intérêts de l'Iran. De façon plus générale, les Iraniens redoutaient que l'instabilité du nouvel État ne favorise les interventions étrangères dans la région. Malgré les insistances britanniques, Téhéran ne reconnut l'Irak que le 25 avril 1929. Cette reconnaissance tardive illustrait l'importance en Iran même des réticences à reconnaître la légitimité du nouvel État, notamment au sein du clergé chiite. L'Iran s'inquiétait alors de voir l'Irak se transformer en base d'agression britannique. De fait, en 1941, les forces britanniques ont attaqué l'Iran à partir du territoire irakien afin de contraindre Reza Chah à abdiquer. En 1951, les forces navales britanniques basées dans les eaux irakiennes ont menacé l'Iran à l'époque où Mosaddeq était Premier ministre. Enfin, trente ans plus tard, Saddam Hussein a envahi l'Iran en pleine révolution islamique avec le soutien des pays occidentaux.

Durant la courte période où Téhéran et Bagdad ont été membres du pacte de Bagdad (1955-1958), les deux pays n'ont pas surmonté leur antagonisme. Bien qu'étant tous deux dans le camp occidental, ils n'ont pu résoudre leurs problèmes, notamment le différend sur le Chatt al-Arab. En 1937, Bagdad et Téhéran étaient parvenus à un arrangement grâce auquel l'Iran pouvait utiliser les ports d'Abadan et de Khorramshahr, mais les gouvernements irakiens refusèrent par la suite de fixer la frontière en fonction de ce traité.

---

1. L'Iran avait, au tout début, soutenu la création de l'État irakien, mais il voulait qu'il se limite à sa partie arabe, à large majorité chiite, et qu'il soit indépendant. La ratification du mandat britannique par l'Assemblée irakienne, puis l'ajout du Kurdistan à l'Irak par les Britanniques en 1925, ruinaient ces espoirs.

## Iran et Irak républicain

La révolution antimonarchique à Bagdad (1958) fut mal accueillie par Téhéran. Le nouveau régime de Kassem substitua le nom de golfe Arabique à celui de golfe Persique, reprenant à son compte la rhétorique nassérienne. Au même moment, l'Iran de Mohammad Reza Chah traduisait en persan des toponymes : le Chatt al-Arab devenait Arvand-e-Rûd, Muhammara, Khorramshahr, etc. Pourtant, Bagdad décida de maintenir le consulat iranien de Kerbéla, ville sainte à majorité persane, en plus de ceux de Bagdad et Bassora. Au fond, l'Iran, comme la Turquie, préférait Kassem à Nasser, et la rivalité entre les deux hommes favorisa un rapprochement entre le premier régime républicain irakien et le chah.

Inquiet de la constitution de la République arabe unie, le chah s'engagea dans une politique de soutien implicite aux forces anti-unionistes arabes en Irak : le mouvement kurde, le clergé chiite et, paradoxalement le Parti communiste, tous alliés de Kassem à divers degrés. L'Iran utilisait alors pleinement en Irak ses clients traditionnels, le clergé chiite et la direction kurde, s'appuyant sur deux familles : les al-Hakim chez les Arabes chiites, et les Barzani chez les Kurdes. Après la mort de l'ayatollah Bouroudjerdi, en 1962, le chah, confronté à une ample contestation religieuse déjà dirigée par Khomeiny, voulait éloigner la *marja'iyya* chiite d'Iran. À cette fin, il favorisa le choix de Muhsin al-Hakim à Najaf comme successeur du *marja'* défunt. Les relations de l'Iran du chah avec son voisin républicain étaient liées en grande partie aux rapports de forces intérieurs irakiens, mais aussi à la crainte de voir l'Irak devenir une base soviétique. Téhéran exigeait également que l'Irak respecte les traités de 1937 sur le Chatt al-Arab. Et, dans les moments de tension, la presse officielle de Téhéran n'hésitait pas à affirmer qu'au lendemain de la Première Guerre mondiale il avait été proposé que « l'Irak soit donné à l'Iran du fait de l'influence de ce pays sur son voisin » (*Journal de Téhéran*, 19 décembre 1959).

Avec l'arrivée du Baas au pouvoir, en 1968, les nationalismes arabe et persan se polarisèrent dans le Golfe. L'Irak aidait les mouvements révolutionnaires en Oman contre l'Iran, revendiquait périodiquement l'Arabestan et se posait comme le défenseur des Arabes dans le Golfe, notamment après la réaffirmation des revendications iraniennes sur Bahrein et l'occupation, en 1971, par l'armée du chah des îles d'Abou Moussa et des petite et grande Tomb, revendiquées par les émirats. De son côté, l'Iran utilisait les groupes ethniques et confessionnels irakiens pour affaiblir le gouvernement baassiste. Le soutien qu'apportait Téhéran au mouvement kurde de Mustafa Barzani rencontrait un écho favorable aux États-Unis et en Israël. Le chah était alors le « gendarme du Golfe » aux yeux des Américains, pour qui l'Iran revêtait une importance particulière face à l'Union soviétique. Les craintes iraniennes de voir l'Irak devenir une base soviétique se renforcèrent en 1972, quand Bagdad et l'URSS signèrent un pacte d'amitié et de coopération autorisant les Soviétiques à utiliser le port d'Oum Qasr, ce qui était une menace directe pour l'Iran. Dès 1969, le traité de 1937 avait été victime de la surenchère des deux parties, engagées dans une inquiétante escalade. L'Irak n'ayant qu'une minuscule ouverture sur le Golfe, Bagdad considérait que sa complète souveraineté sur le Chatt al-Arab était vitale. Entre 1971 et 1975, l'Iran et l'Irak se livrèrent ainsi une guerre de frontières qui fit de nombreuses victimes.

L'accord d'Alger, signé le 6 mars 1975, calma le jeu temporairement. Arrangé par le roi Hussein de Jordanie, il prévoyait que l'Irak ferait des concessions majeures à l'Iran, en partageant avec Téhéran la souveraineté sur le Chatt al-Arab. En échange, les Iraniens arrêteraient leur soutien aux Kurdes d'Irak. La résistance kurde s'effondra, l'avance de l'armée irakienne forçant des milliers de Kurdes à fuir vers l'Iran. La situation n'évolua guère jusqu'en 1979, année où Khomeiny prit le pouvoir à Téhéran.

La révolution islamique fut comme un coup de tonnerre dans le ciel baassiste. C'était la pire calamité qui puisse arriver aux dirigeants de Bagdad, car les événements dans le pays voisin rencontraient un écho indéniable en Irak, où une grande partie du clergé chiite iranien avait étudié et enseigné. Les liens tissés entre religieux iraniens et arabes dans les villes saintes chiites d'Irak risquaient de radicaliser la question irakienne. Bagdad devait alors faire face à la résurgence du mouvement religieux chiite sur la scène politique. Tout au long des années 1970, on s'en souvient, le gouvernement baassiste et un clergé de plus en plus combatif étaient engagés dans une guerre civile larvée.

Les élites sunnites au pouvoir, à travers le parti Baas et le clan des Takriti, interprétèrent la révolution islamique de 1979 comme un défi qui leur serait fatal si elles ne réagissaient pas. C'est le moment où Saddam s'empara de tous les organes du pouvoir. Il faut rappeler ici la campagne de terreur qui précéda le déclenchement de la guerre contre l'Iran. Le 1er avril 1980, un attentat à l'université de Mustansiriyya à Bagdad contre Tarek Aziz permit de faire passer un décret punissant de mort tout Irakien suspecté d'appartenir au parti islamiste chiite Da'wa, présenté comme le bras armé de Téhéran en Irak. Le représentant de Khomeiny en Irak, l'ayatollah Muhammad Baqer al-Sadr, était exécuté le 8 avril : c'était la première fois qu'un gouvernement irakien osait porter atteinte à la personne physique d'un *marja'*. Pendant que les arrestations et les exécutions sommaires se multipliaient, des dizaines de milliers d'Irakiens étaient expulsés vers l'Iran, sous l'accusation qu'ils étaient d'origine iranienne (il s'agissait en majorité de familles irakiennes chiites, arabes ou d'origine iranienne, installées en Irak depuis des générations, et de ce qui restait de la communauté des Kurdes Fayli).

## La guerre pour contenir la révolution islamique

Le 17 septembre 1980, Saddam Hussein abrogea unilatéralement le traité d'Alger. Cinq jours plus tard, il attaqua l'Iran. Tout montre que les nouveaux dirigeants de l'Iran islamique ne croyaient pas possible une attaque irakienne, et encore moins une invasion du territoire iranien par l'Irak. Absorbés par les événements intérieurs, ils n'avaient pas conscience de l'ampleur de l'alliance qui se nouait contre eux à leurs frontières occidentales. L'Irak et les États-Unis pensaient de leur côté que l'Iran révolutionnaire allait sombrer dans le chaos. Les intérêts vitaux de Washington et de Bagdad se rejoignaient pour lancer une action militaire dont l'armée irakienne serait le bras armé.

La communauté internationale, notamment l'ONU, se rendit complice de cette agression. L'attaque irakienne n'a pas suscité de condamnation avant la fin du conflit. Il a fallu attendre quatre jours pour qu'une réunion du Conseil de sécurité de l'ONU se réunisse. Le 28 septembre 1980, la résolution 479 appelait à la fin des combats, sans mentionner l'agresseur irakien, ni même demander un retour aux frontières internationales. Puis il n'y eut plus de réunion de l'ONU jusqu'en juillet 1982, quand, l'Iran ayant chassé l'Irak et pénétré à son tour en territoire irakien, l'ONU appela cette fois « à respecter les frontières » ! L'Irak répondit aux victoires iraniennes par l'arme chimique : l'ONU ne condamna l'emploi de telles armes qu'en 1985, dans une résolution où l'Irak n'était même pas mentionné. C'est seulement en 1987 que la résolution 598 du Conseil de sécurité de l'ONU a évoqué la nécessité de désigner et de punir l'agresseur, sans que celui-ci soit pour autant clairement identifié ni qu'aucune réparation ne soit imposée à Bagdad en faveur de l'Iran. Javier Perez de Cuellar ne parlera de l'« agression irakienne contre l'Iran » que le 11 décembre 1991 ! En revanche, l'invasion du Koweit devait provoquer une condamnation immédiate du Conseil de sécurité, la constitution d'une alliance militaire internationale et une intervention armée rapide avec la bénédiction de l'ONU, les résolutions de l'ONU stipulant que 30 % des revenus pétroliers irakiens seraient consacrés au paiement de dommages au Koweit, pour les six à sept mois d'occupation irakienne. Les huit années de guerre menée par l'Irak contre l'Iran n'ont suscité aucune démarche similaire. Cette différence de traitement est régulièrement rappelée par les dirigeants iraniens comme preuve de la partialité des instances internationales. Il faudra attendre le discours de Madeleine Albright, le 21 mars 2000, pour que Washington « s'excuse » du soutien américain à l'Irak et, de façon générale, de ses interventions dans les affaires intérieures iraniennes depuis l'époque de Mosaddeq.

Washington avait laissé croire en effet à Saddam Hussein qu'il avait le feu vert américain pour son agression contre l'Iran. De nombreux renseignements militaires et économiques collectés par les États-Unis sur l'Iran étaient parvenus à Bagdad par le biais de l'Arabie saoudite. Lors de la visite de responsables irakiens à Riyadh, un mois avant le début de la guerre, les dirigeants saoudiens avaient fait cadeau au président irakien de tous les rapports des services secrets américains sur l'Iran, notamment sur la position des différents corps d'armée iraniens, leurs mouvements et leur composition. On pouvait difficilement être plus « encourageant ». Et tout au long de la guerre, la National Security Agency, qui décryptait les communications iraniennes grâce à des sociétés suisses (Crypto AG) et allemandes (Siemens), continua à fournir des renseignements à Bagdad sur l'armée iranienne.

Par son coût en vies humaines, surtout du côté iranien, la guerre de 1980-1988 est comparable à la Première Guerre mondiale. La comparaison ne s'arrête pas là. Cette guerre a sans doute permis aux dirigeants iraniens de forger une nouvelle unité nationale. À un moment où l'aggravation des divergences entre factions menaçait l'avenir de la République islamique, elle aida certainement une partie du clergé à s'emparer du pouvoir à Téhéran. De même qu'en 1914-1918 les généraux français envoyaient à la mort des centaines de milliers de soldats dans un désir inconscient de forger dans le sang et de façon indélébile une unité nationale par le sacrifice de toute une jeunesse, de même les dirigeants iraniens ont fait de cette « guerre imposée » (selon la terminologie officielle) et des vagues humaines sur le modèle des Chinois lors de la guerre de Corée une épopée nationale tout autant que religieuse. Le rappel constant, aujourd'hui encore, de ces sacrifices par tous les médias iraniens, le souvenir partout présent des martyrs (presque toutes les rues de Téhéran portent leurs noms), sont comparables à nos monuments aux morts, égrenant jusque dans les plus petits villages de France le tribut payé à l'unité nationale. Selon les chiffres officiels, il y aurait eu 200 000 morts iraniens et entre 160 000 et 240 000 morts irakiens. Mais le nombre de morts, du côté iranien, est certainement proche du million, près de trois fois plus élevé que celui des morts irakiens (on estime à 375 000 le nombre des tués et blessés irakiens).

La guerre fut un choc entre deux régimes et non pas entre deux sociétés – dont les liens demeuraient plus étroits que jamais. Malgré les revendications de circonstance, elle n'était pas non plus motivée par le désir d'acquérir des territoires aux dépens du pays voisin. Pour les islamistes au pouvoir à Téhéran, l'agression démontrait que l'État irakien restait une base pour les forces étrangères hostiles à l'Iran et à l'islam. L'exportation de la révolution islamique par les armes était un thème récurrent de la propagande iranienne durant la guerre (« La route de Jérusalem passe par Kerbéla »), mais on peut se poser des questions sur la réalité du consensus parmi les responsables iraniens à ce propos. Les convictions révolution-naires de l'imam Khomeiny furent sans doute décisives. Dans ses discours, il comparait la guerre que menait l'Iran contre le régime baassiste et laïque de Bagdad à la conquête des premiers musulmans. Mais la décision de continuer la guerre a probablement été motivée d'abord par les considérations intérieures évoquées plus haut.

Du côté irakien, la guerre a été une tentative de sauvetage *in extremis* d'un système politique arrivé en fin de course à force de se minoriser. La responsabilité de ce sauvetage a échu au régime de Saddam Hussein, le dernier avatar du système poli-tique fondé par la puissance mandataire en 1920. La propa-gande de Bagdad opposa au prosélytisme islamique de Téhéran une vision inspirée des mythes arabes sunnites. La « glorieuse Qadisiyya de Saddam contre les Persans » était une réédition de la première victoire remportée à Qadisiyya. Sa'ad bin Abi Waqas, qui vainquit alors les Perses polythéistes menés par Rustum en 637, et permit aux Arabes musulmans de conquérir la Perse, étant l'ancêtre de Saddam ! Tous les stéréo-types les plus antipersans étaient bons : Khomeiny n'était qu'un mage utilisant l'islam pour mieux tromper les vrais musulmans ; les Arabes chevaleresques et courageux étaient contraints de défendre leurs terres contre les Persans agressifs, avides et connus pour leur goût du complot. Rattacher la guerre à l'histoire héroïque et épique arabe, celle des « preux Irakiens arabes » contre les « racistes khomeynistes », ne trompait personne en Irak ; en matière de racisme, les Irakiens avaient tous été témoins des expulsions en masse des Irakiens accusés de ne pas être de « vrais » Arabes depuis l'arrivée au pouvoir du second régime baassiste, en 1968. Mais l'exaltation des héros de l'arabisme et de l'islam permettait à Saddam Hussein de conserver la sympathie des Arabes, en majorité sunnites, en dehors de l'Irak. Les discours contre les *mawâlî* (les musulmans non arabes) et contre la *shu'ûbiyya* (la préférence donnée aux Iraniens en islam) rencontraient un écho à Damas, au Caire, à Alger et en Palestine, y compris au sein des mouvements islamistes. Une fois de plus, la société irakienne était réduite au silence dans le monde arabe. La propagande de Bagdad n'empêcha pas l'Iran de s'ouvrir considérablement aux Arabes et à la culture arabe, au moment où le régime irakien était engagé dans une véritable fuite en avant dans une politique de discrimination fondée sur une conception raciste de l'arabité, sans équivalent dans le monde arabe.

La guerre avait commencé le 22 septembre 1980 avec l'invasion de l'Iran par air et par terre. Mais, dans une tentative dérisoire de masquer sa responsabilité dans le déclenchement des opérations, l'Irak fait commencer celle-ci au 4 septembre, jour d'une attaque d'artillerie iranienne sur des villes irakiennes. De même, Bagdad date du 8 août 1988 (et non du 20) la fin du conflit, pour accréditer l'idée que son acceptation de la résolution de cessez-le-feu 598 marquait la victoire de l'Irak sur l'Iran.

Dans la guerre de huit ans entre l'Iran et l'Irak, les États-Unis sont venus au secours à la fois d'un régime et d'un système politique. Cela ne peut être occulté, même si le premier objectif de Washington était de voir les deux puissances candidates à un leadership régional s'affaiblir mutuellement et se neutraliser. La politique américaine pendant la guerre entre l'Iran et l'Irak a suivi quatre étapes. Au début de la guerre, Washington a feint une apparente neutralité, tout en bloquant toute condamnation de l'Irak au Conseil de sécurité (presque tous ses membres étaient déjà acquis au soutien à l'Irak). À partir de 1983, alors que l'Iran avait réussi à chasser les Irakiens de l'essentiel de son territoire et que Khomeiny entendait poursuivre la guerre en Irak même, les Américains apportèrent un soutien technologique croissant à l'Irak et rétablirent des relations diplomatiques avec Bagdad tout en encourageant l'Arabie saoudite et les émirats à financer la guerre de Saddam Hussein ; en même temps, sous prétexte de contrôler le libre passage dans le détroit d'Ormuz, ils commencèrent un blocus visant l'Iran. Puis ils apportèrent un soutien militaire direct à l'Irak et menèrent directement des opérations contre l'Iran (interception d'avions civils iraniens, guerre des tankers, à partir de 1984, avec l'utilisation par Bagdad des Super-Étendard français équipés d'Exocet, fourniture systématique à Bagdad de renseignements militaires grâce aux avions AWACS). Les exportations de brut iranien furent alors réduites de moitié. L'utilisation de l'arme chimique contre les soldats iraniens ne rencontrait qu'un faible écho à l'ONU. Dès novembre 1980, Téhéran accusa l'Irak d'avoir utilisé l'arme chimique à Susangerd ; dans les trois ans suivants, l'Iran accusa Bagdad d'avoir recouru à l'arme chimique quarante-neuf fois en quarante points différents dans les régions frontalières. Puis, en 1984, l'Irak eut de nouveau recours à l'arme chimique aux îles Majnoun, et quatorze fois encore dans les batailles qui suivirent. Une équipe de l'ONU a pu vérifier les dires iraniens à Hor al-Huwayza le 13 mars 1984, ainsi que dans six autres occasions au moins. Le 30 mars 1984, le Conseil de sécurité de l'ONU finit par voter une résolution condamnant l'utilisation de l'arme chimique, mais sans accuser nominalement l'Irak. Malgré une certaine prise de conscience aux États-Unis quant aux méthodes de l'allié irakien, Washington ne modifia pas sa politique, au contraire. Dans une quatrième étape, l'implication des États-Unis dans la guerre aux côtés de l'Irak se précisa. Les attaques américaines contre des installations militaires et civiles iraniennes dans le Golfe se multiplièrent en 1987 et 1988 (les Américains sont responsables de 70 % des attaques lancées alors contre les plates-formes pétrolières, les terminaux et les tankers iraniens). La conséquence la plus dramatique de cette guerre non déclarée fut l'attaque d'un

Airbus iranien, en 1986, qui provoqua la mort de 290 passagers, tous civils.

Toutefois, fidèle à sa politique visant à interdire la victoire d'un belligérant sur l'autre, lorsque l'Irak paraissait trop proche de l'emporter, Washington fournissait à Téhéran matériel et renseignements. Déjà échaudé par le scandale de l'Irangate, qui éclata en 1986, avec la livraison de missiles américains à l'Iran via Israël, l'Irak attaqua une frégate américaine en 1987 pour notifier à Washington qu'il ne pouvait le duper.

Dans sa guerre, l'Iran fut soutenu par la Syrie et par la Libye, et reçut des armes de Corée du Nord et de Chine, outre celles reçues des États-Unis à certaines périodes. L'Irak, de son côté, avait l'appui de toutes les grandes puissances, Union soviétique comprise, et de la majorité des pays arabes, notamment les monarchies du Golfe.

En août 1988, l'Iran et l'Irak terminèrent une guerre qui avait fait des centaines de milliers de morts et détruit l'économie des deux pays. Téhéran accepta la résolution 598, acceptation que l'imam Khomeiny compara à l'absorption d'un poison. Tous les responsables iraniens religieux, politiques et militaires étaient arrivés au constat que l'Iran ne pouvait gagner la guerre face à un pays soutenu par les grandes puissances. Dans ses Mémoires, l'ayatollah Muntazeri, l'ex-dauphin de Khomeiny, écrit que Téhéran aurait dû accepter la paix après la libération de Khorramshahr et des territoires iraniens occupés, ajoutant que Saddam exploita le refus de Khomeiny d'apaiser les craintes des monarchies du Golfe. Le refus croissant de nouveaux sacrifices, au sein de la société iranienne, acheva de persuader les responsables qu'il fallait convaincre l'imam que le temps était venu d'arrêter la guerre. La fin de la guerre entre l'Iran et l'Irak marqua la fin de la période révolutionnaire ; celle-ci se serait probablement terminée bien plus tôt s'il n'y avait pas eu ces circonstances exceptionnelles. En fait, l'Iran était déjà engagé dans une période post-révolutionnaire et postislamiste. La mort de Khomeiny, en juin 1989, allait confirmer cette évolution.

## L'Iran de l'après-guerre, la seconde guerre du Golfe et les contradictions de la politique iranienne

La fin de la guerre avec l'Irak permit aux pragmatiques iraniens d'apparaître au grand jour. Rafsandjani avait été l'artisan de l'acceptation par l'Iran du cessez-le-feu. Élu président en juillet 1989, il fut le premier à définir les priorités de la République islamique, qui seront ensuite confirmées par son successeur : la reconstruction, le développement économique, la détente et la coopération avec les pays voisins, en particulier avec les pays arabes et musulmans. Ministères et services gouvernementaux étaient invités à faire leur travail sans craindre de se voir doublés par des ministères ou des services parallèles liés à l'une des factions au pouvoir. Mais ces priorités étaient toutes théoriques, car le pouvoir était aux mains de plusieurs factions, et l'enjeu de leurs rivalités n'était plus la conduite de la révolution, mais la conservation du pouvoir.

*Quid* de l'Irak dans ce contexte ? Les questions restées en suspens entre Téhéran et Bagdad semblaient empêcher toute détente. Les deux pays n'avaient pas signé de traité de paix, ils n'avaient pas rétabli leurs relations diplomatiques et retenaient encore chacun des dizaines de milliers de prisonniers de guerre. Le Chatt al-Arab, où gisaient d'innombrables épaves, était inutilisable, et il n'était évidemment pas question de dommages de guerre.

Lorsque l'Irak occupa le Koweit, l'Iran condamna officiellement l'« agression » et déclara qu'il respecterait les résolutions de l'ONU instituant un embargo contre l'Irak. Mais certains, à Téhéran, virent dans l'occupation du Koweit la preuve que Saddam était revenu sur ses « erreurs » passées, qu'il « s'était enfin converti à l'islam », puisqu'il semblait désormais décidé à affronter l'ennemi commun des musulmans, les États-Unis et « leurs valets » dans la région. Les mêmes n'hésitaient pas à prôner une alliance entre les deux belligérants de la veille contre Washington. Parmi eux se trouvait un certain nombre d'anciens « étudiants dans la ligne de l'imam », qui avaient participé en 1979 à la prise d'otages à l'ambassade américaine de Téhéran et qui s'illustrent aujourd'hui comme ténors de la mouvance réformatrice la plus affirmée. Mais ce scénario avait beaucoup d'adversaires influents : armée régulière et Gardiens de la révolution, qui avaient combattu l'Irak pendant huit ans, une partie importante du clergé au pouvoir – pour de nombreux « conservateurs » proches du Guide Khamena'i, Saddam restait un « laïque » et un ennemi de l'islam dans lequel on ne pouvait avoir confiance –, enfin et surtout, pragmatiques pour qui les intérêts de l'Iran devaient passer désormais avant ceux d'une conception révolutionnaire de l'islam.

Pourtant, assez rapidement, l'Iran eut quelques divines surprises en provenance de Bagdad. En 1990, peu après l'invasion du Koweit, Saddam, qui s'attendait à affronter la coalition internationale alors en gestation, décida de réactiver officiellement ce même traité d'Alger[1] qu'il avait abrogé unilatéralement en 1980 juste avant d'envahir l'Iran, et retira ses troupes des derniers territoires iraniens occupés. Dans une lettre adressée à Rafsandjani, il proposa au président de la République islamique de partager avec lui la responsabilité de la sécurité du Golfe. Juste avant le déclenchement de l'opération « Tempête du désert », en 1991, des officiels irakiens s'envolèrent donc pour Téhéran, où Ali Akbar Velayati, le ministre des Affaires étrangères, les embrassa. Et c'est le vice-président irakien Taha Yasin Ramadan qui vint en personne à Téhéran proposer de « réactiver le pacte de 1975 » entre Téhéran et Bagdad. Ali Akbar Velayati courtisait Bagdad tout en maintenant qu'il respectait l'embargo de l'ONU contre l'Irak. Saddam Hussein envoya même une partie de sa flotte aérienne se mettre à l'abri en Iran. Cela voulait-il dire que l'hostilité des deux pays envers les États-Unis était plus forte que les causes de la guerre qui les avait opposés durant huit ans ? Les ficelles de l'opération de charme irakienne envers l'Iran étaient un peu grosses, et, finalement, Téhéran refusa cette offre.

---

1. On se rappelle que l'accord d'Alger prévoyait l'arrêt des interventions dans les affaires du pays voisin et le partage de la souveraineté sur le Chatt al-Arab.

Pendant la seconde guerre du Golfe, l'Iran, qui continuait à condamner à la fois l'invasion du Koweit et le déploiement des forces alliées dans le Golfe, resta neutre. Sa neutralité ne pouvait toutefois occulter sa confusion. Les événements du Golfe tels qu'ils étaient perçus dans la capitale iranienne suscitaient les réactions les plus contradictoires. Certains se félicitaient de voir l'ancien ennemi terrassé, même par un autre ennemi plus puissant, et se voyaient confortés dans leur idée que Saddam Hussein était décidément infréquentable, puisqu'il menaçait tour à tour tous ses voisins. D'autres souhaitaient au contraire un rapprochement avec Bagdad pour faire face au danger constitué par l'arrivée des troupes étrangères dans le Golfe. D'autres, enfin, reprochaient simplement à Saddam Hussein d'avoir favorisé, par « ses erreurs », la venue de troupes occidentales dans la région. Le président iranien Rafsandjani, qui s'était déjà attiré de vives critiques pour son acceptation du cessez-le-feu en 1988, se vit à nouveau sévèrement critiqué, cette fois pour sa neutralité lors de la guerre du Koweit.

Toutes ces réactions illustraient la grande perplexité de Téhéran devant la tournure des événements. L'insurrection irakienne de mars 1991 fut pour l'Iran le premier test de la nouvelle donne. Par le biais d'ambassades occidentales dans les pays arabes, Washington avertit Téhéran que toute intervention de sa part dans les affaires irakiennes serait considérée comme un *casus belli*. De fait, sauf quelques infiltrations dans la zone des marais depuis l'Iran, les insurgés irakiens furent laissés seuls face à un régime impitoyable.

Après la seconde guerre du Golfe et l'écrasement de l'insurrection de mars 1991, Saddam Hussein s'engagea dans un marchandage musclé avec le vainqueur de la guerre. Dans ce contexte, il fut plus que jamais encouragé à améliorer ses relations avec son voisin – les deux pays ont 1 100 kilomètres de frontières communes – pour faire pression sur son interlocuteur américain. Mesurant que les chances d'un renversement de Saddam Hussein étaient désormais plutôt faibles, Téhéran choisit finalement de faire des affaires avec Bagdad, en attendant de voir.

La confusion de la politique de Téhéran envers l'Irak, à ce moment, s'explique par le fait que l'Iran sortait alors d'une période révolutionnaire pour entrer dans une période post-révolutionnaire. Selon une opinion répandue, l'Iran voulait renverser le régime de Saddam Hussein et le remplacer par un régime chiite dirigé par l'ayatollah Muhammad Baqer al-Hakim, le président de l'Assemblée suprême de la révolution islamique en Irak. Mais le paradoxe de la politique étrangère iranienne est que l'Iran, tout en se définissant comme un État chiite, détermine sa politique étrangère non sur des bases religieuses mais sur des bases nationales – ce principe se vérifie par le soutien qu'il apporte à l'Arménie contre l'Azer-baïdjan chiite, ou aux anciens communistes tadjiks contre les islamistes de l'ex-Tadjikistan soviétique. La politique étran-gère de Téhéran est dictée par la crainte de l'hégémonie américaine dans la région, une crainte justifiée par l'expé-rience douloureuse du passé et par le fait que l'Iran est entouré de pays où sont en place des régimes alliés des Américains à divers degrés. Par ailleurs, l'Iran sait qu'un régime islamique chiite à Bagdad lui créerait plus de problèmes qu'il n'en résoudrait. Selon la théorie de la *wilayat al-faqîh*, Khamena'i est le Guide pour tous les musulmans du monde. Mais rien n'indique que les religieux irakiens accepteraient de perdre leur souveraineté, puisqu'ils refusent de considérer Kha-mena'i comme un *marja'* et insistent pour que Najaf soit la première *hawza*, avant Qom. La population irakienne reste très attachée à la souveraineté de l'Irak. De plus, à la diffé-rence de l'Iran, l'Irak n'a pas une majorité chiite écrasante, et les chiites irakiens, en grande majorité arabes, sont très diffé-rents des Iraniens. Une autre république islamique, en Irak, risquerait d'aboutir à un schisme, à l'image de celui qui avait divisé le communisme entre Russes et Chinois.

Si l'Iran ne semble pas savoir très bien ce qu'il veut en Irak, il sait en revanche très bien ce dont il ne veut pas : un régime irakien allié des États-Unis, risquant d'aboutir à une alliance irako-turque ou à une alliance arabe proaméricaine contre l'Iran. Téhéran s'oppose au stationnement de toute force étrangère en Irak comme à tout accord militaire entre l'Irak et une puissance non régionale. L'Iran ne veut pas non plus d'un régime démocratique laïque à Bagdad, convaincu qu'un tel régime serait une porte d'entrée pour les Occidentaux. Aux yeux de Téhéran, le régime irakien idéal serait celui qui permettrait à son voisin de reprendre une place sur la scène régionale, mais en position de faiblesse. L'Iran continuerait à lui demander l'accès libre aux villes saintes irakiennes, le respect de l'accord d'Alger de 1975, le bornage de la frontière entre les deux pays et des réparations pour les dommages de guerre.

Tant que ces conditions ne seront pas réalisées, l'Iran se satisfera du maintien de Saddam Hussein. On pense à Téhéran que, tant que Saddam est au pouvoir, l'Irak demeurera faible, isolé des autres pays arabes et en conflit avec les États-Unis, et que l'Iran pourra ainsi se construire une place de puissance régionale. Dès lors, l'Iran attendra de Washington qu'il reconnaisse la place importante qu'il occupe dans la région et dans la définition de l'avenir de l'Irak. Un accord sur l'Irak serait désormais considéré à Téhéran comme la clé d'une normalisation entre l'Iran et les États-Unis.

L'heure n'est plus à l'exportation de la révolution islamique. Avec pragmatisme, l'Iran veut se voir reconnaître un rôle de puissance régionale, sans retomber pour autant sous la domination occidentale. Dans ce contexte, comme c'était le cas avant la révolution islamique, les dirigeants de Téhéran considèrent la question chiite irakienne comme une simple question confessionnelle qu'ils peuvent utiliser comme vecteur d'influence. Les fondements de la question irakienne, que la révolution islamique avait un moment abordés, sont retombés dans l'oubli, d'autant plus facilement que les Irakiens présents en Iran se sont révélés incapables de formuler un projet cohérent aux yeux des dirigeants iraniens.

## Depuis la mise sous tutelle internationale de Bagdad

Bagdad et Téhéran ont rétabli des relations diplomatiques en septembre 1990, au plus fort de la crise du Koweit. Un an plus tard, les deux ambassades rouvraient dans les deux capitales. Cette reprise des relations entre les deux anciens belligérants était remarquablement précoce, surtout au regard des questions non résolues : l'échange des prisonniers de guerre, le retour en Irak de la flotte aérienne qui s'était réfugiée en Iran pendant la seconde guerre du Golfe et que l'Iran considère comme une partie des dommages de guerre dus par l'Irak, le soutien de chacun des deux pays à l'opposition armée de son voisin (Moudjahidin du peuple iraniens et Assemblée suprême de la révolution islamique en Irak), la question des réparations de guerre, la démarcation de la frontière dans le Chatt al-Arab, après la réactivation par Saddam Hussein du traité d'Alger de 1975, le dragage du même Chatt al-Arab, toujours encombré d'épaves, afin d'y assurer la liberté de navigation, le pèlerinage dans les villes saintes d'Irak, entre autres…

Mais Bagdad et Téhéran avaient en commun de faire face à la politique américaine dite de « *double endiguement* », énoncée pour la première fois en 1993 par Martin Indyk, alors vice-secrétaire d'État. Selon le *double endiguement*, les États-Unis devaient abandonner la politique consistant à se reposer alternativement sur l'Irak, puis sur l'Iran, pour neutraliser les ambitions de chacun des deux pays à un leadership régional. Aux termes de cette politique, mise en œuvre sous la présidence de Clinton, les « États voyous » devaient être isolés diplomatiquement et économiquement. L'Iran et l'Irak étaient tous deux montrés du doigt. Leur situation, apparemment similaire, fut pour eux l'occasion d'entamer un rapprochement croissant, vivement encouragé par la Syrie.

Bagdad et Téhéran se sont ainsi approchés, de façon chaotique, non sans crises durant lesquelles les accusations mutuelles reprenaient le dessus. Les premiers contacts importants ont eu lieu au siège de l'ONU en septembre 1997. Une série de rencontres a permis de résoudre peu à peu certaines questions. Le président Khatami, élu depuis peu, rencontrait le vice-président irakien Taha Yasin Ramadan lors du sommet de l'OPEC à Caracas en 1997, puis au sommet islamique de Téhéran. Lors de ces rencontres – les premières entre dirigeants des deux pays depuis la visite éclair à Téhéran, en 1991, de Izzat Ibrahim al-Dori, vice-président du

Conseil de commandement de la révolution, venu proposer de « revivifier le pacte » entre les deux pays –, Khatami et Ramadan ont dénoncé d'une même voix le *double endiguement*. Quelques mois après, au sommet islamique de Rabat, Ali Akbar Velayati, le ministre des Affaires étrangères d'Iran, rencontrait Muhammad Sa'id al-Sahhaf, son homologue irakien, pour parler de la question des pèlerins iraniens. De son côté, le chef des Gardiens de la révolution, Mohsen Reza'i, appelait à un front uni Iran-Irak-Syrie contre Israël et face à l'alliance de Washington, Tel-Aviv et Ankara. Muhammad Sa'id al-Sahhaf fit une visite à Téhéran le 16 janvier 1998 pour obtenir le soutien de l'Iran à la demande irakienne de levée des sanctions. L'Iran, qui avait en effet rejoint en 1994 la Turquie et d'autres pays arabes pour réclamer la fin de l'embargo contre l'Irak, ne manquait pas de manifester son hostilité aux frappes aériennes anglo-américaines répétées contre son voisin.

Enfin, le 28 septembre 2000, lors d'une rencontre au plus haut niveau – la première depuis 1997 –, l'Iran et l'Irak ont discuté d'élever leurs relations diplomatiques demeurées au niveau consulaire. Le 14 octobre, le nouveau ministre iranien des Affaires étrangères, Kamal Kharrazi, vint à Bagdad pour rencontrer Saddam Hussein. Cette visite, toutefois, ne donna pas de résultat. C'était la première fois qu'un ministre des Affaires étrangères iranien se rendait en Irak depuis dix ans. À partir de 1999, la « diplomatie du ping-pong » a permis de détendre les relations, grâce au retour des équipes des deux pays lors de différents championnats.

Malgré tout, plus de dix ans après le rétablissement des relations diplomatiques entre les deux pays, la confiance n'est pas revenue. La politique d'ouverture et de détente inaugurée en 1997 par le président Khatami se heurte du côté de l'Irak à une liste impressionnante de problèmes non résolus, qui masquent mal une absence de désir des deux pays de normaliser leurs relations.

## Les principales questions non résolues entre l'Irak et l'Iran

### – L'échange de prisonniers de guerre

Aujourd'hui, 97 % des prisonniers de guerre ont été libérés (59 830 Irakiens et 39 417 Iraniens). Téhéran nie détenir encore 29 000 prisonniers de guerre irakiens, alors que Bagdad, outre ces 29 000 prisonniers, parle de 60 000 soldats « disparus ». L'Iran affirme que Bagdad détient encore 6 000 prisonniers iraniens. Selon le gouvernement irakien, l'Irak a libéré tous les « prisonniers de guerre » iraniens le 17 août 1990. Les prisonniers libérés après 1995 seraient donc selon Bagdad des insurgés infiltrés depuis l'Iran lors de l'insurrection de mars 1991. Les échanges de prisonniers se sont poursuivis en 1998, 1999 et 2000. En mai 2000, Téhéran affirmait que 5 000 prisonniers de guerre irakiens auraient refusé d'être rapatriés et qu'ils avaient obtenu l'asile politique en Iran. Bien qu'en grande partie réglé, le dossier demeure donc ouvert, d'autant que de nombreux prisonniers de guerre irakiens chiites ont rejoint les forces armées de l'opposition irakienne basées en Iran (le bataillon Badr, lié à l'ASRII). Bagdad affirme qu'ils sont retenus en Iran.

### – Le pèlerinage dans les villes saintes d'Irak

Le 15 août 1998, les premiers groupes de pèlerins iraniens depuis 1980 pouvaient être vus dans les villes d'Irak. Ce retour était la conséquence d'un accord signé le 8 juillet 1998 et autorisant trois mille pèlerins par semaine à se rendre sur les lieux saints en Irak – ce nombre a été porté par la suite à quinze mille par mois. Les milliers de pèlerins iraniens qui visitent chaque année Najaf, Kerbéla, Kazimayn et Samarra sont une source de revenus importante pour le pays : chaque Iranien paie environ 350 dollars pour les six jours que dure le pèlerinage, et l'Irak gagne ainsi de 40 à 50 millions de dollars par an, fonds qui ne sont pas contrôlés par l'ONU. Cependant, Bagdad multiplie les précautions : les pèlerins doivent abandonner leur bus iranien à la frontière et prendre un bus irakien, et sont minutieusement fouillés par la sécurité. Ils ne peuvent s'échapper des circuits très encadrés, qui les mènent d'un lieu saint à un autre, et n'ont pas la possibilité d'entrer en contact avec tel ou tel chef religieux. Il faut rappeler que l'ayatollah Sistani, en résidence surveillée à Najaf, a la plupart de ses imitateurs en Iran. Bagdad continue à réguler le flot de pèlerins iraniens, craignant que son augmentation ne suscite des troubles. La *hawza* de Najaf ne rassemble désormais pas plus de mille cinq cents étudiants, la plupart étant des « agents du régime » au dire des Irakiens rencontrés en Iran.

– *Le Chatt al-Arab*
En avril 1998, Saddam Hussein confirmait à la télévision irakienne son intention, déjà affirmée en 1990, de respecter l'accord d'Alger de 1975 sur le partage du Chatt al-Arab entre l'Irak et l'Iran. Selon la partie iranienne, Bagdad a reconnu l'accord d'Alger et il ne reste plus qu'à l'appliquer. Pour cela, Téhéran réclame la délimitation du tracé exact de la frontière et le dragage du Chatt al-Arab. Même si l'Iran profite largement de la neutralisation du trafic irakien dans le Golfe et dans le Chatt, Téhéran a fait de l'application de l'accord de 1975 un test majeur des intentions de Bagdad sur la voie de la normalisation. Lors de la visite de Kharrazi à Bagdad, en 2000, où le seul point positif fut l'augmentation du nombre de pèlerins iraniens autorisés à se rendre en Irak, l'Iran ne put obtenir un quelconque engagement : face à l'insistance de Kharrazi, il semble que Saddam aurait dit de façon indirecte qu'il était exclu de ressusciter les accords d'Alger « sous leur forme ancienne ». Les Iraniens sortirent de cette visite convaincus qu'ils ne pouvaient pas faire la moindre confiance à Saddam Hussein, puisqu'il était prêt à revenir sur sa parole au gré des circonstances politiques.

– *Les dommages de guerre*
Le paiement par l'Irak de dommages de guerre à l'Iran, réclamé par Téhéran, est évidemment lié à la reconnaissance de la responsabilité de Bagdad dans le déclenchement de la guerre. Bien que la résolution 598 évoque la nécessité de désigner l'agresseur et de fixer le montant de dommages à payer, les responsables iraniens rappellent avec amertume que

l'ONU a reconnu très tardivement la responsabilité de l'Irak, sans que cette reconnaissance soit officialisée par une résolution, et qu'en outre aucune mesure n'a été prise pour contraindre Bagdad à dédommager l'Iran. Le zèle avec lequel la communauté internationale veille au paiement des dommages pour les victimes de la seconde guerre du Golfe scandalise d'autant plus la classe politique iranienne. Lorsque le journal *Abrâr*, proche des conservateurs, écrit le 5 octobre 2000 que « le Conseil de sécurité doit juger les crimes de Saddam et [que] l'ONU doit l'obliger à payer les dédommagements à l'Iran », il ne fait qu'exprimer un sentiment unanime.

La question des dédommagements se négocie donc de façon bilatérale, et non dans le cadre des résolutions de l'ONU. Bagdad est évidemment loin de reconnaître la moindre responsabilité dans le déclenchement de la guerre, mais, de façon non officielle, le régime aurait commencé à considérer sa dette envers l'Iran. Téhéran a chiffré à 100 milliards de dollars les dommages causés par l'Irak, estimation qui englobe les pertes dues à la première guerre du Golfe, mais aussi celles liées à la seconde, les dommages de la pollution des eaux du Golfe, conséquence de l'incendie des puits de pétrole du Koweit, et le coût de l'afflux de plus d'un million de réfugiés en Iran en 1991 (selon un rapport officiel iranien d'août 2001). Téhéran a accepté du pétrole irakien en guise de dédommagement. En attendant, l'Iran conserve les jets et les avions civils irakiens que Bagdad a envoyés sur son territoire en 1990 pour les mettre à l'abri des attaques des Alliés.

#### – *Les oppositions armées aux deux régimes*

L'obstacle le plus sérieux à une normalisation entre les deux pays est peut-être la présence sur le sol de chacun d'une opposition armée au régime adverse. Les deux protagonistes invoquent régulièrement les accords d'Alger, qui prévoyaient la fin des ingérences dans les affaires du pays voisin, mais aucun ne semble prêt à renoncer à la carte qu'il détient pour faire pression sur l'autre.

Lorsque Bagdad ou Téhéran parlent des oppositions armées, ils désignent généralement les Moudjahidin du peuple

(MKO) – organisation iranienne d'opposition au régime de Téhéran, dirigée par Massoud Radjavi, dont les camps d'entraînement sont en Irak – et à l'Assemblée suprême de la révolution islamique en Irak (ASRII) – dirigée par l'ayatollah Muhammad Baqer al-Hakim depuis Téhéran. Le parallèle entre les deux mouvements ne semble pourtant pas très exact. Les Moudjahidin du peuple n'ont aucune base sociale en Iran même, où ils sont craints par la population, qui voit en eux des traîtres puisqu'ils ont attaqué et continuent d'attaquer le pays à partir de l'Irak. Les autorités iraniennes n'ont aucun mal à convaincre leurs compatriotes que les « hypocrites » (la dénomination officielle des MKO, en référence à leur volonté de se réclamer de l'islam) sont un groupe terroriste utilisé par Bagdad et par les États-Unis pour affaiblir l'Iran. De son côté, Saddam Hussein peut, quand il le veut, mettre un terme à la présence des MKO en Irak, sans que cela chagrine beaucoup de monde : les MKO sont craints, notamment par les chiites et les Kurdes, car Bagdad les utilise dans ses plus basses œuvres de répression. En revanche, l'Assemblée suprême de la révolution islamique en Irak et son président, l'ayatollah Muhammad Baqer al-Hakim, ont une réelle légitimité en Irak même comme en Iran, où vivent un demi-million d'Irakiens. Aucun dirigeant iranien ne peut donner son congé à ce religieux respecté, y compris par ses homologues iraniens. L'ayatollah représente le sacrifice des dizaines de milliers d'Irakiens chiites qui ont choisi l'exil et la mort pour défendre la République islamique dans la guerre contre leur propre pays. Il suffit de se rendre au cimetière de Behesht-e-Zahra, à Téhéran, pour voir que la participation des moudjahidin irakiens à la guerre du côté de l'Iran était loin d'être symbolique. Nombre de tombes de martyrs rappellent leur « irakité » et aussi leur jeunesse (la majorité d'entre eux avaient entre 15 et 25 ans). Le lieu de leur martyre est toujours cité : Huwayza, les îles Majnoun, Penjwin, Fao, c'est-à-dire les grandes batailles lors desquelles les deux armées s'affrontèrent sur le territoire irakien. Beaucoup d'Irakiens, même s'ils critiquent l'ayatollah al-Hakim et son inféodation à la politique iranienne, sont choqués de voir l'ASRII mise sur le même pied que les Moudjahidin du peuple, mouvement considéré comme terroriste. Quand les autorités iraniennes reprennent elles-mêmes le parallèle dans leur dialogue avec Bagdad, ces mêmes Irakiens ressentent d'autant plus d'amertume, même s'ils savent que les jours de l'ASRII en Iran ne sont pas comptés.

L'Assemblée suprême de la révolution islamique en Irak dispose d'environ 15 000 combattants, regroupés dans le bataillon Badr. Ces combattants sont des Irakiens chiites, exilés ou prisonniers de guerre, présents en Iran depuis la guerre, ou des réfugiés plus récents qui ont fui les exactions irakiennes dans le Sud. L'ASRII dépend des Gardiens de la révolution iraniens pour son approvisionnement en armes et l'entraînement de ses combattants. Les Gardiens de la révolution ayant la garde des frontières, notamment avec l'Irak et sur le Golfe, l'infiltration de combattants irakiens en Irak se fait donc avec leur accord. L'ASRII et le bataillon Badr sont ainsi associés à des forces iraniennes qui sont réputées soutenir plutôt le camp conservateur ou, du moins, le guide Khamena'i. Il ne fait pas de doute que leur caractère islamique favorise un tel rapprochement. Officiellement, cependant, l'ASRII prend soin de ne jamais faire apparaître une préférence quelconque dans les luttes politiques iraniennes. Ses interventions en direction des autorités de Téhéran montrent qu'elle considère le Guide Khamena'i et le président Khatami comme les deux sources légitimes du pouvoir. En cela, l'ASRII traduit aussi l'attitude de retrait des Irakiens d'Iran, qui manifestent une grande réserve dans les enjeux internes iraniens.

Depuis l'élection de Khatami, en 1997, l'Assemblée suprême de la révolution islamique en Irak est devenue un vecteur privilégié des autorités de Téhéran dans leur difficile dialogue avec les États-Unis. En tant que représentant officiel de l'opposition islamique chiite irakienne en Iran, elle est au cœur de tous les projets visant à associer l'Iran et les États-Unis à une solution politique en Irak. Washington ne fait aucun mystère de son désir de « gagner » l'organisation présidée par Muhammad Baqer al-Hakim. L'ASRII était sur la liste des organisations de l'opposition irakienne auxquelles l'administration américaine proposait, le 20 janvier 1999, l'argent du Congrès dans le cadre de l'Iraq Liberation Act.

Les ouvertures américaines se sont cependant soldées par un échec : Ahmad Chalabi, le président du Congrès national irakien (CNI), a fait le voyage à Téhéran (où le CNI n'a toujours pas de bureau) pour convaincre l'ayatollah al-Hakim, mais celui-ci a décliné officiellement l'offre américaine le 12 février, déclarant que les États-Unis voulaient « imposer un changement en Irak de l'extérieur » et que « seul le peuple irakien était en mesure de faire réussir une telle entreprise ».

Pourtant, le refus de l'ASRII d'accepter l'argent américain ne signifiait pas une fin de non-recevoir. Il y a longtemps que son discours n'est plus celui de la confrontation avec les États-Unis. À la différence des autres mouvements islamistes irakiens, l'ASRII s'est abstenue de dénoncer dans leur principe les tentatives américaines présumées de renverser le régime de Saddam Hussein, les critiquant simplement comme étant insuffisantes ou « peu sérieuses ». De même, l'ASRII s'associe rarement à la dénonciation de l'embargo contre l'Irak ; elle juge parfois même que les sanctions ne sont pas assez sévères. De même encore, elle accrédite régulièrement l'idée, chère aux politiciens américains, que Saddam Hussein représente toujours un danger et qu'il faut intensifier le contrôle de son armement. Régulièrement, son président appelle les grandes puissances à « protéger les chiites du sud de l'Irak contre les exactions du régime de Bagdad », jugeant insuffisantes les zones d'interdiction de survol décrétées de façon unilatérale par les États-Unis et la Grande-Bretagne. Et le projet américain qui, en avril 2001, prévoyait la création de zones de protection dans le Sud chiite, à l'image de celles dont bénéficient les Kurdes dans le Nord, était visiblement destiné à répondre aux appels d'al-Hakim.

On a ainsi le sentiment que l'ASRII attend des États-Unis une proposition acceptable... pour l'Iran. On est loin, en tout cas, des discours de diabolisation des mouvements islamistes des années 1980 à l'égard du « Grand Satan ». L'ASRII semble reconnaître à Washington une responsabilité dans l'avenir de l'Irak, sans dire explicitement l'étendue de cette responsabilité. Cette ambiguïté reflète probablement celle des différentes factions iraniennes au pouvoir. Dans le court terme, « conservateurs » et « réformateurs » ont longtemps été d'accord, au nom de raisons différentes, pour améliorer les relations entre les gouvernements iranien et irakien ; l'Irak n'est pas, toujours dans le court terme, un enjeu de la lutte entre adversaires et partisans de Khatami. Si des divergences existent entre ces factions, elles portent sur l'avenir de l'Irak, mais il existe aussi un consensus pour temporiser. L'ayatollah Muhammad Baqer al-Hakim est plus que quiconque au fait de cette situation. Tout en affirmant ne pas craindre le rapprochement entre Téhéran et Bagdad, le président de l'ASRII posait des jalons pour l'avenir, et ces jalons passaient forcément par les États-Unis. Le 23 mars 2001, des officiels américains ont publiquement réaffirmé que Washington tente d'établir des relations avec l'ASRII et d'autres opposants irakiens en dehors du CNI. Quelques jours plus tôt, le 4 mars, le grand quotidien *Al-Hayat* évoquait même une rencontre entre Colin Powell, le secrétaire d'État américain, et l'ayatollah al-Hakim. Et ce dernier déclarait en avril qu'il était prêt à engager un dialogue avec les États-Unis sans condition. Tout en restant prudent vis-à-vis de l'ASRII, du fait de ses liens avec la politique iranienne, Washington lançait ainsi des ballons d'essai.

En Iran même, les mouvements islamistes chiites irakiens sont de plus en plus divisés (c'est le cas notamment du parti Da'wa). Leur déliquescence a consacré l'ASRII et l'ayatollah al-Hakim comme le représentant non seulement des chiites irakiens, mais aussi de tous les réfugiés irakiens d'Iran. Paradoxalement, malgré sa consécration sur la scène iranienne, régionale – l'ayatollah al-Hakim a tissé des liens étroits avec l'Arabie saoudite et le Koweit – et internationale, l'ASRII a perdu une part importante de sa substance. Désertée par la plupart des organisations islamistes qu'elle entendait représenter au départ, elle est de plus en plus une coquille vide, son importance tenant non plus à sa base militante mais à des enjeux politiques souvent non irakiens. L'ASRII fait ainsi de plus en plus figure de « bureau d'al-Hakim », comme l'appellent ses opposants – y compris, au sein de l'Assemblée, ceux qui déplorent le « despotisme » de son président.

Le 22 février 1999, l'ayatollah Muhammad Baqer al-Hakim a été molesté à Qom, à la mosquée A'zam, par des

Irakiens proches du parti Da'wa, à la suite de la déclaration de son adjoint al-Qabandji, qui avait présenté le « martyr » Muhammad Sadeq al-Sadr, un *mujtahid* exécuté par le régime de Bagdad quelques jours auparavant, comme un « ancien agent du régime ». À la suite de ces incidents, de nombreux Irakiens du parti Da'wa ont été arrêtés par les forces de sécurité iraniennes. On sait qu'une lutte féroce s'était engagée entre al-Hakim et le parti Da'wa dans les années 1980 à propos de la représentation de l'opposition islamique irakienne en Iran. Le président de l'ASRII est proche du Guide de la République islamique, l'ayatollah Khamena'i, qui l'a toujours assuré de son soutien et qui aurait même comparé l'avenir du parti Da'wa à celui des Moudjahidin du peuple. Les mauvaises relations de Khamena'i et du parti Da'wa s'expliquent aussi par les sympathies présumées de certains de ses dirigeants pour l'ayatollah Muntazeri, le dauphin déchu de Khomeiny. C'est pour affirmer la primauté du Guide de la République islamique que cheikh Muhammad al-Asefi, le principal dirigeant du parti Da'wa, a annoncé sa démission en février 2000, alors que son parti refusait une représentation de Khamena'i à sa direction.

Les explosions du 7 janvier 2001 visant les Gardiens de la révolution, au nord de Téhéran, signifiaient-elles la fin de la trêve entre Téhéran et Bagdad et de la détente irako-iranienne ? Quand le vice-ministre des Affaires étrangères irakien, Riyad al-Qaysi, s'était rendu en visite à Téhéran fin 2000, des rumeurs avaient circulé à propos d'un accord pour mettre un terme à l'activité des oppositions de part et d'autre, en vue de la signature d'un accord de sécurité entre les deux pays. Les invectives entre Téhéran et Bagdad qui suivirent l'attentat montraient que la question était loin d'être résolue. Les divers attentats des Moudjahidin du peuple montraient aussi que leur pouvoir de nuisance en Iran persistait et que Bagdad continuait à les utiliser pour faire pression sur son voisin. En 1999, Martin Indyk condamnait pour la première fois officiellement, au nom des États-Unis, les actions des MKO contre l'Iran. Les Moudjahidin du peuple, qui affirment avoir 50 000 combattants armés essentiellement par l'Irak, ont été ajoutés à la liste des organisations terroristes aux États-Unis par le département d'État, après le meurtre de plusieurs Américains. Mais ils ont encore des appuis influents au Congrès américain, et c'est là probablement qu'ils bénéficient des soutiens les plus effectifs. Gary Ackerman, un représentant du New Jersey, s'était ainsi opposé, le 3 juin 1998, à voir figurer les MKO sur cette liste des groupes terroristes, au moment même où plusieurs bombes explosaient à Téhéran (ces attentats furent l'occasion de la première condamnation américaine des actions des MKO contre l'Iran). Mais les MKO peuvent compter sur de bons avocats, et leur lobbying est toujours actif, ainsi que leurs sites Web, toujours opérationnels depuis Berkeley, en Californie.

Dans les années 1980, les Moudjahidin du peuple avaient dû s'exiler en France, puis, en 1987, en Irak. Ils y disposent toujours de camps d'entraînement à Mansouriyyat al-Jabal, près de la frontière, et à Abou Ghrayb, près de Bagdad. C'est depuis l'Irak qu'ils ont lancé de nombreuses attaques contre l'Iran, visant notamment les officiels et les membres des forces armées – le plus souvent, il s'agit d'attaques au mortier près de la frontière iranienne ou de bombes à Téhéran ou dans les lieux les plus fréquentés des autres grandes villes iraniennes. Différentes factions iraniennes ont exploité le conflit potentiel entre MKO et ASRII, en tant qu'opposition armée basée dans le pays voisin. Les Gardiens de la révolution sont ainsi suspectés de laisser s'infiltrer des commandos des MKO en Iran, pour qu'une vague terroriste dans le pays gèle les ardeurs des réformateurs iraniens et tout dialogue avec Washington. De même, certaines opérations menées en Irak et imputées à l'ASRII servent d'argument à ceux qui sont hostiles au rapprochement avec Bagdad. Les explosions de Téhéran venaient à point pour donner raison au ministre de l'Intérieur iranien, selon lequel on ne peut faire confiance à Bagdad. L'Iran utilisait désormais des avions pour ses représailles en Irak aux actions des MKO. Ces raids étaient facilités par la zone d'interdiction de survol imposée à l'Irak par les Américains et les Britanniques. Au même moment, le vice-ministre du Commerce irakien souhaitait, lors d'une visite à Téhéran, que les relations économiques entre l'Iran et l'Irak se renforcent davantage...

Même si les opérations des MKO ont augmenté dans les années 1990 (notamment, en avril 1999, le meurtre du lieutenant-général Sayyed Shirazi, représentant du guide), l'organisation de Radjavi n'a pas réussi à maintenir l'importance de celles-ci au même niveau que dans les années 1970, lorsque les Moudjahidin du peuple combattaient le régime du chah. En revanche, l'ASRII a développé sa capacité militaire en Irak, notamment dans la zone des marais, ainsi qu'à Bagdad. Le plus haut fait d'arme revendiqué par l'ASRII fut certainement la tentative d'assassinat, le 12 janvier 1996, contre Oudaï, le fils aîné de Saddam, attentat dont il sortit paralysé, ce qui mit fin à sa carrière politique. Mais comme beaucoup de revendications de cette assemblée, la paternité de cette opération semble sujette à caution ; il semble plutôt que Oudaï ait été victime d'une vengeance au sein même du cercle dirigeant irakien. Toutefois, les attaques contre les militaires ou responsables baassistes se sont multipliées.

Après la seconde guerre du Golfe, Bagdad avait d'abord décidé d'ignorer le rôle de l'Iran dans les attaques contre le Sud, préférant s'entendre avec Téhéran sur le commerce, en particulier sur la contrebande de brut via le Golfe. Mais, avec le temps, les réactions de part et d'autres sont devenues de plus en plus rapides et violentes, comme si chacun avait fait son deuil d'une normalisation totale et sincère. Au début de 2000, une grande mobilisation à la frontière irakienne, la plus importante depuis 1988, montrait que les affaires avec l'Irak n'empêchaient pas une guerre d'usure meurtrière. Kharrazi, le ministre des Affaires étrangères iranien, affirma alors que l'Irak n'était pas prêt à normaliser ses relations avec l'Iran.


## Des intérêts en guise de politique

Les deux belligérants des années 1980 se sont donc rapprochés de plus en plus, tout en sachant que leur rapprochement ne déboucherait jamais sur la confiance ni sur une véritable normalisation. Cette étrange situation a mis en avant des intérêts à court terme qui font désormais office de politique. Dans ce domaine, le commerce occupe une place prépondérante.

En 2000, lors de la visite d'une délégation irakienne à Téhéran, dirigée par l'Union des chambres de commerce irakienne, les Irakiens appelèrent les Iraniens à rouvrir leurs routes au commerce terrestre. Le 16 mai 2001, l'Irak et l'Iran évoquaient la reprise des vols entre les deux pays. Les vols réguliers s'étaient arrêtés depuis vingt ans. Les deux pays intensifièrent leurs échanges : l'Irak fournit du riz, du blé et des métaux de récupération (câbles, etc.) à l'Iran, qui, en échange, exporte ses médicaments et du matériel à usage domestique. L'Irak a même été un moment inondé de médicaments iraniens, jusqu'à ce que leur qualité douteuse mette un coup d'arrêt à ce commerce.

C'est dans le domaine pétrolier que les deux pays ont le plus d'intérêts communs. À l'instar des États-Unis, l'Iran entend profiter de la mise sous tutelle internationale de l'Irak et de ses ressources pour acquérir du pétrole de contrebande irakien à faible coût, contrôler les voies de contrebande de ce pétrole et peser, en conséquence, sur les cours du brut en fonction de ses intérêts du moment. La différence avec les États-Unis est, évidemment, que le commerce iranien se fait en cachette des organismes de l'ONU et avec des moyens qui n'ont rien à voir avec ceux dont disposent désormais les Américains sur le pétrole du Golfe.

Pendant des années, les Gardiens de la révolution ont organisé la contrebande du brut irakien soit par voie terrestre, soit, bien plus souvent, par le Golfe. Ce pétrole était destiné pour une part à l'Iran, pour une autre part aux ports du Golfe, en particulier à Dubaï, au Pakistan ou à l'Inde, et à être écoulé sur le marché mondial. Les tankers chargés de brut irakien longeaient les côtes iraniennes, échappant ainsi au contrôle international. On estime que cette contrebande a rapporté environ un milliard de dollars par an à l'Irak, en même temps qu'elle a enrichi les forces de sécurité iraniennes. Les Gardiens de la révolution taxaient de 50 dollars par tonne de pétrole l'utilisation des eaux iraniennes, ce qui pouvait leur rapporter 500 millions de dollars par an.

En avril 2000, l'Iran a soudain arraisonné une douzaine de bateaux soupçonnés de transporter du brut irakien en contrebande et leur a interdit de longer ses côtes. Les bateaux s'accumulaient alors dans le Chatt al-Arab dont ils ne pouvaient sortir. Après une longue période d'encouragement du commerce illégal, ce changement d'attitude semblait difficile à comprendre. L'Iran n'a pas expliqué sa volte-face, se contentant de répéter qu'il avait toujours respecté les résolutions de l'ONU. En fait, l'Iran redoutait que la contrebande de pétrole irakien ne provoque un choc sur les cours mondiaux, à un moment où tous les membres de l'OPEP travaillaient à la stabilisation des cours du pétrole. Cette volte-face est peut-être un signe de bonne volonté de la part de Téhéran à Washington après la levée par l'administration Clinton de l'embargo sur certains produits de luxe iraniens (tapis, caviar et pistaches). Ce pourrait être encore un signe de détente envers l'Arabie et les émirats, pour lesquels la contrebande de pétrole irakien sous contrôle iranien n'est pas un élément allant dans le sens d'une coopération. Tout cela, dans un contexte de rivalités en Iran entre les différentes factions au pouvoir, chacune ayant à sa disposition une force armée (les Gardiens de la révolution pour les « conservateurs », la marine pour les « réformateurs »).

Après avoir brièvement fermé ses eaux aux bateaux transportant du brut irakien, en avril et mai 2000, Téhéran, en juin, autorise à nouveau ces bateaux à violer l'embargo. L'Iran détient la clé de la contrebande du pétrole irakien dans le Golfe. À ce titre, il joue, dans un registre incomparablement plus modeste, le rôle que se sont octroyé les États-Unis envers le pétrole irakien au niveau international, sous couvert des résolutions de l'ONU. Exclus de la Caspienne par les États-Unis, Téhéran répond dans le Golfe. Les dirigeants balaient d'ailleurs d'un revers de main les accusations américaines de viol de l'embargo, faisant valoir que l'Iran n'en a pas le privilège, puisque de proches alliés des États-Unis, notamment les Émirats arabes unis et la Turquie, le violent aussi. De plus, une opinion répandue en Iran voulait que Washington ne désirait pas renverser Saddam et que les États-Unis faisaient, en fait, en sorte que Bagdad puisse disposer de ce revenu.

Une rivalité existe entre l'Iran et la Syrie pour être le premier bénéficiaire de ce commerce. Téhéran a considéré avec inquiétude la réouverture, en 2000, du pipeline Kirkouk-Baniyas, dans la mesure où il pouvait être une alternative au Golfe, privant Téhéran de ses ressources. Pour l'heure, la contrebande par le Golfe était la plus lucrative pour l'Irak, d'autant que l'ONU avait déjà annoncé son contrôle sur les quantités écoulées par le pipeline Kirkouk-Baniyas. Des camions-citernes passent aussi en Turquie et en Iran – par la péninsule de Fao – ainsi que par la Syrie et le Liban, vers la Méditerranée. Mais aucune citerne n'est capable de transporter la quantité de pétrole que permet le transport maritime via le Golfe (200 000 à 400 000 barils par jour).

Dans ce jeu d'intérêts conjoncturels, le cadre de l'activité diplomatique s'est élargi avec la présidence de Khatami, qui a inauguré une nouvelle politique étrangère, fondée sur le principe de détente et de confiance dans ses relations extérieures, notamment avec les pays moyen-orientaux et musulmans. Considéré avec suspicion à Bagdad, le rapprochement sans précédent entre l'Iran et l'Arabie saoudite en a été la principale conséquence.

## Irakiens d'Iran et Iraniens d'Irak

La présence d'une importante communauté irakienne en Iran est une donnée essentielle pour comprendre les relations actuelles entre l'Iran et l'Irak et l'interpénétration des deux sociétés. En revanche, le contraire n'est pas (plus) vrai. Le 1er novembre 2000, il y avait, selon le HCR de l'ONU, 24 500 réfugiés iraniens en Irak, principalement des Kurdes proches du Parti démocratique du Kurdistan d'Iran (PDKI) et des familles des membres des Moudjahidin du peuple. À ceux-ci, il faut ajouter quelques milliers d'Iraniens installés dans les villes saintes, religieux ou commerçants, qui ont pu échapper aux vagues d'expulsions massives des années 1970 et 1980. Avant l'arrivée du Baas au pouvoir, des villes comme Kerbéla et Kazimiyya étaient réputées pour leur importante population persane, et la communauté iranienne jouait un rôle politique de premier plan en Irak, notamment parce que la plupart des dirigeants religieux chiites irakiens en étaient issus.

L'Iran est le pays qui accueille le plus de réfugiés au monde. L'un des paradoxes du pays est que de nombreux intellectuels et riches iraniens fuirent la révolution islamique, alors qu'une masse impressionnante de demandeurs d'asile d'autres pays y afflua. Le recensement de 1999 estimait que le pays abritait plus de deux millions d'Afghans et 230 000 Irakiens, mais le nombre d'Irakiens est certainement très largement sous-évalué. Selon le *Worldwide Refugee Information*, en 2002, l'Iran accueillait encore 1,9 million de réfugiés, dont 1 482 000 Afghans et 387 000 Irakiens. Selon le gouvernement iranien, 500 000 autres Afghans, qui n'ont pas le statut de réfugiés, seraient présents en Iran[1].

De nombreux Irakiens, de toute appartenance ethnique ou confessionnelle, sont partis en Iran pour échapper aux exactions du régime de Bagdad, une partie d'entre eux ayant été expulsé par le régime baassiste lui-même dès la fin des années 1960. Les Kurdes Fayli, chiites, ont alors été déportés vers l'Iran. Les déportations se poursuivirent au début des années 1970 et concernèrent plus de cent mille personnes. Dans la même période, des Irakiens d'origine iranienne, ou dont les parents ou les grands-parents avaient eu la nationalité iranienne, furent conduits à la frontière. En outre, des centaines de milliers de Kurdes vinrent se réfugier en Iran après l'effondrement de la résistance kurde, à la suite de l'accord d'Alger en 1975 entre le chah et Bagdad. Enfin, une nouvelle vague d'expulsions précéda la guerre entre l'Iran et l'Irak : tous ceux dont les aïeux n'avaient pas eu la nationalité ottomane (c'était le cas de la grande majorité des chiites) se virent suspectés de « rattachement iranien ». Plus de cent mille Irakiens furent alors chassés vers

---

1. Ces sources gouvernementales n'ont pas pu être confirmées par des sources indépendantes, car l'Iran n'a pas publié les détails de son recensement.

l'Iran[1] : parmi eux, de nombreux membres de familles religieuses chiites, des commerçants, et ce qui restait de la communauté persane d'Irak. Dans les années 1980 et 1990, l'Iran a accueilli plus de 700 000 réfugiés chiites et kurdes irakiens. Au moment de la répression de l'insurrection en Irak, en mars 1991, c'est plus d'un million de Kurdes irakiens qui ont afflué sur son sol. Ce fut le plus grand déplacement de population de notre époque, Rwanda excepté. La plupart sont aujourd'hui rentrés chez eux. À la suite de la seconde guerre du Golfe, il y avait plus d'un million trois cent mille Irakiens en Iran. À nouveau, en 1996, à la suite de l'intervention de l'armée irakienne au Kurdistan contre l'UPK, 40 000 réfugiés kurdes irakiens sont arrivés dans les provinces d'Azerbaïdjan occidental, du Kurdistan et de Kermanshah (Bakhtaran).

Contrairement aux Afghans, les Irakiens jouissent en Iran d'une bonne réputation. Ils « se conduisent bien » aux yeux des Iraniens, ont un niveau culturel élevé et sont considérés avec sympathie par la population, qui les voit comme des victimes. Les Afghans sont considérés comme des réfugiés économiques, là où les Irakiens bénéficient toujours du prestige de leurs sacrifice au service de la République islamique durant la guerre entre l'Iran et l'Irak.

Les réfugiés irakiens, comme les Afghans, sont dispersés dans tout le pays, bien qu'ils soient aussi concentrés, pour une minorité d'entre eux, dans des camps. À la fin de 1999, environ 48 000 Irakiens vivaient dans vingt-trois camps situés le long de la frontière irakienne et dans le centre du pays. Les Arabes chiites se concentrent le long de la frontière sud, et les Kurdes dans le Nord-Ouest. Les 387 000 Irakiens reconnus comme réfugiés se répartissent de façon égale entre Arabes et Kurdes. La plupart sont en Iran depuis les années 1980 ; ils ont été expulsés vers l'Iran pour avoir de supposés ancêtres iraniens et sont détenteurs d'une « carte verte » (permis de séjour). En revanche, les Irakiens récemment arrivés ou les

---

1. La nationalité irakienne s'applique différemment selon qu'on appartient au premier groupe (ottoman – certificat de nationalité A) ou au second (rattachement iranien présumé – certificat de nationalité B).

sans-papiers n'ont actuellement aucun moyen de faire une demande d'asile aux autorités iraniennes.

Certains, parmi les réfugiés d'Irak, avaient la nationalité iranienne ou pouvaient justifier de liens avec l'Iran. Ce sont les *mo'âved*, c'est-à-dire les Irakiens d'origine iranienne « revenus » d'Irak. Une partie d'entre eux ont reçu un passeport iranien, mais d'autres n'ont pas eu cette chance et ont dû demander une « carte verte ». *Mo'âved* a, en persan, une connotation péjorative, car il signifie « arabisé ». Les *mo'âved* occupent cependant une place de choix dans l'économie et la politique iraniennes. Ils sont très présents au Bazar de Téhéran, en particulier au *Bâzâr-e-Koweitihâ*, le Bazar des Koweitis, situé entre la mosquée de l'Imam Khomeiny et la mosquée Djâme. La carrière politique de deux *mo'âved*, Mahmoud al-Hashimi (Shahroudi) et Muhammad Ali Taskhiri, illustre par ailleurs l'étonnante capacité de l'Iran islamique à intégrer dans ses élites ces nouveaux venus (ou « revenus », bien qu'ils soient nés en Irak).

Le premier, Mahmoud-Hashemi Shahroudi, a été nommé par Khamena'i, le 13 août 1999, à la tête de l'institution judiciaire iranienne en remplacement de l'arrogant ayatollah Mohammad Yazdi, l'homme le plus haï par les réformateurs iraniens[1]. Né à Najaf en 1948, ce religieux était venu en Iran en 1979 aussitôt après la révolution islamique. Il avait alors trente et un ans et ne connaissait que quelques mots de persan. Ses grands-parents, comme de nombreux Iraniens, avaient émigré vers les villes saintes d'Irak, alors sous contrôle britannique. Disciple des ayatollahs Muhammad Baqer al-Sadr, Khomeiny et Khoï, il fonda en Iran l'ASRII, dont il a été le porte-parole et le président pendant plusieurs années, avant que Muhammad Baqer al-Hakim ne le remplace. Que le chef d'un groupe de l'opposition du pays avec qui l'Iran a été en guerre pendant huit ans puisse devenir le quatrième personnage du régime islamique peut être interprété comme une illustration de la théorie de la « centralité de l'État

---

1. Sa nomination fut interprétée comme un compromis entre les « conservateurs » et les partisans de Khatami.

islamique », la République islamique se voulant l'État de tous les musulmans chiites. Le fait mérite d'être mentionné.

Un autre mollah irakien, Muhammad Ali Taskhiri, conseiller de Khamena'i pour la jurisprudence, a été élu en 1999 membre du Conseil des experts pour le Gilan. Le *hujjatulislam* Taskhiri est aussi ministre sans portefeuille au ministère de la Culture islamique et de la Guidance et dirige l'organisme chargé de la propagande iranienne à l'extérieur, surtout en direction des pays arabes. Il dirige également l'Assemblée mondiale des *Ahl al-Bayt* (IAAB), créée pour promouvoir l'unité entre chiites, et est responsable des relations avec les mouvements islamistes arabes, notamment au Liban et en Irak.

Les autres Irakiens d'Iran rentrent dans la catégorie des « réfugiés », statut qui est aussi précaire qu'ambigu. La plupart d'entre eux ont des « cartes vertes », qui ne mentionnent pas le mot « réfugiés » *(panâhandegân)*, mais le mot *mohâdjerîn*, c'est-à-dire « travailleurs immigrés ». En persan, le mot *panâhandegân* renvoie à un devoir sacré d'accueil des réfugiés fuyant les persécutions et l'injustice. Les *mohâdjerîn*, en revanche, « viennent prendre le pain des Iraniens et apportent des maladies ». Bien que la carte verte ait valeur de permis de résidence, elle n'indique pas la durée de validité de ce permis et peut être retirée à tout moment. Les détenteurs d'une carte verte ont accès aux services de santé et à l'éducation primaire et secondaire gratuite. Certains réfugiés irakiens arrivés avant la révolution de 1979 ont un document de « réfugiés », un livret blanc avec la mention *panâhandegân*. Le livret blanc donne plus de droits que la carte verte, dont l'exemption d'impôts, le droit de travailler et le droit de voyager, mais son détenteur doit le renouveler tous les trois mois. Depuis la révolution islamique, le gouvernement a octroyé des livrets blancs de façon irrégulière, le plus souvent à des Irakiens éduqués, qualifiés et ayant des professions établies.

En théorie, les réfugiés légaux ayant des permis de travail ont le droit de travailler, à condition d'exercer des métiers manuels, mais dans le passé les autorités iraniennes ont largement ignoré ces restrictions. En revanche, les simples détenteurs de carte verte n'ont pas le droit de travailler ; dans les faits, cependant, la plupart ont pu travailler, soit de façon non déclarée, soit grâce à un prête-nom iranien. Ils doivent rester dans la province où ils sont enregistrés s'ils veulent bénéficier de la gratuité des soins et de l'éducation ; ils ne peuvent avoir la nationalité iranienne (sauf pour les *mo'âved*), et les enfants ont la nationalité du père.

À Téhéran, les Irakiens se sont installés dans trois quartiers du sud de la capitale – Dolatabad, Bysim et Khavaran. Dolatabad, avec ses trois *husseyniyyé* irakiennes, est probablement le plus irakien des trois : la plus grande s'appelle Al-Mi'iyari (du nom d'un riche mécène koweiti chiite d'origine irakienne), une autre, Amir al-Mu'minin, regroupe ceux qui ont scissionné d'Al-Mi'iyari pour des raisons de gestion, ces deux dernières représentant les gens de Najaf, et enfin une troisième *husseyniyyé* accueille les Irakiens de Kazimiyya.

À partir de 1997, année de l'élection de Khatami à la présidence et où une majorité réformatrice s'est installée au Parlement, le gouvernement iranien a semblé de plus en plus intolérant à l'égard des réfugiés et des immigrés, alors que nombre d'entre eux étaient en Iran depuis une vingtaine d'années. En avril, le nouveau Parlement a adopté en annexe de son nouveau plan quinquennal une directive du ministère de l'Intérieur pour expulser du pays tous les étrangers sans permis de travail et dont la vie ne serait pas mise en danger par un retour dans leur pays. Prenant prétexte d'un taux de chômage élevé, le gouvernement a mis plusieurs dates butoirs, à partir de 1998, pour que les réfugiés quittent le pays, et a refusé d'enregistrer l'arrivée de nouveaux réfugiés d'Afghanistan ou d'Irak. Les derniers arrivants ont été rassemblés dans des camps et parfois même sommairement renvoyés dans leur pays. En 2000, l'Iranian Bureau of Aliens and Foreign Immigrants Affairs (BAFIA), l'agence des réfugiés du ministère de l'Intérieur, s'est engagée dans une vaste opération de rapatriement des réfugiés afghans, en coopération avec le Haut-Commissariat de l'ONU pour les réfugiés (UNHCR). Quant aux Kurdes, des milliers d'entre eux ont exprimé, en avril 1998, leur souhait d'être rapatriés chez eux.

Mais le gouvernement irakien leur a barré la route, informant l'UNHCR que tous les réfugiés irakiens rapatriés d'Iran, y compris les personnes désirant retourner dans la zone kurde autonome, devraient passer par les douanes irakiennes officielles. L'UNHCR abandonna en conséquence tout effort pour rapatrier les Kurdes vers la zone kurde, et, en 1999, le rapatriement a été suspendu. Cependant, environ 18 000 Kurdes sont retournés dans la zone kurde en 1999 sans l'assistance de l'UNHCR et sans passer par le contrôle du gouvernement. En 2000, le rapatriement volontaire de Kurdes vers le nord de l'Irak ne concernait plus que 2 277 personnes.

L'arrivée au pouvoir de Khatami a correspondu à la mise en avant des intérêts nationaux de l'Iran, au détriment des solidarités islamiques portées par la révolution et aujourd'hui davantage identifiées aux « conservateurs ». Les ministres, ainsi que les parlementaires réformateurs, ont lancé le mot d'ordre « L'Iran aux Iraniens », qui vise à « débarrasser l'Iran du fardeau des réfugiés ». Jusqu'alors, l'Iran avait manifesté une générosité peu commune, accueillant sur son sol le plus grand nombre de réfugiés du monde pour une période indéfinie, et leur accordant en pratique les mêmes droits sociaux qu'aux Iraniens, sans recevoir d'aide de la communauté internationale. Paradoxalement, ce sont les réformateurs qui ont mis en œuvre une politique de fermeture. Aujourd'hui, les autorités iraniennes disent : « Nous avons offert tout ce que nous pouvions aux hôtes de la République islamique, malgré l'absence d'aide internationale, et maintenant nous n'en pouvons plus. » Les réfugiés irakiens répondent : « Nous avons offert nos vies pour défendre la République islamique et l'Iran, et maintenant on nous traite comme des parias. » En 1999, *sayyid* Kazim al-Ha'iri, *sayyid* Murtada al-Askari, *sayyid* Muhammad Baqer al-Hakim, cheikh Muhammad Mahdi al-Asefi et cheikh Muhammad Ali Taskhiri, personnalités irakiennes d'Iran les plus influentes, ont écrit à Khamena'i pour se plaindre des mesures contre les Irakiens. Pavé dans la mare des réformateurs, le Guide de la République islamique leur a donné raison, suggérant ainsi que les réformateurs étaient responsables des problèmes des Irakiens d'Iran.

Les Irakiens se plaignaient déjà de ne pas pouvoir accéder normalement à un emploi en l'absence de permis de travail, car la loi interdit aux réfugiés de travailler. Mais, en 1999, le Parlement a décidé de permettre de chasser de leur fonction ceux qui travaillaient illégalement. De ce fait, la plupart des réfugiés se sont appauvris, y compris les diplômés, et beaucoup sont en quête d'aides internationales ou tentent d'émigrer. La situation s'est encore aggravée au lendemain de la réélection de Khatami, en 2001 : le gouvernement a mis alors à l'amende tout employeur iranien faisant travailler des réfugiés sans permis. Aujourd'hui, de nombreux réfugiés voient leur permis de travail arrivé à terme non renouvelé ou retiré. Cependant, la plupart des réfugiés n'ont pas de permis de travail et subsistent en marge de l'économie iranienne, en travaillant illégalement ou par le jeu de la corruption.

C'est dans ce contexte que, en juin 1999, le gouvernement de Bagdad a déclaré qu'il ne poursuivrait pas les Irakiens qui avaient quitté le pays légalement et qu'il donnerait des passeports aux Irakiens en Iran sans regard de leur affiliation politique. Mais il excluait de ces mesures les Irakiens expulsés d'Irak dans les années 1980 sous prétexte de leur rattachement iranien, à qui le gouvernement de Bagdad continue de nier toute « irakité ». Des milliers d'Irakiens chiites arabes ont répondu, en 1999 et en 2000, à cette proposition en demandant des passeports au consulat irakien de Téhéran. Bien que l'UNHCR les ait avertis qu'il serait incapable de garantir leur sécurité, 2 577 revinrent en Irak en 1999. Mais en 2000 ce nombre tomba à 1 360, avant de s'effondrer, lorsqu'on apprit que, parmi ceux qui étaient retournés en Irak, plusieurs avaient été exécutés par les autorités irakiennes.

En l'espace de quatre années, le nombre de réfugiés irakiens en Iran a diminué de presque moitié. Des dizaines de milliers ont émigré vers l'Australie ou vers les pays européens, faisant l'actualité tragique de ces boat people naufragés dans les mers du Sud.

Depuis leur arrivée en Iran, les Irakiens souffrent d'un problème, l'absence d'institution responsable de leur sort. Ils n'ont pas de protecteur spirituel et n'ont pas su s'organiser pour faire valoir leurs problèmes, persuadés que leurs sacrifices pour la République islamique était la solution à tout. De façon significative, ils n'ont pas de journal en persan, alors que les Palestiniens, qu'il s'agisse des islamistes ou de l'OLP, publient leurs journaux dans les deux langues, arabe et persan. D'une façon générale, ils ne participent pas à la vie politique iranienne et n'agissent pas comme un lobby. Les Irakiens d'Iran ne blâment pas tant les autorités iraniennes que les directions irakiennes d'Iran, qui font leur fonds de commerce de leur exil et de leurs problèmes. En ligne de mire, l'ayatollah Muhammad Baqer al-Hakim, qui semble incapable d'intercéder en faveur des réfugiés irakiens, bien qu'il ne cesse de parler en leur nom. Le parti Da'wa n'a pas davantage réussi à convaincre les responsables iraniens de revenir sur le plan du ministère de l'Intérieur d'expulser des dizaines de milliers d'Irakiens sans carte verte vers l'Irak. Une cinquantaine d'intellectuels irakiens de Qom ont écrit en 2001 à Khamena'i et à Khatami pour leur demander de les protéger face aux mauvais traitements dont ils sont les victimes. Sans succès jusqu'à présent.

## L'Iran et le Kurdistan d'Irak

Le mouvement kurde avait été, jusqu'à la révolution islamique, un moyen de pression privilégié du régime du chah sur les gouvernements de Bagdad. Puis, durant la guerre Iran-Irak, les Kurdes irakiens ont facilité l'occupation d'une portion du territoire irakien par l'Iran. C'est en représailles que l'armée irakienne bombarda Halabja à l'arme chimique en mars 1988, faisant cinq mille victimes parmi les civils kurdes. Une fois de plus, les Kurdes d'Irak payaient cher leur soutien à l'Iran.

À la suite de la seconde guerre du Golfe, l'Iran se trouva face à une zone autonome kurde en Irak sous protection américaine. Au début, Téhéran soutenait les deux partis kurdes, PDK et UPK, tout en utilisant les mouvements islamistes kurdes comme moyen de pression. À partir de 1993, alors que la domination américaine sur le Kurdistan semblait devoir durer, le jeu iranien traditionnel des alliances et des clientélismes s'interrompit. Barzani, dont la famille a de nombreuses propriétés à Téhéran et dans toutes les provinces iraniennes, était le client attitré de l'Iran depuis l'époque du chah. Mais Téhéran abandonna son allié Barzani, décidément trop impliqué dans ses tractations avec la Turquie et soupçonné de favoriser l'espionnage israélien, pour s'engager dans une politique de soutien à son rival, l'UPK de Talabani. La situation géographique de chacun des protagonistes était déterminante : le PDK contrôlait la frontière avec la Turquie, l'UPK, celle avec l'Iran. C'est donc vers cette dernière que Téhéran décida de se tourner, pour en faire son nouveau vecteur d'influence au Kurdistan. En cas de besoin, Téhéran disposait du Mouvement islamique du Kurdistan (MIK) et du Hezbollah kurde pour faire pression sur l'UPK. L'Iran pouvait également utiliser le PKK de Turquie, comme ce fut le cas en juillet 1999, pour diviser les partis kurdes irakiens – il y aurait actuellement entre 6 000 et 10 000 combattants kurdes du PKK en Iran, les incursions successives de l'armée turque les ayant poussés vers ce pays. Le PKK attaquait ainsi les forces du PDK à partir de la zone de l'UPK. Cette politique a abouti aux combats de 1995 et de 1996, puis à l'intervention de l'armée irakienne, le 31 août 1996. Le PDK accusait alors les Gardiens de la révolution iraniens d'agir contre lui en liaison avec l'ASRII et l'UPK. Cette politique était supervisée par les forces Nasr des Gardiens de la révolution. Mais le chef des forces Nasr fut ensuite remplacé, et son successeur, Sayfollah, s'est engagé dans une politique de normalisation des relations de l'Iran avec le PDK. Lors d'une visite à Erbil, Sayfollah promit la neutralité de l'Iran entre le PDK et l'UPK. Après des années de soutien exclusif à l'UPK et d'alliance étroite avec l'administration de Sulaymaniyya, l'Iran revoyait sa politique envers les Kurdes d'Irak, convaincu qu'il n'avait pas intérêt à renouveler l'expérience qui avait abouti aux opérations irakiennes de 1996.

Toutefois, la réconciliation de l'Iran et du PDK inquiétait l'UPK, qui contrôle les douanes avec l'Iran. Malgré sa position stratégique, l'administration de Sulaymaniyya ne reçoit que 25 % des revenus d'Erbil, à savoir 1,5 million de dollars par jour, en incluant les 13 % de « Pétrole contre nourriture » et les aides des Nations unies. L'Iran a accepté d'ouvrir ses ports du Golfe à Sulaymaniyya en dédommagement des pertes dues à la réconciliation avec le PDK, tout en admettant que ce ne serait pas suffisant. La nouvelle unité kurde, parrainée cette fois-ci par les États-Unis et par l'Iran, a semblé suffisamment dangereuse au régime de Bagdad pour qu'il s'engage à son tour, en août 2001, dans une offre de pourparlers avec les deux partis kurdes.

## Le 11 septembre, l'axe du mal et la guerre promise

Jusqu'au 11 septembre, la politique iranienne à long terme envers Bagdad demeurait peu claire. Tandis que les éditoriaux de journaux proches du gouvernement appelaient au renversement de Saddam Hussein, d'autres condamnaient une telle perspective comme un « complot américain ». D'autres encore considéraient que la pérennité d'un Saddam affaibli était la clé de relations stables entre l'Iran et l'Irak. À court terme, Téhéran s'accommodait du statu quo, tout en cherchant à acquérir le plus de leviers possibles sur l'opposition irakienne, en prévision du jour où le régime de Saddam tomberait. États-Unis et Iran se jaugeaient mutuellement pour savoir si la confiance était envisageable entre eux et s'il leur était possible de définir ensemble un avenir pour l'Irak – et, en conséquence, pour le Golfe. Les Américains accepteraient-ils de reconnaître à Téhéran un rôle de puissance régionale indépendante, aussi bien dans le Golfe qu'en Irak ? Après avoir interdit l'émergence d'une telle puissance, étaient-ils prêts à partager leur sphère d'influence au moment où rien ne semblait leur résister dans la région ? Les incertitudes l'emportaient très largement sur les chances d'une entente. Quel accord pouvait-il y avoir entre les États-Unis, qui mettent en avant leur puissance militaire pour s'imposer comme principal acteur en Irak, et l'Iran, qui fait valoir ses liens historiques, religieux, culturels et humains, tout autant que ses intérêts économiques et politiques, avec ce même pays ? Saddam risquait donc de rester encore un certain temps au pouvoir.

La méfiance persistait de part et d'autre. L'Iran demeurait persuadé que les États-Unis étaient un danger plus grand que l'Irak, d'où le refus de Téhéran de soutenir pleinement la politique américaine contre Saddam et l'assistance donnée parfois par Téhéran à Bagdad contre Washington. Le gouvernement iranien restait convaincu que la présence militaire américaine dans le Golfe était d'abord dirigée contre lui et que Washington était décidé à établir sa suprématie dans le Golfe à tout prix. Du point de vue américain, certains insistaient davantage sur le danger iranien, là où d'autres mettaient en avant la menace représentée par Saddam.

Téhéran fut conforté dans ses appréhensions lorsque les États-Unis renouvelèrent l'interdiction de commercer avec l'Iran, le 14 mars 2001. Toutefois, les dirigeants iraniens continuaient à sonder les intentions de Washington concernant l'Irak. Tout en se soupçonnant de vouloir faire chacun cavalier seul avec les États-Unis, l'Iran et la Syrie mettaient en garde contre leur exclusion de toute solution en Irak. Le précédent du parrainage américano-iranien tacite qui avait permis en 1996 de conclure une trêve entre Israël et le Hezbollah, de même que l'entente américano-iranienne au Tadjikistan, laissaient toutefois espérer aux dirigeants iraniens que Washington rééditerait l'expérience en Irak.

C'est alors que survint le 11 septembre 2001. Pour la première fois, les démocraties occidentales et la République islamique semblaient dans le même camp. Contrairement à Bagdad, Téhéran dénonça rapidement le terrorisme comme « contraire à l'islam ». Le régime des talibans était depuis longtemps déjà l'objet de la répulsion et des craintes de l'Iran. La guerre engagée en Afghanistan mettait, une fois de plus, les dirigeants iraniens en position de spectateurs d'une intervention américaine à leurs frontières. Après l'Irak, l'Afghanistan n'allait-il pas à son tour devenir une chasse gardée de Washington, les États-Unis complétant ainsi un peu plus l'encerclement de l'Iran ? Toutefois, Américains et Iraniens soutenaient les mêmes Afghans. Mais les craintes iraniennes ont été confirmées quand Washington revint à des discours en faveur d'une politique agressive envers l'Iran. La République islamique figurait, dans un discours prononcé par le président George W. Bush le 29 janvier 2002, parmi les pays de l'« axe du mal », aux côtés de l'Irak et de la Corée du Nord. Assez vite, cependant, les deux pays renouvelèrent leurs contacts. Téhéran était désormais convaincu du sérieux de la volonté américaine de renverser le régime de Saddam Hussein. L'heure ne pouvait plus être aux tergiversations. L'Iran devait se manifester avant d'être exclu de tout arrangement en Irak. Ce n'était plus, depuis longtemps déjà, l'hostilité à toute normalisation avec Washington qui empêchait le dialogue du côté iranien. La page de la révolution islamique était bel et bien tournée. À la diabolisation du « Grand Satan » avait succédé un ardent désir d'ouverture, surtout parmi les générations iraniennes les plus jeunes. Aucune des tendances au pouvoir en Iran ne voulait désormais laisser à l'autre l'exclusivité de l'énorme bénéfice politique lié à une telle ouverture. Or l'Irak est considéré à Téhéran comme le test principal vers une possible normalisation avec Washington. Le Guide de la République islamique, l'ayatollah Khamena'i, donna son feu vert à l'ASRII de Muhammad Baqer al-Hakim afin qu'il entre en contact avec les Américains. De leur côté, ceux-ci affirmaient, par la voix de plusieurs porte-parole, qu'il serait irréaliste d'exclure l'Iran de tout avenir concernant l'Irak. Mais on insistait également à Washington pour que le président Khatami ne soit pas exclu d'une initiative qui semblait jusque-là émaner d'abord du camp « conservateur » iranien. En juin 2002, un « groupe des quatre » était constitué, rassemblant les deux partis kurdes, PDK et UPK, et comprenant également l'ASRII et le Mouvement de l'Entente d'Ayyad Allawi. Le CNI n'en faisait pas partie. Et, pour la première fois, en août, un représentant de l'ASRII était officiellement reçu à Washington parmi d'autres opposants irakiens.

Face à ce regroupement, d'autres se constituent rapidement, manifestant leur hostilité à la politique américaine en Irak et prônant l'indépendance de choix du peuple irakien : le parti

Da'wa, des islamistes chiites et sunnites indépendants, ainsi que les nationalistes arabes et les communistes en étaient les principales forces. Dans la perspective d'une guerre promise...

# CHAPITRE 11

# La politique américaine envers l'Irak

Les États-Unis et l'Iran sont aujourd'hui les principales puissances extérieures à disposer d'atouts suffisants pour être appelées à jouer un rôle décisif dans l'avenir de l'Irak. La défaite de la société irakienne et sa disparition des enjeux politiques, depuis l'écrasement par le régime de Saddam Hussein de l'*intifâda* de mars 1991, paraissent hypothéquer toute solution « irakienne » à la crise que connaît le pays. Jamais, depuis l'occupation britannique et le mandat, la destinée de l'Irak n'a semblé autant dépendre d'intérêts et d'enjeux non irakiens. La comparaison des politiques américaine et iranienne envers l'Irak ne doit pas occulter le fait que Washington est aujourd'hui le maître du jeu. L'Iran n'intervient que dans le cadre d'une reconnaissance tacite de la victoire américaine en Irak. Le pays du Tigre et de l'Euphrate n'est plus qu'une carte dans les rapports entre Washington et Téhéran.

Un bref rappel historique permet de mieux comprendre ce que représente l'Irak pour Washington. Les États-Unis ne se sont jamais intéressés à ce pays pour lui-même. Israël, la Turquie, l'Iran, le Golfe, ont été et demeurent leurs priorités ; même le pétrole n'a pas réussi à modifier cette politique. Cette tendance de l'Amérique à considérer l'Irak en fonction d'enjeux non irakiens trouve sa traduction dans la situation que connaît l'Irak depuis 1991. Les États-Unis semblent ne pas savoir quoi faire d'un dossier qu'ils ont hérité de la Grande-Bretagne. Y a-t-il une politique américaine envers l'Irak ? Comment s'y reconnaître au milieu de ce théâtre d'ombres et de ces faux-semblants qui dominent la scène politique et militaire ?

## L'Irak vu de Washington :
## un « trou noir » devenu riche

Ce sont des raisons bibliques qui attirèrent les premiers Américains au pays du Déluge : pasteurs et archéologues furent suivis de quelques commerçants, avant que les pétroliers n'arrivent, au lendemain de la Première Guerre mondiale. Ceux-ci exigèrent que la part détenue par la Deutsche Bank dans la Turkish Petroleum Company et qui revenait à la France (Compagnie française des pétroles), en vertu de l'accord de San Remo, ne lui soit remise qu'après l'attribution à un groupe de sociétés américaines de la part de l'Anglo-Persian. Les Quatorze Points du président Wilson, préconisant l'émancipation et le droit des peuples à disposer d'eux-mêmes, devinrent une référence pour les adversaires de la Grande-Bretagne en Irak. Washington faisait alors figure de recours moral face aux appétits coloniaux britanniques. Mais c'est au nom de ces mêmes principes que la Société des Nations et la nouvelle communauté internationale attribuèrent à la Grande-Bretagne un mandat sur l'Irak. Les intérêts américains en Irak ne sont pas séparables de ceux de leurs pétroliers dans les diverses compagnies où ils sont présents dans la région. L'Iraq Petroleum Company, qui remplaça la Turkish Petroleum Company en 1928, était aux mains de quatre groupes : la British Petroleum Company, la Royal Dutch-Shell, la Near East Development, compagnie américaine dont le capital appartenait pour moitié à la Standard Oil of New Jersey et à Socony Mobil Oil, et la Compagnie française des pétroles.

Les relations entre Washington et Bagdad s'étoffèrent pendant la Seconde Guerre mondiale. En 1940, Londres refusant de donner des dollars au gouvernement irakien pour acheter en Amérique le matériel militaire que la Grande-Bretagne n'était pas en mesure de lui fournir, Bagdad dépêcha une mission aux États-Unis. L'année suivante, un envoyé personnel du président américain fit le voyage à Bagdad. L'Irak était en même temps admis à profiter de la loi américaine sur le « prêt-bail ». En mars 1942 s'ouvrit la première légation américaine, transformée en ambassade en février 1947. Trois ans après, le régent irakien et Nouri Saïd furent reçus par le président Truman.

Après la guerre, par peur du communisme, les États-Unis se rapprochèrent des pays arabes tout en soutenant Israël. Lorsque les Officiers libres, puis Nasser, arrivèrent au pouvoir en Égypte, en 1952, Washington misa d'abord sur le *raïs* égyptien. Londres tentait alors de renouveler ses rapports avec Bagdad par un traité, mais l'Irak s'efforçait par tous les moyens d'échapper à un lien trop exclusif avec la Grande-Bretagne. Ce fut le point de départ du rapprochement entre les États-Unis et l'Irak au moment où Nasser commençait à décevoir les Américains. À la suite d'un accord d'aide militaire signé le 1er avril 1954, les États-Unis devinrent les seconds fournisseurs des forces armées irakiennes après la Grande-Bretagne ; un accord de coopération culturelle s'ajouta à ces accords militaires.

La guerre de Suez, en 1956, aboutit à l'élimination de la Grande-Bretagne et de la France au Proche-Orient. Redoutant que l'Union soviétique ne comble le vide, les États-Unis décidèrent d'avancer leurs pions. À la fin de l'année, dans une déclaration d'Eisenhower, l'Amérique témoignait de son intérêt pour le Moyen-Orient. Le président américain demanda au Congrès les crédits nécessaires pour lutter contre le péril communiste en Orient. Le 23 mars 1957, il sut convaincre le Congrès de faire adhérer les États-Unis au comité militaire du pacte de Bagdad, conçu par la Grande-Bretagne deux ans auparavant pour suppléer au défaillant traité anglo-irakien.

Le renversement de la monarchie hachémite, en 1958, prit les Américains de court. Quel sort serait réservé aux accords qu'ils avaient conclus avec le précédent gouvernement, à leur mission militaire, conséquence du pacte de Bagdad, et à leurs intérêts pétroliers en Irak ? Un émissaire américain s'envola pour Bagdad et, à son retour, assura que le nouveau régime était résolu à ne pas se laisser absorber par la République arabe unie ni à entrer dans l'orbite soviétique. Washington acceptait Kassem comme un moindre mal et reconnut la république irakienne un jour après Londres. Soutenir Nasser ou Kassem ? Ce dilemme continuera toutefois à hanter la politique américaine.

La méfiance persista, surtout quand la presse irakienne fit état de plans inspirés par le Pentagone, trouvés dans les archives du pacte de Bagdad, selon lesquels l'Irak devait servir de base pour attaquer l'Union soviétique et la Syrie. La montée en puissance du Parti communiste irakien, devenu, avec les Kurdes, le principal allié de Kassem, correspondit à l'arrivée d'une première cargaison d'armes soviétiques à Bassora. Après le putsch raté de Mossoul, les relations entre l'Irak et les États-Unis continuèrent à se dégrader. Kassem rejeta la doctrine Eisenhower et, le 14 mai 1959, dénonça les accords militaires et économiques. Le gouvernement irakien réquisitionna l'hôpital Dar al-Salam de Bagdad, qui appartenait aux adventistes américains, l'un des plus modernes du Moyen-Orient.

Après le virage anticommuniste de Kassem, les relations entre Bagdad et Washington s'améliorèrent à nouveau. Les États-Unis devinrent le deuxième partenaire commercial de l'Irak, tout de suite après la Grande-Bretagne et avant l'Union soviétique, mais cette dernière supplanta finalement les Britanniques en 1960.

Lors du second coup d'État baassiste, en 1968, les États-Unis eurent un *a priori* favorable envers le nouveau régime, car certains de ses membres influents avaient rendu des services dans la lutte contre les communistes : on avait même dit qu'Ahmad Hassan al-Bakr, le nouveau président et parent de Saddam Hussein, avait reçu le soutien de la CIA lorsqu'en 1963 il s'était lancé, à la tête de ses chars, à la chasse aux communistes[1]. Mais en 1967, au lendemain de la guerre des

---

1. On se rappelle que le mouvement baassiste en Irak s'était illustré en 1963 par une féroce répression anticommuniste.

Six-Jours, l'Irak, alors dirigé par Abd al-Rahman Aref, le représentant des officiers nationalistes arabes, avait rompu ses relations diplomatiques avec les États-Unis. Le second régime baassiste n'osa pas revenir sur cette rupture. À partir de 1968, l'Union soviétique, qui voyait d'un mauvais œil l'anticommunisme des nouveaux dirigeants irakiens, apporta son soutien aux Kurdes de Barzani pour faire pression sur Bagdad. En janvier 1970, Saddam fit un « pèlerinage » à Moscou pour négocier avec Kossyguine la fin de l'aide soviétique au mouvement kurde. Dès cette époque, Saddam Hussein mettait ainsi les Occidentaux et les Soviétiques en concurrence. À de multiples reprises, il déclara que les mauvaises relations avec Washington depuis la guerre de 1967 n'empêchaient pas l'Irak de traiter avec des compagnies américaines, mais qu'il ne changerait pas pour autant de position en matière de politique étrangère. *Business is business* semblait être la devise du gouvernement irakien envers les États-Unis, comme s'il était possible de découpler les affaires et la politique.

Coup sur coup, en l'espace de deux mois, en 1972, Bagdad signa un traité d'amitié et de coopération avec Moscou – l'Irak étant le deuxième pays arabe après l'Égypte à s'engager dans cette voie – et décida de nationaliser le pétrole irakien. Mais c'est surtout l'année suivante, après la guerre d'Octobre, que les relations de l'Irak et des États-Unis se dégradèrent. En prenant la tête des pays du front du refus, Bagdad savait qu'il encourait l'ire américaine[1]. Peu après, Bagdad reprit la répression anticommuniste, ce qui amena Moscou à cesser les livraisons à Bagdad. Cet embargo soviétique inavoué sur les armes vers l'Irak se produisait après la nationalisation du pétrole irakien, alors que la demande de pétrole était en pleine explosion. La manne pétrolière qui s'abattit sur l'Irak fut une véritable révolution. Le « trou noir » que constituait l'Irak aux yeux de Washington allait devenir un eldorado pour toutes les sociétés occidentales.

---

1. La surenchère sur les thèmes du nationalisme arabe avait toujours été une constante des élites arabes sunnites au pouvoir en Irak.

## Une histoire d'amour de quinze années

À la fin de la campagne électorale qui précéda l'élection présidentielle américaine de 1993, il ne se passait pas de jour sans qu'une nouvelle révélation ne soit faite contre le président Bush pour avoir tant choyé Saddam Hussein. N'avait-il pas approuvé jusqu'à la veille de l'invasion du Koweit, en 1990, l'exportation d'équipements de technologie avancée qui finissaient dans les usines irakiennes d'armement ? L'inclination des États-Unis pour l'Irak de Saddam Hussein avait abouti, à la faveur de la guerre contre l'Iran, à une véritable alliance stratégique. Celle-ci présida à une entreprise mondiale sans précédent d'armement d'un pays du tiers-monde, à laquelle participèrent tous les pays occidentaux. Dans tous les domaines, Saddam Hussein put bénéficier des dernières avancées technologiques occidentales, que les Soviétiques s'étaient toujours vu refuser.

Comment en était-on arrivé là ? À partir de 1975, l'Occident avait aidé Saddam Hussein à construire le plus formidable arsenal que le Moyen-Orient ait jamais eu entre les mains, à l'exception d'Israël. Hommes d'affaires et gouvernements occidentaux vendaient aux Irakiens des chars, des avions de combat supersoniques, des armes chimiques, des missiles balistiques, sans compter le matériel et la technologie permettant de construire la bombe atomique. Les fabricants d'armes, leurs banques et leurs relais au sein des gouvernements constituaient un puissant lobby pro-irakien. Les membres de ce lobby étaient eux-mêmes en concurrence, mais ils se retrouvaient lorsqu'il s'agissait de défendre l'Irak.

L'Union soviétique ayant mis un embargo sur les armes vers l'Irak, Saddam décida à partir de 1975 d'assurer l'indépendance de son pays par rapport à ses fournisseurs étrangers. Il envoya des agents aux quatre coins du monde pour acheter des armes. Les contrats se firent sur le marché public. Mais aucun avertissement officiel occidental, ni surtout américain, ne vint mettre en garde contre cette politique de puissance. Quatre mois avant l'invasion du Koweit, le sous-secrétaire d'État John Kelly déclarait au Congrès que Saddam Hussein était une « force de modération dans la région » ! Il ne faisait là que répéter cc que tous ses prédécesseurs avaient dit depuis des années. L'Irak était surtout un grand marché où la France, l'Allemagne, l'Italie, la Grande-Bretagne, l'Autriche, la Belgique et les États-Unis faisaient de juteuses affaires.

L'embargo soviétique de 1974 avait donc convaincu Saddam d'acheter des armes ailleurs. Le numéro deux irakien choisit l'un des membres de l'Iraq Petroleum Company, la France, pour fournisseur privilégié, mais veilla à diversifier ses sources d'approvisionnement en armes. La France devint ainsi au cours des années 1970 le troisième partenaire économique de l'Irak après l'Allemagne et le Japon. Les États-Unis exprimaient parfois des inquiétudes à propos de la constitution de l'arsenal irakien, sans rien faire toutefois pour tempérer les appétits de Saddam. À cette époque, les rapports américains mettaient en avant le fait que les ventes d'armes américaines à l'Iran étaient beaucoup plus importantes que celles des pays européens et de l'Union soviétique à l'Irak.

Plutôt que de s'inquiéter de l'armement de l'Irak, qu'ils pouvaient difficilement empêcher, les États-Unis veillaient à ce que le chah dispose rapidement d'un meilleur équipement américain. L'Iran était leur préoccupation majeure. De plus, Washington ne pensait pas que les Irakiens réussiraient à maîtriser la technologie américaine comme ils s'en montrèrent rapidement capables. C'est seulement dans le domaine du nucléaire (la France) et dans celui des armes chimiques (l'Allemagne et l'Italie) que les États-Unis tentèrent de bloquer la vente de technologie à l'Irak, mais ils n'y parvinrent pas – ou ne se donnèrent pas les moyens d'y parvenir. La destruction de matériel nucléaire français destiné à l'Irak par des agents du Mossad, à La Seyne-sur-Mer, en 1979, préludait à celle du réacteur nucléaire Osirak, en juin 1981, en Irak même. Ces actions, menées avec l'aval des Américains, montraient que les États-Unis étaient conscients du danger à long terme que représentait pour eux le potentiel militaire irakien. Mais l'heure était aux affaires, avant d'être à la guerre contre l'Iran islamique par Irak interposé.

En novembre 1978, Saddam Hussein accueillit les opposants à Camp David autour du front du refus. Avec l'expulsion de l'Égypte de l'Organisation arabe pour l'industrialisation, il tenta de prendre la place du Caire et se tourna vers les États arabes du Golfe pour financer son armement. Mais le radicalisme de l'Irak passa peu après au second plan des préoccupations de l'Occident, qui se trouvait face à un danger qu'il jugeait bien plus grave : la révolution islamique en Iran.

L'arrivée au pouvoir de Khomeiny bouleversa toute la stratégie américaine. Le chah, principal allié des Américains dans la région du Golfe, était déchu, et personne ne semblait en mesure de le remplacer comme gendarme régional. Washington vit l'Irak de Saddam Hussein sous un jour nouveau. Est-ce un hasard ? C'est à ce moment que celui qui n'était encore que le numéro deux du régime baassiste écarta son protecteur. Quelques mois après le retour triomphal de Khomeiny à —Téhéran et la proclamation de la République islamique, Saddam contraignit le général Ahmad Hassan al-Bakr à la retraite et occupa toutes ses fonctions. Aussitôt, il chercha à nouer des liens plus étroits avec Washington. En décembre 1979, l'Irak et les pays arabes conservateurs dénoncèrent de concert l'invasion soviétique de l'Afghanistan. En janvier 1980, Bagdad condamna l'occupation de l'ambassade américaine à Téhéran. Du coup, le département d'État se mit à louer l'anticommunisme virulent du dirigeant irakien. Celui-ci, de son côté, resserrait ses liens avec l'Arabie saoudite, l'autre grand allié des Américains dans le Golfe, et soutenait Riyadh dans sa lutte contre l'islam radical. Bagdad signa même avec l'Arabie saoudite, le 25 mars 1980, un pacte anti-soviétique dirigé contre les marxistes du Sud-Yémen, pourtant un ancien allié de l'Irak. Au milieu de l'année 1980, Zbigniew Brzezinski, le conseiller pour les affaires de sécurité nationale de Carter, exprima de façon explicite que Saddam Hussein pouvait être un contre-feu à la révolution islamique et à l'expansionnisme soviétique. L'inclination de Washington pour l'Irak de Saddam Hussein allait se transformer en alliance stratégique.

## L'alliance stratégique inavouée américano-irakienne

Le changement d'attitude de Washington fut chaleureusement salué à Bagdad. Saddam pensait que la reconnaissance de son rôle contre l'islamisme lui donnerait la stature de dirigeant du monde arabe. L'Égypte chassée de la Ligue arabe et la Syrie engluée au Liban, l'Irak était le seul prétendant au leadership arabe. Avec l'assentiment de l'administration Carter, le sénateur Stephen Solarz exprima le premier la nécessité d'une alliance stratégique entre les États-Unis et l'Irak. En 1982, il fit le voyage à Bagdad. Ce fut la première rencontre entre hauts responsables américains et baassistes.

En juillet 1980, lors d'une réunion à Amman, véritable conseil de guerre, Brzezinski s'était montré assez évasif pour que Saddam puisse croire qu'il avait le feu vert américain pour attaquer l'Iran. Il n'y eut pas de feu vert explicite, mais il n'y eut pas non plus d'interdiction. Cette attitude sera par la suite répétée à l'envi : une grande puissance comme l'Amérique n'a pas besoin de découvrir ses intentions de façon explicite ; un simple signe ou une absence de signe valent approbation. Saddam avait ses propres raisons pour envahir l'Iran, mais il ne l'aurait pas fait si les États-Unis y avaient mis leur veto. Ainsi, les discussions entre Brzezinski et le roi Hussein de Jordanie avaient ébauché un nouveau type de partenariat dans la région du Golfe. Les inquiétudes américaines sur la croissance rapide de l'arsenal de Saddam ne pesaient pas lourd face au danger de la révolution en Iran.

Saddam Hussein voulait avoir accès à la technologie américaine qui avait garanti la supériorité d'Israël. Or les tentatives de Bagdad d'acheter américain se heurtaient à un mur, car l'Irak figurait sur la liste des pays soutenant le terrorisme. En juillet 1980, le président Carter, contournant l'opposition du Congrès, arriva pourtant à vendre cinq Boeing à l'Irak. Et, quelques mois avant le début de la guerre contre l'Iran, un contrat entre l'Irak et l'Italie portant sur des équipements contenant de nombreux composants américains avait permis à Saddam de savoir que son régime était devenu un partenaire privilégié de Washington. Les Soviétiques avaient suspendu leurs livraisons d'armes à Bagdad après l'attaque irakienne contre l'Iran, mais ce second embargo soviétique eut peu d'effet sur l'Irak : les États-Unis allaient remplacer les Soviétiques mieux que les dirigeants irakiens n'auraient osé le rêver.

Reagan gagna l'élection de 1980, en grande partie grâce à l'humiliation de la crise des otages de Téhéran. En mars 1982, Washington raya l'Irak de la liste des États soutenant le terrorisme (notamment grâce aux bons offices de Richard Murphy, alors ambassadeur en Arabie saoudite). Et, la même année, l'Irak achetait des hélicoptères américains Hughes avec le feu vert de la CIA – les hélicoptères étaient payés en pétrole par l'intermédiaire de la compagnie Chevron. Cette vente d'hélicoptères fut suivie de nombreuses autres. L'Irak s'engageait ainsi dans une course folle aux armements les plus sophistiqués de la planète, qui allait aboutir à sa ruine[1].

Les Irakiens savaient que des ventes d'armes américaines fabriquées avec une technologie avancée rencontreraient l'opposition du Congrès. Aussi se mirent-ils à œuvrer, dès 1982, à la création d'un lobby pro-irakien aux États-Unis. Ce lobby, composé d'acteurs très divers, avait un rôle économique important. Lobbies des constructeurs d'avions et d'hélicoptères, des fermiers du Midwest et puissants groupes industriels aux États-Unis se retrouvèrent ensemble pour soutenir Bagdad. L'administration Reagan suivait la politique définie par Brzezinski. Nicholas Veliotes, un arabisant du département d'État, mit le secrétaire d'État en garde contre l'avance iranienne en 1982 et suggéra d'apporter une aide directe à Bagdad. À la faveur de la pénétration des forces iraniennes en Irak, les relations entre Washington et Bagdad s'améliorèrent encore sensiblement. Même si Washington n'avait jamais pointé du doigt l'Irak comme étant l'agresseur, Bagdad apparaissait moins que jamais comme le responsable de la guerre à Washington. Ces meilleures relations se tradui-

---

1. L'histoire détaillée de cette incroyable entreprise est relatée dans le livre très bien documenté de Kenneth S. Timmerman, *Le Lobby de la mort. Comment l'Occident a armé l'Irak*, Calman-Lévy, 1991.

sirent par l'octroi de milliards de dollars de prêts, de crédits et de garanties en faveur de l'Irak.

Le département d'État planifia ainsi une série de subventions destinées à Bagdad. En décembre 1982, le Commodity Credit Corporation (CCC), dépendant du ministère de l'Agriculture, débloqua trois cents millions de dollars de crédit pour que les Irakiens puissent acheter du blé et du riz américains. Le lobby agroalimentaire est l'un des plus puissants des États-Unis. Or l'embargo vers l'Union soviétique, du fait de l'invasion de l'Afghanistan, entraînait un manque à gagner critique pour les fermiers du Midwest. Ces derniers devinrent de fervents partisans des livraisons de blé à l'Irak. En quelques jours seulement, l'Irak était passé du statut d'État paria soutenant le terrorisme et pour lequel aucune banque ne voulait prendre le moindre risque à celui de la « nation la plus favorisée »[1]. Si Bagdad ne pouvait payer ses dettes au terme de trois ans, le gouvernement américain réglerait l'addition. Richard Murphy pesa de tout son poids pour mettre sur pied cette aide alimentaire. Des groupes agro-industriels importants comme Cargill, Arabfina et Dreyfus apportèrent une assistance sans limites à Bagdad. Ils permettaient ainsi de contourner la question de la politique américaine envers l'Irak. À la mi-1983, le ministère de l'Agriculture augmenta de 20 % les crédits pour l'Irak, et la somme fut encore doublée à la fin de l'année, atteignant plus d'un milliard de dollars. Les crédits américains pour l'agriculture en faveur de l'Irak n'eurent pas seulement un impact important sur le moral de la population du pays. Ils permirent tout simplement à l'Irak de poursuivre la guerre. En même temps, Washington décourageait ses alliés de vendre des armes à l'Iran. Les diplomates américains n'allaient pas tarder à préconiser ouvertement la vente d'armes américaines à l'Irak.

L'économie ouvrit en effet la porte à des relations diplomatiques rompues depuis la guerre des Six-Jours, en 1967. Le secrétaire d'État George Shultz rencontra secrètement Tarek

---

1. La garantie du CCC (connue sous le nom de GSM-101, 102, 103, etc.) n'était pas un prêt, mais accordait à l'Irak la clause de la « nation la plus favorisée » dans le domaine des céréales.

Aziz, alors ministre irakien des Affaires étrangères, le 10 mai 1983, lors d'un voyage à Paris. Les discussions tournèrent autour du soutien de l'Irak à Abou Nidal, responsable présumé, entre autres, de l'attentat de la rue des Rosiers à Paris. Tarek Aziz promit d'expulser Abou Nidal.

En septembre, Richard Murphy quitte son poste d'ambassadeur en Arabie saoudite, qu'il occupait depuis 1981, pour remplacer Veliotes comme sous-secrétaire d'État pour le Proche-Orient. Murphy était plus proche des Saoudiens que de Bagdad. Mais, comme les Saoudiens, il pensait que, sans Bagdad, la révolution islamique aurait sérieusement menacé les monarchies pétrolières du Golfe. Il était favorable à l'affaiblissement de l'Iran et au soutien de l'Irak, politique qui nécessitait des crédits et des armes occidentales. L'Irak reconstruisait ses réseaux d'exportation, et l'Arabie et le Koweit lui livraient déjà leur pétrole à crédit, permettant à Bagdad de maintenir ses revenus pétroliers. Murphy engagea les dirigeants du Golfe à aller plus avant dans leur soutien financier à Bagdad. Sous son impulsion, l'administration Reagan, le Pentagone, la CIA et le département d'État coordonnèrent leurs efforts pour apporter un soutien de plus en plus important à l'Irak. Les avions AWACS, basés en Arabie, commencèrent à fournir à Bagdad des renseignements précis sur les troupes iraniennes. De même, à l'ONU, l'Amérique apporta son soutien à l'appel de l'Irak au cessez-le-feu.

Washington encourageait aussi les autres partenaires occidentaux de Bagdad, comme la France, son principal fournisseur d'armes, à lui accorder de nouveaux prêts. Feu vert fut donné à l'Égypte pour continuer ses livraisons d'armes massives à Bagdad. Mais les crédits du CCC furent sans doute de loin les plus importants. À la mi-1983, ayant épuisé ses réserves de trente-cinq milliards de dollars, l'Irak avait un besoin urgent de devises. Alors que Saoudiens et Koweitis montraient des signes d'impatience face à l'importance de la dette de Bagdad envers eux, les États-Unis devinrent le premier bailleur de fonds de l'Irak. Les lobbies n'avaient besoin que d'un signe de Washington. Une course effrénée s'engagea : c'était à qui vendrait le plus à l'Irak. Des avocats grassement payés et des intermédiaires influents se faisaient les défenseurs de Bagdad dans tous les domaines, qu'il s'agisse d'exportations de céréales ou de technologies avancées.

Avec Murphy et les arabisants du département d'État, Richard Armitage, au Pentagone, rejoignit l'administration Reagan pour préconiser des liens plus étroits avec Bagdad. Tous pensaient que Washington devait renouer des relations diplomatiques avec l'Irak. Certes, Murphy s'alarmait de la technologie nucléaire que la France livrait à l'Irak et des produits chimiques que l'Allemagne exportait vers Bagdad, mais il pensait que, face à l'Iran, il était légitime d'utiliser toutes les armes. Aussi laissa-t-il faire les Allemands et les Belges. Le gaz moutarde serait utilisé pour la première fois contre les vagues humaines iraniennes en décembre 1983.

En octobre 1983, Tarek Aziz se rendit à New York pour demander à la communauté internationale de condamner l'Iran, qui refusait le cessez-le-feu. Une autre question occupa les discussions avec George Shultz. Tarek Aziz lui demanda quelle était la position de Washington sur les livraisons d'armes israéliennes à l'Iran. Shultz fit son possible pour prouver sa bonne foi aux Irakiens. En signe de bonne volonté, les Américains permirent même aux Français de livrer des Super-Étendard à Bagdad. Et, en décembre, Donald Rumsfeld, l'envoyé de Reagan, fit le voyage à Bagdad pour proposer de renouer les relations diplomatiques. Saddam exigeait comme préalable que Washington empêche toute livraison d'armes à l'Iran. Ce qui fut fait, du moins officiellement. Ce sont les arabisants du département d'État qui concoctèrent l'interdiction de livrer des armes à l'Iran, connue sous le nom de « Operation Staunch ». L'Iran se fournissait alors au marché noir en pièces de rechange américaines, mais Washington se faisait fort de convaincre ses alliés de ne plus rien livrer à Téhéran. Les ventes d'armes israéliennes à l'Iran, qui avaient reçu un soutien tacite de Washington en 1980, devenaient officiellement « improductives ». Ce dispositif fut complété en janvier 1984, lorsque l'administration Reagan ajouta l'Iran à la liste des pays soutenant le terrorisme. Durant la guerre Iran-Irak, Bagdad fut ainsi considéré comme l'acheteur idéal d'armes, tandis que Téhéran était devenu un paria.

Murphy fit son premier voyage officiel à Bagdad comme sous-secrétaire d'État en février 1984, à un moment où l'Irak utilisait le gaz moutarde à une grande échelle dans les îles Majnoun. Il voulait négocier la reprise des relations diplomatiques. Murphy condamna l'emploi des gaz toxiques et évita de rencontrer Saddam. Mais le désir américain de rouvrir une ambassade à Bagdad était plus fort que tout.

La confusion entre l'économie et la politique atteignait des sommets. Ainsi, l'ancien ministre de la Justice John Mitchell, qui avait quitté le gouvernement à la suite du Watergate, fonda une société de consultants appelée Global Research International. En 1983, son assistant, Brennan, noua des contacts avec Sarkis Soghenalian, un commerçant libanais très populaire à Bagdad, qui recherchait des fournisseurs pour l'Irak. Grâce à son entremise, les Américains n'ont pas bloqué la vente d'hélicoptères Bell-Textron 214-ST par le biais de l'Italien Augusta. George Shultz, avant de devenir secrétaire d'État en 1982, travaillait pour une grande société construisant des pipelines, le groupe californien Bechtel. Un pipe-line fut ainsi vendu à l'Irak pour permettre au pétrole irakien de s'écouler vers Akaba, en Jordanie. Les sociétés de consultance américaines se livraient alors une concurrence acharnée en Irak.

En dépit de toutes les préventions américaines sur les dangers de la prolifération du nucléaire et de l'arme chimique (notamment pour Israël), l'administration Reagan inaugura au début de 1985 une politique de large ouverture aux achats de matériel de technologie avancée par les Irakiens, matériel dont la finalité militaire ne faisait aucun doute. L'Irak était devenu en un laps de temps incroyablement court un marché largement ouvert à toutes les technologies. Ce fut sa première récompense après la reprise des relations diplomatiques, le 25 novembre 1984. Les Irakiens reçurent des ordinateurs américains qui leur permirent de perfectionner leurs missiles balistiques et leur programme nucléaire. Dans le cadre des projets Saad 16[1], les compagnies américaines fournirent à Bagdad de quoi faire

---

1. Les projets Saad prévoyaient la construction d'unités de production à des fins militaires sur l'ensemble du territoire irakien. Chaque unité recevait un numéro. La France construisit l'usine de composants électroniques et le centre de formation du projet Saad 13 (Thomson-CSF). Saad 16 travaillait à la fabrication de missiles.

fonctionner des missiles balistiques et, peut-être, l'arme nucléaire. La politique de Reagan visant à limiter la prolifération des missiles balistiques dans les pays du tiers-monde n'y changea rien. Les Irakiens avaient convaincu le président américain que le radicalisme baassiste des années 1970 appartenait au passé. À partir de 1984, la délégation commerciale irakienne à Washington put travailler à acquérir des équipements de technologie avancée. Hewlett-Packard ouvrit ainsi un bureau à Bagdad. L'un des plus fervents avocats du « vendre tout à l'Irak » était Ed Zschau, un congressiste californien. L'Irak plaçait son argent dans les banques occidentales, mais cherchait également à s'implanter dans les milieux économiques occidentaux en acquérant des parts dans le capital de grandes sociétés européennes et américaines. Daimler-Benz, Matra et Hachette figuraient parmi les sociétés qui intéressaient le plus Bagdad.

Dans la compétition avec les États-Unis pour le marché irakien, la France devint nettement perdante à partir de 1985. David Newton, le premier ambassadeur américain à Bagdad, se fit l'avocat de l'Irak auprès de Murphy. Il espérait que le commerce avec les États-Unis ferait de Saddam Hussein un dirigeant « civilisé ». Et la technologie avancée était le seul moyen pour les Américains de damer le pion à leurs concurrents. En 1985, Washington vendit pour 700 000 dollars d'équipements de technologie avancée dans le cadre du projet français Saad 13.

Selon l'expression d'un responsable américain, « ce n'est pas le commerce qui dicte la politique, mais il accompagne la politique ». Chaque acteur se dédouanait en rejetant sur d'autres la responsabilité de cette course au profit. Au département du Commerce, on disait que si les États-Unis vendaient autant de high-tech à l'Irak, c'était la faute du département d'État. Le département du Commerce n'était pourtant pas en reste, puisqu'il avait encouragé les compagnies américaines à vendre des technologies avancées directement destinées aux missiles balistiques irakiens et aux programmes d'armement nucléaire. Le lobby pro-irakien prit alors la forme d'un forum commercial, le US-Iraq Business Forum, où l'on trouvait les plus grands exportateurs américains : les pétroliers Amoco, Exxon, Hunt Oil, Mobil, Occidental et Texaco, mais aussi AT&T, Bechtel, Brown and Root, Caterpillar, General Motors, Westinghouse et d'autres. Le Forum, bien organisé, était capable de trouver les armes les plus sophistiquées en cas de besoin. L'Irak avait le soutien du département du Commerce, du département d'État, de la Maison-Blanche, de la CIA et de tous les centres de pouvoir, à l'exception du secrétaire à la Défense, Caspar Weinberger, qui surveillait les commandes high-tech de l'Irak. Pour faire tomber les dernières résistances américaines, Nizar Hamdoun, le représentant irakien à Washington, comprit qu'il lui fallait convaincre le lobby juif que l'Iran était beaucoup plus dangereux que l'Irak pour Israël. On le vit ainsi multiplier les invitations à des représentants juifs à Washington et à New York.

Lentement mais sûrement, l'Irak resserrait autour de son cou le nœud qui allait l'étrangler. Saddam Hussein pensait qu'il pourrait ne jamais payer pour toutes ces armes et cette techno-logie. Il comparait ses dépenses aux sommes énormes déver-sées par Washington sur Israël et l'Égypte, et estimait qu'une part pouvait bien lui en revenir. Puisque l'Irak faisait la guerre aussi pour Washington, pourquoi les États-Unis ne paieraient-ils pas les dépenses occasionnées par la guerre ? Or, en 1985, l'Irak dépensait 60 % de ses revenus pour acheter des armes et de la technologie. Saddam n'était pas le seul à bénéficier des crédits CCC, mais ces crédits se révélèrent rapidement insuffi-sants en ce qui le concerne. À la fin de 1986, les exportations vers l'Irak, principalement de céréales, étaient financées, à hauteur de millions de dollars, par la branche d'Atlanta de la banque italienne Banca Nazionale del Lavoro (BNL). La BNL était au début la seule banque accordant des crédits à Bagdad ; ces crédits se succédèrent, et la BNL devint rapidement un ins-trument de la politique américaine en Irak. Comme Richard Murphy et d'autres au département d'État aimaient à le dire, l'idée était de « ramener l'Irak dans le concert des nations par le commerce et l'aide financière ». L'Italie dut toutefois revoir sa politique de crédit envers l'Irak, car il devenait un peu plus évident chaque jour qu'elle ne serait jamais remboursée.

Le vrai artisan de l'alliance américano-irakienne était la CIA. En 1986, les armes vendues par Washington à l'Iran atteignaient encore 650 millions de dollars (missiles, radars, missiles antichars). Mais, le scandale de l'« Irangate[1] » (novembre 1986) fit sauter le dernier barrage à l'exportation de technologies avancées vers l'Irak. Le 16 avril 1987, à Rome, six pays occidentaux et le Japon pouvaient bien annoncer leur intention de stopper l'expansion des missiles balistiques dans le tiers-monde (MTCR), l'Irak ne semblait pas concerné : en 1986, des officiels américains avaient clairement dit qu'ils pouvaient aider l'Irak à produire des missiles balistiques. Et le 5 juin de la même année, Saddam Hussein annonça que l'Irak avait justement mis au point un nouveau missile balistique. Les Américains accusèrent certes leurs alliés français et italiens, mais personne n'ignorait à Washington la nature du commerce entre l'Irak et les autres pays occidentaux, États-Unis compris. En 1988, les Irakiens puisèrent à nouveau dans les crédits apparemment illimités de la BNL aux États-Unis pour améliorer leurs scuds soviétiques (Al-Hussain et Al-Abbas). Les analystes occidentaux persistaient à nier l'existence de l'industrie d'armement irakienne.

En Irak même, la concurrence entre Adnan Khayrallah et Hussein Kamel[2] se termina par la victoire de ce dernier. Avec lui, les Irakiens diversifièrent au maximum leurs sources d'approvisionnement (Brésil, Chine, Égypte, etc.) pour ne plus dépendre de leurs fournisseurs et éviter d'éveiller les soupçons. Israël, inquiet du programme Saad 16, informa les Américains du danger que ce projet représentait, mais ces derniers savaient déjà tout. En 1988, un intermédiaire égyptien réussit à exporter des produits chimiques interdits à l'exportation à partir des États-Unis via l'Égypte à destination de l'Irak, au nez et à la barbe des douanes américaines. Cette fois, il fut retrouvé et condamné, tandis que le ministre égyptien de la Défense, Abou Ghazala, perdit son poste pour avoir apporté son aide à la fabrication de missiles irakiens.

---

1. C'est-à-dire le scandale des ventes secrètes d'armes américaines à l'Iran, de 1983 à 1987, dans lequel de nombreuses personnalités américaines, dont le président Ronald Reagan, furent compromises.

2. Cousins de Saddam, les deux hommes furent départagés dans leur concurrence par la mort d'Adnan Khayrallah en 1989, lors d'un attentat déguisé en accident.

Lorsque, en 1988, Bagdad gaza les Kurdes à Halabja, les affaires continuèrent comme si rien ne s'était passé. En mai, deux mois seulement après Halabja, l'US-Iraq Business Forum se réunit, avec les encouragements de A. Peter Burleigh, le sous-secrétaire d'État chargé des affaires du nord du Golfe. En juillet 1988, Bechtel emporta un contrat de consultance d'un milliard de dollars avec Hussein Kamel pour un complexe pétrochimique. Et à la foire de Bagdad, la même année, le département du Commerce parraina l'exposition d'équipements high-tech américains, affirmant que, la guerre étant finie, l'Irak était grand ouvert au commerce américain.

Pour une fois, ce fut le département d'État qui fit part de ses inquiétudes sur la brutalité de la campagne contre les Kurdes. Mais cela s'arrêta là. En octobre 1988, un rapport du Sénat demandait pourquoi les États-Unis continuaient à soutenir politiquement et financièrement Bagdad puisque la guerre était finie. Des sénateurs tentèrent de faire passer le Prevention of Genocide Act à propos des Kurdes. Mais leur tentative se heurta au refus de l'administration Reagan. Toutefois, la menace de sanctions mobilisa le lobby pro-irakien : Marshall Wiley, de l'US-Iraq Business Forum, écrivit à Reagan pour protester contre d'éventuelles sanctions. Finalement, Washington intensifia son commerce avec Bagdad. Le sénateur Lawrence Pope, le seul officiel américain à avoir exprimé son inquiétude sur le sort des Kurdes, ainsi que Haywood Rankin, un ex-secrétaire de l'ambassade américaine à Bagdad, perdirent leurs postes peu après avoir fait des déclarations sur les pratiques du régime irakien. Ni Peter Burleigh, leur supérieur, ni Richard Murphy, ni la Maison-Blanche ne les défendirent.

## La fin de la guerre Iran-Irak : l'heure des comptes

La fin de la guerre entre l'Iran et l'Irak sonna l'heure des comptes pour Bagdad. Saddam Hussein avait cru pouvoir s'endetter sans limite auprès de ses créditeurs occidentaux et du Golfe. Sans doute pensait-il que sa puissance militaire serait reconnue et que la guerre qu'il avait menée contre le « danger islamiste » lui vaudrait de voir l'ardoise de l'Irak effacée. La suite allait lui prouver qu'il n'en était rien : la dette irakienne sera utilisée pour pousser le régime de Bagdad à la faute, avec l'occupation du Koweit.

Il y avait également une autre illusion que Bagdad devrait réaliser : l'alliance stratégique américano-irakienne inavouée ne valait que dans le contexte de la guerre contre l'Iran islamique. Une fois le « danger islamique » écarté, la puissance militaire irakienne risquait de devenir aux yeux de Washington la principale menace pour la région. Certes, les dirigeants irakiens avaient dénoncé à plusieurs reprises la duplicité américaine dans la guerre entre l'Iran et l'Irak. Quand Téhéran paraissait proche de la défaite, Washington donnait le feu vert pour des ventes d'armes sous couverture israélienne à l'Iran. Quand Bagdad semblait sur le point de perdre la partie, Washington encourageait les ventes d'armes françaises à l'Irak. En 1986, quand l'armée irakienne était au bord de la défaite, elle put retourner la situation en sa faveur grâce à l'entrée en action de la marine américaine dans le Golfe. « Ni vainqueur ni vaincu » était le credo américain dans la guerre Iran-Irak. Henry Kissinger déclarait crûment : « Nous voulons qu'ils continuent à s'entretuer le plus longtemps possible. » Mais ce constat de la duplicité américaine était passé au second plan lorsque les Irakiens avaient constaté que les États-Unis leur offraient ce qu'ils avaient de meilleur en technologie et en aide financière.

Pour l'heure, la fin de la guerre avec l'Iran ne paraissait pas devoir marquer celle de l'alliance entre Washington et Bagdad. Les hommes d'affaires arrivèrent en masse dans la capitale irakienne, espérant être enfin payés, comme pour une nouvelle ruée vers l'or. Mais les problèmes apparurent vite. L'Irak était incroyablement endetté – sa dette se montait à soixante-dix milliards de dollars, et plus encore si l'on compte les trente-cinq milliards de dollars extorqués par Saddam Hussein à ses voisins arabes en argent et en pétrole. La France, la Grande-Bretagne, l'Italie et l'Allemagne tiraient la sonnette d'alarme. Saddam s'efforça de rassurer ses créanciers en leur promettant qu'il honorerait toutes ses dettes grâce à de nouveaux juteux contrats s'ils se détournaient d'un plan de remboursement à long terme, lequel aurait pour résultat la mise sous tutelle internationale de l'économie irakienne. Les Américains paraissaient moins inquiets : après la guerre Iran-Irak, leurs exportations vers l'Irak connurent un bond en avant spectaculaire, dépassant pour la première fois en 1988 un milliard de dollars. L'Irak était devenu le plus gros marché de compagnies comme Comet Rice, un acteur important dans l'US-Iraq Business Forum, et les exportations concernaient alors surtout des produits alimentaires. Mais, en même temps, l'exportation de produits high-tech à finalité militaire continua. Les exportateurs industriels furent ouvertement encouragés par le département d'État, celui du Commerce et l'US-Iraq Business Forum à aller chercher des contrats irakiens. À la fin de l'année, les États-Unis étaient le plus gros acheteur de pétrole irakien : en 1988, des compagnies pétrolières américaines, notamment Coastal Oil, Chevron, Conoco et Mobil Occidental Petroleum, achetèrent 25 % de la production irakienne. Les relations américano-irakiennes avaient tout d'un solide partenariat. Reagan n'allait pas risquer tout cela pour quelques Kurdes. Ni George Bush.

Une audition du Sénat sur l'Irak en janvier 1989, Bush étant président, aboutit à un appel réclamant des sanctions économiques contre l'Irak pour punir le régime d'utiliser des gaz contre ses propres citoyens. Le 25 janvier, le Sénat vota le Chemical and Biological Control Act of 1989, exhortant le gouvernement à interdire les exportations vers l'Irak d'équipements high-tech et à mettre un terme aux prêts, y compris ceux du CCC et les crédits d'Eximbank (une banque qui avait suivi l'exemple de la BNL dans les prêts à l'Irak). Des voix s'élevaient pour demander un embargo total sur les échanges avec l'Irak.

L'une des premières actions officielles du président Bush fut d'opposer son veto aux sanctions visant l'Irak. Non seulement la nouvelle administration américaine n'entendait pas mettre un terme aux affaires avec l'Irak, mais elle voulait les développer encore plus. Dans les premiers mois de la présidence de Bush, la Maison-Blanche promulgua une directive

(National Security Decision Directive) appelant à améliorer les relations avec l'Irak et à faire plus d'affaires encore avec Bagdad. Encouragé par l'administration, le commerce américain avec l'lrak passa à trois milliards de dollars en 1989 et arriva à son plus haut point en 1990, juste avant l'invasion du Koweit. Pour les officiels américains à Washington et à Bagdad, la BNL se révélait un instrument très utile. Christopher Drogoul (un Américain franco-libano-allemand), homme d'affaires lié à la BNL, commença à chercher d'autres établissements bancaires pour financer les crédits à l'Irak. Il trouva d'importants financements de sources variées, tous pour des livraisons militaires.

Washington enfonçait toujours plus l'Irak dans l'endettement, afin de tenir le régime de Saddam Hussein à sa merci. Si, en plus, ce jeu pervers permettait de faire durer les affaires plus longtemps... Le caractère multiforme de l'action américaine facilitait le jeu de cache-cache. Les différents acteurs américains, politiques et économiques, se renvoyaient la balle. Ainsi, en 1989, le seul gros fournisseur de l'Irak absent à la foire de Bagdad était Washington, l'administration américaine souhaitant ne pas donner trop de publicité à l'autorisation de Washington de vendre des armes à Bagdad. La présence officielle fut remplacée par celle de compagnies américaines (General Motors y eut un stand remarqué). Beaucoup d'alliés occidentaux qui vinrent à la foire de Bagdad reçurent un choc : les Irakiens étaient désormais capables de fabriquer leur propre armement.

April Glaspie, la nouvelle ambassadrice américaine à Bagdad, se considérait comme une amie des Arabes[1]. Fervente partisane du commerce entre Washington et Bagdad, elle fut elle-même impliquée dans des contrats civils et militaires. En mai 1989, l'administration Bush écouta ses recommandations et annonça son intention de libérer le commerce avec Bagdad de toute contrainte, malgré l'opposition du Pentagone à la vente d'équipements high-tech à l'Irak. Dennis

---

1. Elle avait été nommée par John Kelly, le nouveau sous-secrétaire d'État pour le Proche-Orient.

Kloske, nommé par Bush à la tête du Bureau of Export Administration au département du Commerce, savait mieux que
quiconque l'utilisation faite par Bagdad de la technologie
américaine, mais il choisit de l'ignorer. Marshall Wiley, de
l'US-Iraq Business Forum, arriva dans la capitale irakienne le
4 juin 1989 et fut reçu par Saddam – une première pour une
délégation commerciale. Le monde de l'industrie était là au
complet : la délégation comptait, entre autres, les directeurs
d'Amoco, de Mobil Occidental Petroleum, de Westinghouse,
de General Motors, de Xerox, de Bell Textron…

L'édification de l'incroyable arsenal militaire irakien avait
coûté à l'Irak, depuis 1984, 14,2 milliards de dollars en équipements high-tech importés de Grande-Bretagne, de France,
d'Allemagne, d'Italie et des États-Unis. Seule la politique de
Washington, encourageant les crédits des banques à l'Irak,
avait pu permettre à un tel projet de voir le jour. Mais, en août
1989, à Atlanta, une inspection de la BNL amena Drogoul
devant les tribunaux : l'homme d'affaires dut se justifier de pratiques frauduleuses. Persuadé que Rome et Washington avaient
couvert ses activités, ce qui était bien le cas, il ne s'inquiéta pas
outre mesure, avant de comprendre que, cette fois, il devait
rendre des comptes. La faillite de la BNL n'eut pas de conséquences majeures aux États-Unis, mais elle fut importante pour
l'Irak. Wiley et l'US-Iraq Business Forum commencèrent à
solliciter l'administration Bush pour des prêts directs à Bagdad.
April Glaspie rendit même visite à Eximbank, où elle se fit
l'avocate du commerce avec l'Irak. Les pressions pour trouver
de nouveaux crédits pour l'Irak venaient ainsi non seulement de
l'industrie, mais aussi de l'intérieur de l'administration Bush. À
la foire de Bagdad, Glaspie notait « un large échantillon représentant les techniques les plus avancées de l'Amérique et illustrant la confiance américaine dans l'avenir radieux de l'Irak.
L'ambassade américaine place sa toute première priorité dans
la promotion du commerce et de l'amitié entre les États-Unis et
l'Irak. » Une fois encore, la duplicité américaine était rendue
possible par la multiplicité des acteurs et par la toute-puissance
américaine, qui rendait toutes les options favorables aux intérêts des États-Unis.

Mais tandis qu'April Glaspie, John Kelly, le nouveau sous-secrétaire d'État pour le Proche-Orient, et le lobby pro-irakien s'activaient, sincèrement persuadés qu'il était de l'intérêt des États-Unis de faire du commerce avec l'Irak, d'autres, notamment au Congrès, fourbissaient leurs armes pour mettre un coup d'arrêt à la montée en puissance de l'Irak. Les services de renseignements américains semblèrent se réveiller soudainement le 7 décembre 1989. Le lendemain, des officiels américains à Washington déclarèrent que les programmes de missiles irakiens étaient un sujet d'inquiétude majeur pour l'administration Bush. Tout aussi rapidement qu'il était passé en 1982 d'État paria soutenant le terrorisme international au statut d'important partenaire économique et politique des États-Unis, l'Irak allait passer en 1990 du statut de puissance militaire du tiers-monde reconnue à celui de menace de premier ordre.

John Kelly arriva à Bagdad le 12 février 1990 pour rencontrer Saddam Hussein en privé. À ce moment, le Moyen-Orient semblait être à la merci de l'Irak et de sa puissance militaire. Mais les dettes de Saddam étaient insurmontables, tandis que l'utilisation de gaz émouvait des sénateurs. C'était le premier voyage de John Kelly depuis qu'il avait succédé à Richard Murphy, l'année précédente. Il était accompagné par April Glaspie, qui avait déjà rencontré Saddam en privé à plusieurs reprises. Kelly fit valoir à Saddam Hussein que l'administration Bush faisait tout pour contrer les efforts du Congrès visant à imposer des sanctions à l'Irak pour ses violations des droits de l'homme. Le 15 février, un éditorial en arabe de *Voice of America*, qui exprime le point de vue du gouvernement américain, décrivait Saddam Hussein comme le pire dictateur de la terre. Huit jours plus tard, le dirigeant irakien s'envola pour Amman, où il retrouva le roi Hussein de Jordanie, Moubarak et Ali Salem, le président du Yémen, pour célébrer le nouveau Conseil de coopération arabe. Lors de ce sommet, réduisant à néant les efforts de Murphy et Kelly pour le présenter comme « modéré », il dénonça la volonté américaine de dominer le monde arabe. Le piège était en train de se refermer sur lui.

En endettant son pays pour acheter des armes, Saddam avait hypothéqué l'avenir de l'Irak pour deux générations. Or ni le

Koweit ni l'Arabie ne voulaient effacer les trente-cinq milliards de dollars de la dette irakienne, et le prix du pétrole avait plongé sous une barre historique. À partir de 1989, le Koweit mena une politique pétrolière dans laquelle Bagdad vit une véritable déclaration de guerre. Si tel est bien le cas, est-il possible que le petit émirat se soit lancé dans une telle épreuve de force envers son puissant voisin sans avoir reçu l'aval d'une puissance encore plus grande ? On se rappelle que le Koweit, qui n'avait pas un besoin urgent de liquidités, se mit à inonder le marché de son pétrole, dépassant de 20 % le quota fixé par l'OPEP. Il en résulta une chute des cours qui fit perdre à l'Irak un tiers de ses revenus pétroliers. Le Koweit commençait à se rembourser d'autorité en prenant la part de l'Irak sur le marché pétrolier : du fait de la destruction de ses infrastructures pétrolières, l'Irak n'était pas en mesure de produire autant que l'émirat. Or, dans le même moment, la BNL était sabotée par le gouvernement américain, après avoir servi à de juteuses affaires.

Aux États-Unis, le lobby pro-irakien réagit lentement à ces événements. Les fermiers du Midwest, les vendeurs de high-tech, les fabricants de blindés et leurs congressistes n'avaient pas agi, on s'en doute, par amour pour l'Irak et ne pensaient qu'à l'argent. Pourtant, Bush encouragea une délégation à se rendre à Bagdad (elle était conduite par le sénateur Robert Dole et par Alan Simpson) le 12 avril afin de renouer les fils de l'« amitié » avec Saddam Hussein. Le président irakien tenta alors de focaliser l'opinion sur le danger israélien pour détourner les regards de ses préparatifs en direction du Koweit. Mais ses menaces contre Israël aboutirent à des restrictions des produits exportés vers l'Irak par les États-Unis, tandis qu'au Congrès de Washington la lutte entre pro- et anti-Irakiens s'intensifiait.

Bagdad préparait son invasion du Koweit, issue désespérée pour éviter la banqueroute financière de l'Irak et la mise sous tutelle du pays par des banques étrangères. L'Occident semblait se réveiller : les accusations sur le programme nucléaire irakien fusaient de toutes parts, et l'exécution du journaliste britannique d'origine iranienne Farzod Bazoft tomba à point nommé pour présenter le dirigeant irakien comme un dictateur sanguinaire. Mais, jusqu'à l'invasion du Koweit, des compagnies occidentales continuèrent de travailler main dans la main avec l'Irak. Les déclarations anti-israéliennes passeraient, pensaient-elles, et le commerce resterait.

## *Le piège se referme sur Saddam et sur l'Irak*

Les États-Unis ont-ils permis à Saddam Hussein d'envahir le Koweit ? Aux États-Unis, cette question a le don de provoquer des réactions indignées : « Nous n'avons jamais dit à Saddam : Allez-y, vous pouvez y aller ! » Pas plus que les États-Unis n'avaient donné un feu vert clairement exprimé à l'Irak pour attaquer l'Iran en 1980, ils n'ont permis explicitement à Bagdad de s'emparer de l'émirat. Pourtant, personne n'était mieux informé que les Américains de la situation inextricable dans laquelle se trouvait l'Irak et des intentions de son dirigeant. Leurs satellites montraient l'ampleur de la mobilisation irakienne aux frontières de l'émirat, et les entretiens entre Saddam Hussein et April Glaspie laissaient peu de doute sur les préparatifs de guerre. Comme en 1980, lors de l'attaque contre l'Iran, les États-Unis n'avaient pas besoin de prendre une aussi lourde responsabilité. Il leur suffisait d'un signe ou d'une absence de réaction pour laisser croire à l'autre qu'il bénéficiait d'une approbation tacite, ou du moins d'une non-réprobation. En clair, s'il lui avait été signifié que l'invasion du Koweit serait un *casus belli*, Saddam Hussein aurait probablement accepté, de mauvaise grâce, de négocier une mise sous tutelle internationale de l'économie irakienne plutôt que de se lancer dans une aventure suicidaire. La publication par le maître de Bagdad des entretiens qu'il avait eus avec April Glaspie en 1990 semble suffisamment convaincante. Dans ces entretiens, l'ambassadrice américaine multipliait, jusqu'à la veille de l'invasion du Koweit, les propos rassurants à l'égard de l'Irak, laissant croire à son interlocuteur, en toute bonne foi, que les États-Unis considéraient le différend entre l'Irak et le Koweit comme un « problème à régler dans un cadre arabe », et que Washington, en tout état de cause, ne réagirait pas. Cette publication a signé la fin de la carrière diplomatique de l'ambassadrice américaine. Saddam a-t-il été poussé à la faute ?

Le 2 août 1990, cent mille soldats de Saddam envahirent le Koweit. En un laps de temps record, tous les médias occidentaux brossèrent un tableau soudainement effrayant du régime irakien. L'Irak, pouvait-on lire, allait bientôt se doter de l'arme nucléaire, et, selon la CIA, c'était là une raison suffisante pour que les États-Unis interviennent. On hésitait toutefois sur la date à laquelle l'Irak disposerait de la bombe atomique : deux ans, cinq ans, dix ans ? L'armée irakienne devenait la troisième armée du monde, et on se souvient du « canon géant » capable de menacer, au-delà d'Israël, une partie de l'Europe... La machine de guerre de Saddam, bâtie presque exclusivement par des compagnies occidentales, devait être détruite. La diabolisation par les Américains de leur récent allié facilita la mise sur pied d'une vaste coalition dans laquelle chacun avait une raison propre de se satisfaire de la destruction de la puissance militaire irakienne. Les alliés des États-Unis dans la seconde guerre du Golfe ne pressentaient probablement pas à quel point la raison qui l'emporterait serait celle des États-Unis.

Des intenses tractations qui avaient suivi l'invasion du Koweit par l'Irak, il ressortait que Saddam Hussein était prêt au compromis. Mais les États-Unis firent en sorte de faire échouer toutes les médiations, qu'elles soient arabes, européennes, russes ou le fait du secrétaire général de l'ONU, Perez de Cuellar. Washington donnait quarante-huit heures aux médiateurs pour aboutir à un compromis. Et le président américain lança un ultimatum à Bagdad, avec le 15 janvier 1991 comme date butoir. Visiblement, l'Amérique ne voulait pas de solution diplomatique. La guerre semblait planifiée, comme si Washington n'avait attendu que la faute de Bagdad pour appliquer une décision qui était peut-être bien antérieure à l'invasion de l'émirat. En même temps que les États-Unis s'étaient lancés dans une course effrénée aux contrats avec l'Irak, n'avaient-ils pas aussi projeté la destruction de l'arsenal à la constitution duquel ils avaient largement contribué ?

Dans les jours qui suivirent l'occupation du Koweit, les officiels américains se succédèrent à Riyadh pour convaincre les Saoudiens de la gravité de la menace irakienne. À les entendre, Saddam ne se contenterait pas du petit Koweit. Ils fournirent aux dirigeants saoudiens des photos prises par satellites qui accréditaient l'idée que les troupes irakiennes basées au Koweit étaient prêtes à déferler sur la province pétrolière saoudienne du Hassa. Aucun acteur indépendant n'a jamais pu avoir accès à ces clichés. En revanche, tous les témoignages concordent pour assurer que les troupes irakiennes au Koweit s'étaient « enterrées » et qu'aucune activité militaire n'était visible, que ce soit à l'aéroport de Koweit-City ou vers la zone frontalière. Le 7 août 1990, les dirigeants saoudiens, pris de peur, acceptèrent la protection américaine. Dès le lendemain, un véritable pont aérien fut établi : en quelques mois, plus de cinq cent mille soldats américains débarquèrent en Arabie. Aucun pays arabe n'avait jusqu'alors accepté de base américaine sur son sol. Désormais, des soldats américains stationnaient pour une période indéfinie sur une terre arabe, et non des moindres, puisqu'il s'agissait du pays recelant les réserves de pétrole parmi les premières du monde et abritant les Lieux saints de l'islam. Depuis la Seconde Guerre mondiale, l'Arabie refusait d'accueillir des bases américaines sur son sol. Elles devinrent alors une réalité.

Quand les avions américains commencèrent à bombarder Bagdad, le 17 janvier 1991, les pilotes furent surpris de voir qu'il n'y avait pas de couvre-feu et que la ville était « illuminée comme Las Vegas ». Défi irakien ou intime conviction que les États-Unis n'attaqueraient pas ? « Tempête du désert », le nom que les États-Unis donnèrent à leur guerre contre l'Irak, ne dura que quelques semaines. La coalition anti-irakienne, au sein de laquelle les États-Unis fournissait l'essentiel des forces, alignait face à l'Irak une armada hallucinante. Une machine pour écraser un caillou ! En quarante-deux jours, quatre-vingt-cinq mille tonnes de bombes furent déversées sur l'Irak, soit plus de sept fois la puissance de la bombe atomique d'Hiroshima. La seconde guerre du Golfe prouvait qu'il est possible de détruire un pays sans engager un seul soldat au sol. Alors que les pertes alliées furent infimes, les victimes irakiennes se chiffrent par dizaines de milliers (entre 130 000 et 180 000 morts). Les infrastructures militaires ne furent pas les seules visées : les télécommunications furent systématiquement détruites, ainsi que l'approvisionnement en eau et en électricité et la chaîne alimentaire. À cette occasion, les États-Unis expérimentèrent une nouvelle arme : les obus contenant de l'uranium appauvri (uranium 238). Ce n'était pas cher, puisqu'il suffisait de se servir dans les nombreux stocks de déchets nucléaires. Rien ne pouvait résister à un tel obus, capable de perforer le bunker le plus profond et les blindages les plus résistants. Mais la toxicité de l'uranium et du plutonium, qui l'accompagnait, métaux dont la radioactivité dure des millions d'années, n'est pas à démontrer. Les soldats américains n'en furent pas informés. Le 27 février 1991, ils investirent Koweit-City sans véritables combats. Le jour même, le président Bush annonça en fanfare la victoire sur l'Irak. Au même moment, Saddam clamait que sa défaite était une victoire historique, la « mère des batailles ».

## La résurrection de Saddam et son prix

Le but de la guerre était peut-être la libération du Koweit, mais en aucun cas le renversement de Saddam Hussein, comme tendait à l'accréditer Washington. Le 15 février, le président Bush avait appelé les Irakiens à se soulever. Au moment où Saddam Hussein ordonna à ses troupes de se retirer du Koweit en vingt-quatre heures, l'armée irakienne était désintégrée. Aucun accord n'avait été conclu pour garantir la protection de la retraite de l'armée, illustrant le mépris du régime irakien pour l'institution militaire comme pour la vie de ses soldats. En pleine débandade, ceux-ci furent bombardés par les Alliés. Des dizaines de milliers d'entre eux refluèrent vers l'Irak, habités par une colère sans bornes contre le régime qui les avait abandonnés.

La révolte commença à Zubayr, où s'étaient regroupés une partie des soldats en fuite. Ils distribuèrent des armes à la population. Parti du sud du pays, le soulèvement s'étendit en quelques jours à tout l'Irak, jusqu'aux portes du pouvoir. Quatorze des dix-huit provinces du pays échappaient alors au contrôle du pouvoir. Les insurgés pensaient qu'aucun régime ne pouvait survivre au désastre qui s'était abattu sur le pays. Ils n'attendaient pas de soutien explicite de la part des Alliés, car le passé récent leur avait assez montré que les sympathies occidentales allaient au régime plutôt qu'à l'opposition ou à la société irakiennes. Mais personne ne se doutait que les Américains iraient jusqu'à permettre au régime irakien de venir à bout de l'*intifâda*, et cela au prix de dizaines de milliers de morts.

Quand, le 28 février, un cessez-le-feu unilatéral fut décrété par le président Bush, Saddam Hussein avait déjà mis ses corps d'élite de la Garde républicaine à l'abri. La veille, le général Norman Schwarzkopf, commandant en chef des forces américaines, avait en effet permis aux unités militaires les plus loyales à Saddam d'échapper à un encerclement allié, ce qui aura une conséquence décisive pour la suite des événements. Ce cessez-le-feu, alors que les troupes alliées étaient déjà entrées en Irak, provoqua une énorme surprise. Colin Powell, alors chef de l'état-major des armées, et Norman Schwarzkopf furent les premiers étonnés. Rien, sur le plan militaire, ne semblait justifier de s'arrêter au milieu du gué. La proclamation du cessez-le-feu était liée avant tout au développement du soulèvement dans le Sud. La décision était éminemment politique. C'était un signal fort envers Saddam. Cela signifiait que les événements à l'intérieur de l'Irak relevaient, aux yeux des Américains, de la seule compétence de Bagdad. En clair, Saddam avait carte blanche à l'intérieur des frontières irakiennes. Le message fut bien reçu.

Les médias occidentaux ne parlèrent que tardivement de l'*intifâda*. D'une part, il n'y avait pas de témoins indépendants sur place. D'autre part, il ne fallait pas donner l'impression que les Américains abandonnaient la population irakienne. Le 3 mars 1991, à Safwan, à la frontière entre l'Irak et le Koweit, des chefs militaires irakiens demandèrent au général Schwarzkopf d'autoriser la Garde républicaine à faire voler ses hélicoptères. Le général américain donna son accord, non seulement pour l'utilisation des hélicoptères, mais aussi, sous certaines conditions, pour celle de l'artillerie lourde.

Le cessez-le-feu visait à permettre à Saddam d'éradiquer le soulèvement dans le Sud. L'*intifâda* de mars 1991 fut réprimée dans le sang, contre toute attente, par un régime dont la chute paraissait inéluctable. Dans les villes saintes chiites, le vieil ayatollah Khoï semblait dépassé par les événements et ne put constituer une direction effective pour les insurgés. Son fils aîné, Abd al-Majid, tenta de rejoindre les Alliés dans le sud de l'Irak pour leur demander leur aide. Son équipée illustre bien la réalité de ces journées tragiques. Abd al-Majid al-Khoï décida donc de partir avec un groupe de responsables du soulèvement. Sur leur route, ils rencontrèrent de nombreux insurgés, et ceux-ci leur disaient que les Américains avaient confisqué les armes et les munitions qu'ils venaient de récupérer dans les dépôts de l'armée irakienne à Nasiriyya et dont ils avaient désespérément besoin. Ces témoignages furent confirmés de toutes parts : les Américains faisaient systématiquement sauter les dépôts d'armes et de munitions irakiens, privant ainsi les insurgés de tout moyen face à la Garde républicaine ; quand ils récupéraient des armes, ils les rapportaient à l'arrière – une partie de ces armes, dit-on, fut envoyée aux moudjahidin afghans. Les hommes conduits par Abd al-Majid al-Khoï rencontrèrent les premiers soldats américains près de Nasiriyya et leur expliquèrent qui ils étaient et ce qu'ils voulaient. L'accueil ne fut pas des plus chaleureux. Les officiers américains suggérèrent au petit groupe d'aller voir les Français, qui se trouvaient en plein désert à cent trente kilomètres de là. Les Irakiens les trouvèrent le 11 mars, s'imaginant qu'ils avaient enfin frappé à la bonne porte. Quatre heures plus tard, le lieutenant-colonel français vint leur dire que le général Schwarzkopf viendrait en personne les rencontrer à Safwan deux jours plus tard. Comme Safwan était à trois cent vingt kilomètres et qu'il était très dangereux d'y aller par terre, les Irakiens demandèrent si l'un des nombreux hélicoptères qu'ils voyaient dans le ciel ne pourrait pas les y conduire. Ils attendirent ainsi pendant deux jours près de Samawa, où on leur expliquait que la rencontre avec Schwarzkopf était sans cesse reportée. Abd al-Majid se rappelle qu'un Français lui dit : « Les Américains s'inquiètent à cause des Iraniens. Ils se demandent qui a apporté les photos de Khomeiny en Irak. » Abd al-Majid lui répondit : « Je n'ai vu aucune photo de Khomeiny dans aucune des villes que nous avons traversées. Probablement confondaient-ils avec les photos de mon père, l'ayatollah Khoï, qui est aussi un vieillard barbu et enturbanné. » Finalement, les Américains firent dire que la rencontre de Safwan était annulée et qu'il n'y aurait pas d'hélicoptère. Ils ajoutèrent : « Nous ne vous soutiendrons pas, car vous êtes du groupe du Sayyid [al-Hakim, chef de l'Assemblée supérieure de la révolution islamique en Irak, en exil à Téhéran]. » Saddam était tenu au courant de tous ces développements grâce à l'interception des télécommunications entre les insurgés. À ce moment, le dirigeant irakien reprit confiance et décida de passer à la contre-attaque.

Au même moment, Bush répétait que les résolutions de l'ONU concernaient seulement la libération du Koweit et qu'elles ne lui permettaient pas d'intervenir en Irak. Il se réfugiait derrière les pressions saoudiennes et des émirats contre une intervention dans le pays. Washington commençait aussi à se dédouaner de son abandon de l'*intifâda* en faisant valoir que les Saoudiens étaient hostiles à l'idée d'aider les chiites. Mais il n'était pas nécessaire d'aller jusqu'à Bagdad pour faire tomber Saddam, ni même d'engager des soldats américains au sol. Un simple signe que les Alliés interdiraient la répression de l'*intifâda* aurait suffi. Au lieu de cela, les militaires américains sauvèrent la Garde républicaine, autorisèrent les hélicoptères de Saddam à survoler le pays, en violation des termes du cessez-le-feu, et apportèrent une assistance tacite aux forces de répression irakiennes en interdisant aux insurgés l'accès aux dépôts de munitions et d'armes. Le 26 mars, une réunion à la Maison-Blanche entérinait l'abandon de l'Irak à ses propres démons : « Nous n'interviendrons pas dans le conflit interne en Irak. » La Garde républicaine bombarda la ville de Rumaytha à l'arme chimique. La ville sainte de Kerbéla subira le même sort plus tard. Entre Najaf et Kerbéla, alors sous le feu des forces gouvernementales, les insurgés irakiens pouvaient voir les avions américains. De leurs avions, les Américains assistaient au carnage et savaient donc exactement ce qui se passait. Pour sa part, Colin Powell pensait que l'armée, faute de carburant, ne pourrait réprimer les insurgés. Mais Bush savait que Bagdad avait des réserves de carburant cachées suffisantes pour venir à bout d'insurgés dépourvus d'armes.

Si les États-Unis ne pouvaient ignorer ce qui se passait alors, on ne peut pour autant parler de préméditation. Comme c'est parfois le cas avec la politique étrangère américaine, il y eut une part importante d'improvisation. Jusqu'au cessez-le-feu, la conduite de la guerre avait été largement laissée aux militaires, comme l'attestera Brent Scowcroft, conseiller de Bush pour la sécurité nationale. Pas plus qu'avant les États-Unis n'avaient d'intérêt particulier dans la politique intérieure en Irak. Ils croyaient qu'un coup d'État militaire renverserait Saddam : tous les analystes le prédisaient. Bush appelait l'Irak à se soulever, mais cet appel s'adressait à des officiers irakiens et non pas à la population. Les militaires sunnites, terrorisés par l'avancée des insurgés chiites vers Bagdad, firent passer avant tout un réflexe de solidarité confession-nelle avec le régime. L'ironie voulut que, en voulant favoriser un coup d'État militaire, Bush encouragea l'*intifâda*, qui empêcha le coup d'État militaire de se réaliser.

De façon tout à fait claire, Washington n'était pas intéressé par la victoire des insurgés. Pendant la guerre Iran-Irak, il n'y avait pas eu de contact entre les Américains et l'opposition irakienne. L'éclatement de cette dernière et l'attitude anti-occidentale d'une grande partie de ses forces s'ajoutaient à la crainte de voir s'installer un chaos généralisé en Irak. Et comme le prince saoudien Turki bin Faysal l'assura lui-même à Abd al-Majid al-Khoï : « Nous ne pouvons rien faire pour vous. Les Américains ne veulent pas la chute de Saddam. »

Saddam Hussein réussit à sauver son régime. Le prix à payer allait être la mise sous tutelle internationale de l'Irak et un retour inavoué, par le biais des résolutions de l'ONU, à une forme de domination occidentale sur le pays, désormais privé d'une grande partie de sa souveraineté. Le 16 avril 1991, les troupes américaines entraient dans le nord de l'Irak pour venir en aide aux Kurdes. Malgré leurs réticences à intervenir en Irak même, les États-Unis devenaient bien un acteur décisif dans l'avenir du pays.

## Sanctions et instrumentalisation
## de l'opposition irakienne

L'embargo contre l'Irak décrété par l'ONU en août 1990, puis la défaite irakienne en février 1991, ont planté un décor qui a semblé immuable pendant plus de dix ans. Le pays du Tigre et de l'Euphrate a certainement été soumis au régime de sanctions le plus dur et le plus sévère jamais imposé à un pays à l'époque moderne. À partir de 1991, un « allégement » des sanctions succéda à l'embargo total. L'Irak était autorisé à vendre une quantité limitée de son pétrole, à un prix fixé par le comité des sanctions de l'ONU, afin de permettre au pays d'importer le minimum vital. Mais, du fait de l'attitude quasi maniaque des États-Unis, cet « allégement » était très relatif ; des médicaments de base et des produits alimentaires étaient interdits à l'importation sous prétexte qu'ils pouvaient être utilisés dans la fabrication d'armes chimiques ; par manque d'aérosols, une maladie comme l'asthme devint mortelle.

Légitimées par des votes à l'ONU, les sanctions ont aussi introduit un nouveau mode de relation entre les États-Unis et le régime de Saddam Hussein. Il y avait désormais un vainqueur et un vaincu, et le vaincu savait qu'il était redevable aux États-Unis de son maintien, passé et futur. Officiellement, dans les discours américains, les sanctions étaient censées faire tomber Saddam Hussein. Or il devint vite évident que non seulement elles ne le feraient pas tomber, mais qu'au contraire elles le renforçaient. Le régime des sanctions se transforma en marchandage permanent entre Washington et Bagdad, dont l'enjeu était le degré de soumission des dirigeants irakiens à la volonté américaine. Ce théâtre d'ombres pouvait donner l'impression d'un affrontement entre ennemis déclarés. C'était en réalité un dialogue musclé, à coups de bombardements limités, mais parfois meurtriers (« Frappe du désert » en septembre 1996, puis, « Renard du désert » en décembre 1998), d'ultimatums, de ruptures, suivis de négociations. Lors de la guerre contre l'Iran, le régime de Saddam Hussein avait servi à contrer la révolution islamique. Dans le contexte des sanctions, ce même régime servit aux États-Unis à étendre leur domination sur la région et à faire revenir l'Irak à une forme de dépendance inavouée à l'égard des pays occidentaux.

Durant toute cette période, comme lors des événements qui avaient précédé, la situation de l'Irak n'était pas le fruit d'une préméditation américaine. Washington s'est contenté d'engranger les bénéfices impressionnants que sa toute-puissance lui permettait, sans pour autant avoir besoin d'une politique cohérente à long terme. Parmi les immenses bénéfices que les États-Unis ont retirés en traitant avec un Irak soumis à un régime vaincu, il y a le fait que les forces américaines se sont installées durablement dans la région stratégique du Golfe et qu'elles contrôlent désormais directement les premières réserves de pétrole du monde (Irak, Arabie saoudite, Golfe). Après l'élimination de l'Irak du rapport de force entre Israël et les pays arabes, la domination américaine pouvait s'installer sans partage sur la plupart des régimes arabes en place. La signature d'accords entre Israël, l'OLP et la Jordanie, puis la violation continue par Israël des accords avec l'OLP, n'ont été possibles que dans ce contexte. En même temps, l'utilisation systématique de Saddam Hussein comme épouvantail a aussi permis de relancer les ventes d'armes américaines à tous les États arabes et à la Turquie, à un niveau encore inconnu. Les alliés des États-Unis dans la région, notamment les voisins de l'Irak, ont tous trouvé un bénéfice à la perpétuation du statu quo. Et l'Iran islamique étant contenu, Washington pouvait dès lors utiliser l'Irak comme une simple carte dans ses relations avec Téhéran.

À l'origine, les sanctions de l'ONU étaient uniquement liées à la destruction et au contrôle à long terme de l'arsenal des armes irakiennes nucléaires, chimiques et bactériologiques, ainsi que des missiles à longue portée (résolution 687 du Conseil de sécurité, le 3 avril 1991). Mais, très vite, les États-Unis y ont ajouté la reconnaissance du Koweit par l'Irak, avec un nouveau tracé de la frontière, insistant par ailleurs sur l'observation de l'ensemble des résolutions de l'ONU : libération des Koweitis portés disparus, facilitation des efforts humanitaires de l'ONU, accord sur le remboursement des dettes irakiennes et paiement de dommages de guerre. À chaque nouvelle condition énoncée par Washington, le régime de Saddam Hussein s'est rebiffé avant de céder la plupart du temps. Bagdad finit par accepter, le 26 novembre 1993, le système très complet et draconien de surveillance de l'industrie d'armement irakienne dans le cadre de la résolution 715 du Conseil de sécurité (11 octobre 1991). Le 10 novembre 1994, le régime reconnaissait officiellement le Koweit et le nouveau tracé de la frontière entre les deux pays, qui prive pratiquement l'Irak de tout accès au Golfe. En mai 1996, après un bras de fer de près d'une année, il agréait la nouvelle mouture de l'accord « Pétrole contre nourriture », qui instaurait la mise sous tutelle du pétrole irakien (résolution 896 du 14 avril 1995).

En faisant monter chaque fois les enchères, Bagdad cherchait à marchander la reconnaissance de son rôle à plus long terme. Afin de priver Bagdad de sa marge de manœuvre, même réduite, Washington évoqua le respect des droits de l'homme comme condition à une levée des sanctions, sachant bien que Saddam Hussein ne respecterait jamais cette dernière condition. La géométrie variable des conditions de levée des sanctions, permise par une libre interprétation américaine des résolutions de l'ONU, illustre bien la conception utilitaire de l'ONU que se font les États-Unis. Dans leur discours, les Américains liaient la levée des sanctions au respect des résolutions de l'ONU par Bagdad, mais, dans les moments de tension, ils affirmaient que les sanctions ne seraient pas levées tant que le régime de Saddam resterait en place. Peu importait finalement, dans ce cas, que Bagdad se conforme ou non à ces résolutions. À d'autres moments, les sanctions n'étaient plus liées particulièrement à l'attitude de Saddam Hussein, mais à celle du gouvernement irakien, quel qu'il soit. Il n'y aurait de levée des sanctions, pouvait-on entendre de la bouche de responsables américains ou britanniques, que si un nouveau régime à Bagdad se montrait « *friendly to the West* ». Mais c'est bien à Saddam Hussein que les Américains avaient demandé de reconnaître l'indépendance du Koweit et la nouvelle frontière entre les deux pays. Fait-on ce genre de demande à un régime qu'on considère comme illégitime et à la chute duquel on travaille ?

Un autre exemple d'interprétation unilatérale et de détournement des résolutions de l'ONU : les bombardements anglo-américains hebdomadaires, depuis l'opération « Renard du désert » en décembre 1998, dans les deux zones d'exclusion aérienne au nord du 36ᵉ parallèle et au sud du 33ᵉ parallèle[1]. Ces zones, censées protéger les populations civiles des exactions du régime, avaient été instituées en 1991 pour la première, en 1992 et 1996 pour la seconde, à partir d'une interprétation libre de la résolution 688 de l'ONU par Washington. Désormais, elles visent, en facilitant la destruction des infrastructures militaires irakiennes, à rappeler au dirigeant irakien son statut de vaincu. Elles auraient fait en quatre années plusieurs centaines de victimes.

Outre le dossier récurrent des droits de l'homme, un autre dossier, celui du contrôle de l'armement irakien, devint, une fois réglé par un système de surveillance sophistiqué, l'enjeu privilégié des surenchères de part et d'autre. Les inspecteurs américains de l'UNSCOM rédigeaient leurs rapports défavorables à l'Irak sans consultation des autres inspecteurs (notamment français), et les autorités américaines recevaient ces rapports avant l'ONU. Il devint vite notoire que les services secrets américains et israéliens utilisaient la commission de l'ONU chargée du désarmement de l'Irak pour leur propre compte. En décembre 1998, Bagdad expulsa l'UNSCOM. Discréditée, l'UNSCOM fut remplacée par l'UNMOVIC. Dès lors, le retour des inspecteurs de cette nouvelle commission de l'ONU est devenu l'objet d'un nouveau bras de fer et la justification des menaces américaines.

Mais Washington est mieux placé que quiconque pour savoir que ce qui pouvait être détruit de l'arsenal irakien l'a déjà été et que ce qui en reste ne peut permettre au régime que de réprimer la population du pays.

C'est dans ce contexte qu'il faut situer les relations des États-Unis avec l'opposition irakienne. Ces relations avaient commencé au lendemain de l'*intifâda* de mars 1991. Le

---

1. En 1996, la zone d'exclusion aérienne au sud du 32ᵉ parallèle fut étendue au 33ᵉ parallèle.

16 avril, Layth Kubba, Ahmad Chalabi et Latif Rashid étaient reçus par des officiels américains. Les deux premiers sont des chiites appartenant à de riches familles commerçantes de Bagdad de l'époque de la monarchie, le troisième est le beau-frère de Jalal Talabani, le chef de l'UPK. L'histoire des rapports d'Ahmad Chalabi avec les Américains est exemplaire de la politique américaine envers l'opposition irakienne. Après l'écrasement de l'*intifâda* de mars 1991 et la disparition de la société irakienne des enjeux politiques, l'opposition irakienne, privée de son terreau naturel, fut condamnée à l'exil et rapidement captée par des intérêts non irakiens, chaque État voisin de l'Irak entretenant ses propres affidés. Les États-Unis n'étaient pas en reste. Ahmad Chalabi sut, mieux que quiconque, utiliser le système politique américain. Il commença une campagne agressive de lobbying à Washington pour lui-même et pour le Congrès national irakien (CNI) dès 1992. Très vite, ses appétits rencontrèrent ceux de sénateurs républicains puissants, comme Trent Lott ou Jesse Helms, ou encore le vétéran de la guerre froide Richard Perle. Il fut ensuite activement soutenu par la CIA et par des membres influents du lobby juif, qui lui organisèrent même une discrète visite en Israël. Il devint pour ces congressistes un instrument efficace contre la Maison-Blanche, accusée de faiblesse face à Saddam Hussein.

Le choix d'Ahmad Chalabi comme interlocuteur privilégié de l'opposition irakienne par les États-Unis (malgré la mauvaise opinion qu'on avait de lui, notamment au département d'État, où il est considéré comme un véritable escroc international) s'explique facilement. Inconnu en Irak même, qu'il a quitté il y a déjà longtemps (né en 1949, il n'est pas revenu dans le pays depuis 1956), il avait peu de chances d'y faire une carrière politique, quelle qu'elle soit, sans le soutien actif des États-Unis. Son chiisme permettait à Washington de maintenir des passerelles avec l'opposition chiite irakienne. Les charges qui pesaient sur lui après la faillite de la banque Pétra, qu'il dirigeait, provoquant la ruine de milliers d'épargnants jordaniens et libanais au début des années 1980, ses démêlés avec la justice jordanienne, le mettaient en position d'infériorité. En bref, il était le candidat idéal pour représenter, au-delà des enjeux politiques intérieurs américains, une opposition irakienne instrumentalisée par Washington. Le CNI fut, avec les partis kurdes, puis le Mouvement de l'Entente d'Ayyad Allawi, le principal bénéficiaire des « largesses » américaines, les sommes d'argent versées à l'opposition étant destinées à légitimer le discours des différents acteurs américains dans leur détermination de faire tomber Saddam Hussein.

En fait, personne aux États-Unis ne pensait que le CNI ou Ahmad Chalabi pourraient un jour renverser le régime de Bagdad. Le fiasco de la CIA, lors de l'occupation du Kurdistan par l'armée irakienne en septembre 1996, en disait long sur la duplicité américaine en la matière, de même que l'avortement sanglant, cette même année, d'une tentative de coup d'État financée par la CIA, dont le groupe d'opposition de l'Entente dirigée par Ayyad Allawi était censé être le maître d'œuvre. Un an plus tôt, une autre tentative de « soulèvement » militaire, dirigée par le général en exil Wafiq al-Samarra'i, avait tourné au fiasco. Présentée comme l'exécution d'un plan visant à renverser Saddam Hussein avec l'aide de la CIA, elle avait abouti aux exécutions sommaires à Bagdad des officiers compromis. Jusqu'au 11 septembre 2001, il est très probable qu'aucun des acteurs américains (Congrès, Maison-Blanche, CIA ou autres) n'ait jamais tenté sérieusement de renverser le régime de Bagdad. La rhétorique guerrière à l'égard de Saddam Hussein n'était plus qu'un simple argument de propagande intérieure aux États-Unis. L'Iraq Liberation Act, ratifié par Clinton le 31 octobre 1998, et la nomination, en janvier 1999, d'un « Monsieur transition démocratique » pour l'Irak en la personne de Francis F. Ricciardone, sont devenus un sujet de plaisanterie.

Qu'il s'agisse des rapports avec l'opposition irakienne, de l'application des résolutions de l'ONU ou, plus tard, des « sanctions intelligentes », le véritable interlocuteur des Américains était le régime de Bagdad. Celui-ci avait permis aux États-Unis de succéder à la Grande-Bretagne comme puissance dominante en Irak, mais la domination américaine était plus contraignante pour l'Irak que le mandat attribué à la Grande-Bretagne par la SDN. Les élites arabes sunnites au pouvoir à Bagdad se sont ainsi vu rappeler que leur mainmise n'est possible que si elles acceptent de soumettre l'Irak, de bon ou de mauvais gré, à la grande puissance occidentale du moment.

## L'Amérique prête à un retour sous contrôle de l'Irak de Saddam

La politique irakienne des États-Unis est un révélateur de ce qui paraît fonder la politique étrangère américaine en général, et, au-delà, d'une culture politique dont nous n'avons pas toujours conscience en Europe, surtout en France. Au Moyen-Orient, mais aussi en France, on pense souvent la politique étrangère américaine en termes de suspicion et de « complot ». Au pire, les États-Unis auraient une hostilité historique envers les Arabes et le monde islamique. Au mieux, ils n'auraient pas de politique étrangère du tout et navigueraient à vue au gré des intérêts contradictoires de lobbies influents. C'est méconnaître le fait que le pragmatisme à court terme qui semble toujours dominer les décisions américaines correspond à une vision du monde marquée par une certaine éthique protestante. Les États-Unis se sentent une responsabilité à la fois politique et morale, qui s'appuie sur une conscience très forte d'être la première puissance mondiale. Les Américains sont convaincus que ce qui est bon pour les États-Unis représente moralement le bien, et qu'en conséquence ils agissent également pour le bien du monde. L'intérêt supérieur américain mêle intimement morale et politique, ce que nous prenons souvent pour une simple bonne conscience.

Pour Washington, il n'y a donc pas de vérités ni d'alliances politiques éternelles. De ce pragmatisme, justifié par la nécessité politique et morale de défendre les intérêts supérieurs américains, découle la place occupée par les questions de politique étrangère, qui n'existent qu'en fonction d'intérêts américains à court terme et d'enjeux internes aux États-Unis. Tout candidat à la présidentielle, comme tout homme politique, sénateur ou membre de la Chambre des représentants, doit composer avec les lobbies qui dominent la vie politique américaine. La présidence, le Pentagone, la CIA, jouissent d'une autonomie supérieure à celle du Congrès par rapport à certains lobbies, ce qui est souvent interprété à tort comme l'expression de divergences purement politiques (par exemple, un Congrès à majorité républicaine hostile à toute pression sur Israël face à un président prêt à exercer des « pressions amicales »). En ce qui concerne le dossier irakien, les lobbies concernés sont multiples, du lobby juif au lobby pétrolier en passant par le lobby de l'industrie d'armement et les médias, sans oublier ce lobby particulier, si caractéristique de la vie politique américaine, le lobby humanitaire. À cela s'ajoutent les intérêts divergents des pays alliés des États-Unis au Proche et au Moyen-Orient.

Plus que jamais, c'était donc à Washington, bien plus qu'à New York, au siège de l'ONU, ou encore moins à Bagdad, que se décidait le sort de l'Irak. Le successeur de Bill Clinton continuerait-il à geler le dossier irakien ? Telle était la question posée avant la date fatidique du 11 septembre 2001. En contradiction avec la réputation de fermeté face à l'Irak qui était celle du camp républicain et du nouveau président Bush, la nouvelle administration américaine ne sembla modifier que légèrement la politique suivie jusque-là par les États-Unis envers Bagdad. Il y avait eu en effet une passivité apparente du gouvernement Clinton face à l'effritement constant de l'embargo comme face à la reprise des vols intérieurs et internationaux vers l'Irak. Par ailleurs, il était publiquement admis à Washington que la politique dite de *double endiguement* n'avait pas donné tous les effets escomptés et qu'elle devait céder la place à quelque chose d'autre.

Or, à partir de 1999, la « victimisation » de l'Irak par certains médias américains montrait que ce qui n'était auparavant qu'un thème de campagne des milieux pacifistes, de l'extrême gauche ou des communautés arabes américaines était en passe de devenir un enjeu politique. Quel homme politique américain pouvait endosser la responsabilité de ce qui était présenté de façon croissante comme un génocide à l'égard d'un peuple innocent ? L'idée selon laquelle l'embargo est une « arme de destruction massive » et un « crime de guerre » faisait son chemin. Les droits de l'homme, dont les États-Unis se veulent les champions, s'accordent mal avec l'image d'« affameur d'enfants ». Madeleine Albright en avait fait l'expérience quand, en 1996, interrogée par un journaliste face aux caméras sur le coût humain des sanctions (500 000 enfants irakiens morts, lui disait le journaliste), elle répondit, prise au dépourvu : « *We think the price is worth it* » (Nous pensons que ça en vaut la peine) ! Une petite phrase devenue célèbre dans le monde arabe et parmi les adversaires des sanctions aux États-Unis. Les justifications répétées de la CIA et du département d'État, rendant le seul régime irakien responsable de la tragédie de la population irakienne, montraient bien que l'image de ce pays avait changé outre-Atlantique. De danger potentiel, l'Irak tendait à devenir victime. Le sort de la population irakienne heurtait désormais de plus en plus la bonne conscience américaine.

Comment expliquer cette évolution ? L'absence quasi totale de l'Irak dans la campagne présidentielle de 2000 aux États-Unis était due au fait que les campagnes électorales ignorent habituellement les problèmes de politique étrangère et qu'il n'y avait aucun débat sur le dossier irakien. Et s'il n'y avait pas de débat, c'est qu'il y avait un consensus sur le sujet. La surenchère des républicains et du Congrès face à la présidence de Clinton ne doit pas abuser : ni les uns ni les autres n'avaient jamais eu l'intention de se donner les moyens de renverser le régime de Saddam Hussein, et la rhétorique guerrière de part et d'autre relevait avant tout de la propagande électoraliste et du jeu politique. Le vote de l'Iraq Liberation Act fut davantage un pavé républicain dans la mare de Clinton qu'une réelle volonté de passer à une étape offensive contre le régime irakien. Ricciardone, le « Monsieur transition démocratique », était généralement considéré comme un « pauvre type » (une expression qui revient souvent le concernant), c'est-à-dire comme quelqu'un sans pouvoir ni moyen.

Malgré tout, sous l'administration Clinton, les rencontres avec l'opposition irakienne à un haut niveau se poursuivaient. Le 26 juin 2000, le vice-président Al Gore reçut une fois encore des représentants du CNI à qui il annonça le versement de nouveaux fonds. Mais Ahmad Chalabi et le CNI, on l'a dit, misaient avant tout sur le Congrès à majorité républicaine et sur le lobby juif. Le département d'État et la CIA lui préféraient visiblement Ayyad Allawi et son Entente nationale, autre groupe de l'opposition irakienne, tout en essayant d'élargir à d'autres courants de l'opposition les offres de soutien américain (l'ayatollah Muhammad Baqer al-Hakim, en exil à Téhéran, étant la personnalité la plus convoitée). Contrairement à ce que claironna Ahmad Chalabi, à savoir que le Congrès armait déjà l'opposition irakienne, Martin Indyk, probablement l'interlocuteur américain le mieux informé de la politique américaine envers l'Irak, affirme que, s'il y a un aménagement de l'Iraq Liberation Act, il ne portera que sur des équipements « *non lethal* », c'est-à-dire « non meurtriers ». Membre de l'AIPAC (American Israel Public Affairs Committee) et connu pour ses positions pro-israéliennes, directeur d'un célèbre *think-tank* au Washington Institute for Near East Policy, Martin Indyk avait été à l'origine de la politique du *double endiguement* sous Clinton. En clair, l'opposition irakienne bénéficiaire de financements américains ne pouvait s'attendre qu'à des bureaux, des ordinateurs, des stages de dactylos ou de diffusion de l'information. Ceux qui misaient, au Sénat et au sein du lobby juif, sur Ahmad Chalabi ne l'avaient-ils d'ailleurs pas choisi parce qu'on était sûr qu'il ne connaîtrait pas de destin national irakien sans appui américain ? L'échec des opérations de la CIA en Irak et au Kurdistan en 1995 et 1996 manifestait assez bien que tous les acteurs américains privilégiaient le statu quo.

Jusqu'alors, ce consensus s'articulait autour d'une adéquation entre ce qui était considéré comme les intérêts stratégiques américains – contrôle des ressources énergétiques, contrôle des armements de destruction massive, lutte contre le « terrorisme » dans le monde – et la volonté de certains lobbies influents, notamment du lobby juif. Tout le monde s'accordait donc pour maintenir le statu quo le plus longtemps possible. Le lobby juif était le plus farouche partisan de la mise sous tutelle internationale sans fin prévisible de l'Irak, avec maintien du régime de Saddam Hussein, qui justifiait les sanctions. Pour une majorité de juifs américains, le statu quo permettait en effet de « contenir Saddam dans sa boîte ». À leurs yeux, le danger principal était l'Iran et le Hezbollah au Liban. Rappelons que l'AIPAC, qui représente le lobby pro-israélien aux États-Unis, a fait passer depuis 1998 l'*endiguement* de l'Iran avant même sa traditionnelle politique de soutien à Israël. À l'unisson avec l'AIPAC, le Washington Institute for Near East Policy s'est prononcé à maintes reprises pour la poursuite du *double endiguement*, bien que cette politique ait été contestée par de nombreux diplomates et acteurs politiques indépendants, notamment en ce qui concerne l'Iran (Zbigniew Brzezinski, Brent Scowcroft et Richard Murphy se prononcèrent contre elle dès 1997).

C'est l'émergence du lobby pétrolier dans le dossier irakien qui a été à l'origine de l'évolution de la position américaine envers l'Irak. La flambée des prix du pétrole en 1999 a permis aux sociétés pétrolières américaines, notamment aux sociétés texanes, de convaincre les responsables du Congrès et de l'administration américaine que les États-Unis avaient « besoin du pétrole irakien ». On sait que les États-Unis étaient devenus à certaines périodes les premiers importateurs de pétrole irakien, dans le cadre de l'accord « Pétrole contre nourriture ». Par le biais de cette résolution de l'ONU, votée en 1991, mais étendue en 1995 à un milliard de dollars par trimestre pour le pétrole irakien autorisé à la vente (résolution 986), Washington avait déjà établi un contrôle indirect sur le pétrole de ce pays, effaçant d'un trait de plume sa nationalisation en 1972. L'accord « Pétrole contre nourriture » renforçait la dépendance de l'Irak envers l'ONU (et les États-Unis) par rapport à celle qui prévalait à l'époque où les compagnies étrangères détenaient des parts décisives dans l'Iraq Petroleum Company. Car, désormais, le retour programmé du pétrole irakien sur le marché mondial s'inscrivait dans le cadre d'une perte générale de souveraineté du pays. L'Irak était le plus gros producteur échappant au contrôle américain. En mettant un terme à son indépendance pétrolière, la seconde guerre du Golfe a permis aux États-Unis d'établir un contrôle sans précédent sur le marché pétrolier mondial. Cela au point que le contrôle du pétrole irakien était désormais considéré à Washington comme partie intégrante des intérêts américains. C'est au nom de ces intérêts que fut prônée la nécessité d'un retour contrôlé du pétrole irakien sur le marché, afin de permettre aux États-Unis de ne pas puiser dans leurs réserves et de rester maîtres de la régulation des prix. L'élection de George W. Bush, dont les liens avec les pétroliers texans sont connus, ne pouvait qu'accélérer encore le processus de la réinsertion du pétrole irakien sous contrôle américain.

Le lobby pétrolier jugeait nécessaire un retour du pétrole irakien sur le marché mondial, mais à condition que ce retour se fasse sous contrôle américain, c'est-à-dire selon un aménagement du statu quo avec maintien des sanctions. Saddam Hussein ne demandait pas autre chose : tout en désirant disposer de davantage de manne pétrolière, il savait que son régime pourrait difficilement survivre si les conditions d'exception imposées par les sanctions prenaient fin. Les pétroliers texans sont ainsi devenus les meilleurs alliés de Saddam, de l'aveu même de certains de leurs porte-parole. Dès 1999, les sénateurs Abraham et Wellstone demandaient à Clinton de « reconstruire l'industrie pétrolière irakienne », mettant en avant le danger représenté par l'explosion potentielle de puits en Irak du fait du manque de pièces détachées. David J. O'Reilly, le président de Chevron, commença à organiser séminaires et colloques sur l'Irak. Et Exxon Mobil parraina une importante conférence sur le pays du Tigre et de l'Euphrate à l'université de Virginie. De façon plus générale, US*Engage[1] représentait l'opinion des milieux économiques hostiles aux sanctions, notamment des compagnies pétrolières Mobil et Ecomoco. À l'inverse, les sénateurs républicains Trent Lott et Jesse Helms, les protecteurs d'Ahmad Chalabi, s'opposaient à « la croisade des milieux économiques qui dénoncent l'épidémie des sanctions américaines dans le monde comme contraire aux intérêts américains ».

Les efforts des pétroliers américains ne doivent toutefois pas être interprétés comme directement dirigés contre le lobby juif. Si une partie des juifs américains craignaient effectivement qu'un surplus de manne pétrolière ne renforce la posi-

---

1. Forum économique influent aux États-Unis.

tion de Saddam Hussein, une majorité s'accordaient avec les pétroliers pour dire que la réinsertion pétrolière du régime irakien sous contrôle américain aurait pour effet de mettre le dirigeant irakien à la merci des États-Unis d'autant plus que la manne serait importante, car Washington continuerait à détenir, par le biais de l'ONU, la possibilité de fixer les conditions de vente du pétrole irakien. C'est dans ce contexte que certaines personnalités juives américaines exprimèrent une opinion favorable à un « assouplissement » des sanctions contre l'Irak pour des raisons « humanitaires » (soixante-neuf membres de la Chambre des représentants signèrent ainsi une pétition en ce sens à l'initiative du sénateur républicain de Californie Tom Campbell). En avril 2000, le congressiste républicain de South Bay, Martin Kassman, fit également campagne pour « alléger » les sanctions contre l'Irak. Une importante organisation pro-israélienne le soutenait, ainsi qu'un autre congressiste pro-israélien. L'AIPAC répondit que la levée des sanctions ne profiterait pas à la population irakienne *(sic)*, mais qu'elle comprenait les soucis « humanitaires » des auteurs de ces propositions. La « victimisation » de l'Irak avait donc aussi un intérêt politique. L'« humanitaire » était ainsi devenu le meilleur argument des compagnies pétrolières.

Du point de vue de Washington, la réinsertion pétrolière de l'Irak sur le marché mondial sous contrôle ne pouvait se faire sans le maintien des sanctions. Prenant les devants, le vice-président Al Gore avait déjà annoncé que Washington ne voterait pas la fin de l'embargo contre l'Irak à l'ONU simplement pour faire baisser le prix du pétrole. Le rôle joué par l'Arabie saoudite à chacune des crises entre l'Irak et l'ONU et lors des interruptions de la production irakienne montrait que les plus gros producteurs de pétrole, parmi les pays voisins de l'Irak, étaient sinon partisans d'un retour du pétrole irakien sur le marché mondial sous contrôle américain, du moins n'y étaient pas hostiles. Du fait de leur hégémonie, les États-Unis étaient ainsi arrivés à jouer le rôle de régulateur du marché mondial du pétrole, tout en préservant leurs intérêts énergétiques stratégiques. *Exit* l'OPEP… Le retour sous contrôle du pétrole irakien sur le marché mondial ne signifiait donc pas la réhabilitation politique du régime de Saddam Hussein. Une telle réhabilitation par les États-Unis semblait d'ailleurs impossible. Les médias américains, notamment la grande presse hostile à l'Irak, qui ont été l'instrument efficace de la diabolisation du leader irakien, fréquemment comparé à Hitler, pouvaient difficilement inverser leur discours.

Au moment de l'arrivée à la présidence de Bush junior, la résultante des intérêts des divers lobbies et ce qui était considéré comme l'intérêt supérieur des États-Unis militaient donc en faveur d'un aménagement du statu quo. Mais il est possible que l'aggravation de la situation dans les territoires palestiniens occupés et la poursuite de l'*intifâda* palestinienne, avec l'éloignement de tout espoir de paix, aient eu l'effet paradoxal de découpler le dossier irakien de la question israélo-arabe. Jusqu'alors, les États-Unis avaient la volonté de geler le dossier irakien en attendant la signature par la Syrie d'un accord de paix avec Israël. Si le dossier irakien en arrivait à retrouver une certaine autonomie par rapport aux accords de paix israélo-arabes, cela pouvait jouer en faveur d'un changement au sein même du régime. Dès lors, certains responsables américains envisageaient comme une sortie possible la « solution Koussaï ». Après avoir privilégié, à défaut d'en faire une priorité, l'éventualité d'un coup d'État militaire, c'était désormais vers le sérail de la proche famille de Saddam Hussein que semblaient s'orienter plusieurs acteurs de la politique américaine. C'est-à-dire un régime de Saddam sans Saddam. La mise en accusation tardive de Saddam Hussein et de certains dirigeants irakiens par l'organisation *Indict*, soutenue par les États-Unis, militerait dans ce sens.

En contradiction avec tout ce qui vient d'être dit sur la politique américaine envers l'Irak, la situation au Kurdistan d'Irak pourrait en revanche bien illustrer cette « absence de politique » que les États-Unis sont souvent accusés, à tort, d'avoir envers le reste de l'Irak. Quand on leur demande si, en permettant les élections d'un Parlement et d'un gouvernement kurdes, ils n'ont pas engagé le Kurdistan sur la voie de l'indépendance, les officiels américains avouent souvent que la situation actuelle le laisse croire effectivement, mais que cela n'était pas délibéré. Tous constatent que, plus le temps passe, plus le fossé séparant le Kurdistan du reste de l'Irak s'élargit, au point qu'il pourrait un jour devenir un fait acquis irréversible. Même si les programmes d'enseignement au Kurdistan continuent à se référer à ceux de Bagdad, les jeunes Kurdes de la zone autonome ne parlent plus que le kurde (et l'anglais en seconde langue) ; ils ne savent pas un mot d'arabe et ne connaissent plus rien de l'Irak. Par ailleurs, l'aide alimentaire et l'assistanat international généralisé (l'ONU ne sait parfois plus quoi faire des sommes énormes destinées au Kurdistan) par le biais des clientèles de partis ont donné le coup de grâce à l'économie kurde : la mise en valeur agricole, la production locale, ont été sacrifiées au profit de la recherche du dollar facile. Les Kurdes de la zone autonome ne sont plus intéressés que par l'octroi de telle ou telle aide ou subvention. À la question : « Les États-Unis savent-ils ce qu'ils sont en train de faire au Kurdistan d'Irak ? », la réponse la plus courante à Washington est « non ». La protection des Kurdes, dont le statut de victimes empêchait tout abandon américain du fait de la pression d'une opinion publique particulièrement sensibilisée, a abouti à un piège ressenti comme tel par nombre d'officiels américains. Sans lobby particulier aux États-Unis et sans que Washington ait un intérêt particulier à défendre au Kurdistan d'Irak, les Kurdes d'Irak bénéficient ainsi d'une protection américaine que seul explique l'enjeu humanitaire outre-Atlantique.

## La mouvance pacifiste comme lobby

La protection des Kurdes s'était imposée d'elle-même face à l'ampleur de l'exode kurde en 2001, alors que le nom de Halabja était devenu synonyme de barbarie pour une opinion américaine qui découvrait la réalité de la tragédie irakienne. L'embargo a ensuite suscité aux États-Unis un mouvement opposé aux sanctions contre l'Irak qui rappelle, à plusieurs égards, le mouvement contre la guerre du Viêt-nam. À partir de 1996, la mouvance pacifiste a en effet commencé à attirer l'attention sur le fait que les sanctions, qui avaient déjà « pro-

voqué la mort de plus d'un million de personnes en Irak »,
étaient « une forme de guerre non déclarée contre ce pays ».
Elle mettait en avant le fait que le droit international interdit
de viser les populations civiles, et que l'embargo frappait
durement celles-ci en priorité. En conséquence, elle militait
pour la levée immédiate des sanctions.

Cette mouvance est issue de différents milieux. Il y a la
tradition pacifiste de certains groupes religieux américains, à
commencer par ceux, issus du protestantisme, qui s'opposent
à la violence : quakers et anabaptistes (mennonites, brethren)
y sont les plus actifs. Peter Lems, de l'American Friends
Service Committee (AFSC) [Philadelphie], indique ainsi
qu'un fonds spécial a été ouvert pour les œuvres quakers en
Irak en février 1998. L'AFSC a lancé en 1999 une Campaign
of Conscience for the Iraqi People avec une autre organisation, Fellowship of Reconciliation (FOR), basée à New
York. Créée en 1915, la FOR est la plus ancienne organisation
pacifiste interconfessionnelle des États-Unis. Elle vise à
« remplacer la violence, la guerre, le racisme et l'injustice
économique par la non-violence, la paix et la justice sociale ».
À l'été 2000, cette organisation a envoyé en Irak du matériel
pour les hôpitaux et orphelinats irakiens, ainsi que des stations
de purification d'eau. Et le 4 octobre 2000 a été proclamé *Day
of Conscience*.

Les catholiques occupent également une place importante
dans le mouvement contre l'embargo. De nombreuses organisations catholiques, telles que Mustard Seed Catholic Workers,
Pax Christi USA, Jonah House Catholic Workers, Karen
House Catholic Workers, se mobilisent régulièrement. Le
28 septembre 1999, les principaux responsables chrétiens,
catholiques et protestants, ont invité Clinton à mettre un terme
aux sanctions. L'évêque catholique de Detroit, Thomas
Gumbleton, et le pasteur James Lawson, ont été particulièrement actifs. En avril 1998, l'évêque de Detroit a conduit en
Irak une délégation américaine de cent membres, parmi
lesquels Ramsey Clark, ancien ministre américain de la
Justice. Celui-ci agit à travers une organisation, Iraq Sanctions
Challenge, qui s'est illustrée par plusieurs voyages « humanitaires » en Irak.

Parmi les organisations pacifistes non confessionnelles, Voices in the Wilderness joue également un rôle de premier plan dans la dénonciation de l'embargo contre l'Irak. Sans se réclamer d'une confession particulière, elle attire en son sein de nombreux catholiques : la militante catholique de Chicago Kathy Kelly ainsi que l'écrivain du Massachusetts George Capaccio en sont les figures les plus connues. Le 18 septembre 2000, lors de la célèbre émission télévisée d'Oprah Winfrey, cette organisation est intervenue auprès de l'invité, qui n'était autre que le candidat George W. Bush, pour lui demander si, « au cas où il serait élu, il continuerait à faire mourir les enfants en Irak » ! Le candidat à l'élection présidentielle ne sut quoi répondre. En juillet 2000, six membres de Voices in the Wilderness sont partis deux mois en Irak dans la région de Bassora. Et le 22 octobre 2000, une autre délégation a fait le voyage à Bagdad sous la présidence de Kathy Kelly. Avant son départ, celle-ci avertissait sous forme de défi : « En partant pour l'Irak, nous défions directement l'embargo de l'ONU et des États-Unis, et nous risquons une amende de plus d'un million de dollars et douze ans d'emprisonnement ! »

Les organisations communautaires arabes et musulmanes aux États-Unis ont également joué un rôle dans la campagne contre les sanctions. La plus connue est l'American-Arab Anti-Discrimination Committee (ADC). Présidée par Hala Maksoud, depuis Washington, c'est la plus importante organisation arabe outre-Atlantique. Bien qu'elle consacre l'essentiel de son activité au conflit israélo-arabe, elle a été à l'origine de plusieurs pétitions pour l'arrêt des sanctions et des bombardements contre l'Irak. Les organisations musulmanes, comme l'American Muslim Council, l'American Muslims for Global Peace & Justice, Coordinating Council of Muslims Organizations, Council on American Islamic Relations (CAIR) ou Dar Al-Hijrah Islamic Center, semblent moins actives.

À côté de ces organisations influencées par la religion, il faut mentionner l'extrême gauche et le mouvement pacifiste américain qu'elle anime. Il s'agit de la mouvance « anti-impérialiste » qui s'était déjà illustrée lors de la guerre du

Viêt-nam : socialistes, trotskistes, communistes, militants anti-impérialistes, vétérans de la guerre du Viêt-nam y côtoient les défenseurs exclusifs des droits de l'homme. La représentante démocrate de l'Ohio, Cynthia McKinney, militante féministe noire aussi connue pour ses positions en faveur des minorités, est aujourd'hui la congressiste la plus célèbre dans la condamnation de l'embargo. Phyllis Bennis, écrivain et journaliste, une spécialiste du Moyen-Orient, diplômée de l'Institute for Policy Studies (IPS) à Washington, est une autre figure de ce mouvement. Phyllis Bennis milite contre l'embargo depuis 1998. Juive et militante de gauche, elle a notamment écrit un célèbre article incendiaire intitulé : « *And they called it Peace : Us Policy in Iraq*[1] » (Ils appellent ça la paix : la politique américaine envers l'Irak). L'IPS a parrainé la visite organisée en août 1999 au département d'État pour protester contre les sanctions. Une autre organisation, Education for Peace in Iraq Center (EPIC), joue un rôle important dans l'action de lobbying dirigée vers les membres du Congrès contre les sanctions.

Un certain nombre de personnalités et d'hommes politiques ont également rejoint la mouvance pacifiste à propos de l'Irak. Le Prix Nobel de la paix 1976, originaire d'Irlande du Nord, Mairead Corrigan Maguire, a ainsi lancé un appel : « *What were you doing when the children of Iraq were dying ?* » (Que faisiez-vous quand les enfants irakiens mouraient ?). Les 5, 6 et 7 août 2000, mille trois cents activistes ont sillonné les États-Unis : Dennis Kucinich, représentant démocrate de l'Ohio, l'un des porte-parole de la *Campaign of Conscience* pour la levée des sanctions, Ralph Nader, le candidat vert à l'élection présidentielle de 2000, ainsi que le vétéran du Viêt-nam et célèbre chanteur pop Pete Seeger y ont pris la parole lors des meetings, en compagnie du parlementaire britannique George Galloway. Un calendrier de manifestations de protestation contre les sanctions dans tous les États-Unis a été défini, en coopération avec des organisations comme Vigils for the Iraqi People (VIP). À chaque étape, la

---

1. Publié dans la revue *Middle East Report*, n° 215, été 2000.

projection du film de John Pilger sur l'embargo, *Paying the Price : Killing the Children of Iraq* (Payer le prix : tuer les enfants d'Irak), en référence à la célèbre bévue (?) de Madeleine Albright *(« The price is worth it »)*, donnait le ton.

En octobre 1998, une lettre adressée à Clinton portant signature de quarante-trois élus avait donc inauguré un mouvement qui prit par la suite une ampleur croissante. Le 27 août 1999, cinq assistants de la Chambre des représentants sont partis pour l'Irak avec Phyllis Bennis en dépit de l'opposition du département d'État. Il s'agissait du représentant démocrate de l'Illinois Danny K. Davis, du sénateur républicain du Connecticut Samuel Gejdenson, du sénateur républicain de l'Alberta Earl F. Hilliard, de la représentante démocrate Cynthia McKinney et du sénateur républicain Bernard Sanders. McKinney et Davis étaient membres du comité des relations internationales de la Chambre des représentants, Gejdenson y était le chef de la minorité. Cette visite reçut le soutien du sénateur Paul Simon et des Prix Nobel de la paix Adolfo Perez Esquivel et Mairead Maguire. C'était la première fois qu'une délégation du Congrès se rendait en Irak pour constater les conséquences de l'embargo.

Dès lors, les délégations d'élus américains allaient se succéder à un rythme rapide à Bagdad. En septembre 1999, un groupe de congressistes fit un voyage humanitaire en Irak, suivi par des dizaines de délégations d'enseignants, de membres des professions de la santé publique, d'activistes des droits de l'homme et de chefs religieux. À nouveau, le 31 janvier 2000, soixante-sept membres démocrates et républicains du Congrès, parmi lesquels le sénateur républicain de Californie Tom Campbell, les sénateurs démocrates du Michigan John Conyers, Carl Levin et Carolyn Kilpatrick, appelaient Clinton à lever les sanctions économiques contre l'Irak.

En août 2000, le *New York Times* publiait un appel intitulé *« Ten years is enough ! The economic sanctions not only don't work, they are killing innocent Iraqi children. Lift the economic sanctions on Iraq now ! »* (Dix ans, cela suffit ! Non seulement les sanctions économiques ne marchent pas, mais elles tuent des enfants irakiens innocents. Levée immédiate des sanctions économiques !). Les signataires rassemblaient

un large éventail de personnalités politiques, des mondes
académique et du spectacle : la star du show télévisé de NBC
*The West Wing*, Martin Sheen, Susan Sarandon, Richard Gere,
y côtoyaient Noam Chomsky, le célèbre linguiste et philoso-
phe du Massachusetts Institute of Technology (MIT), Jose
Ramos Horta et des dizaines d'autres célébrités. Des manifestations contre le dixième anniversaire des sanctions furent
organisées à Washington avec Martin Sheen. Un ancien
président des États-Unis, Jimmy Carter, se retrouvait avec le
célèbre intellectuel d'origine palestinienne Edward Saïd pour
condamner les conséquences de l'embargo.

Les institutions n'étaient pas en reste : après Kofi Annan
pour l'ONU, le Vatican, la Croix-Rouge, la conférence nationale des évêques catholiques aux États-Unis se joignirent au
concert de protestation contre les conséquences de l'embargo.
Non moins symboliques étaient les ralliements spectaculaires
au mouvement contre les sanctions d'anciens commissaires de
l'ONU en Irak, comme Dennis Halliday et Hans von Sponeck,
ex-responsables du programme humanitaire de l'ONU en
Irak. Le premier, un quaker irlandais, avait démissionné à la
fin de 1998 pour protester contre l'embargo, le second l'imita
peu après. Des inspecteurs de l'armement irakien pour le
compte de l'ONU les rejoignirent, au premier rang desquels
Scott Ritter. Cet ancien de l'UNSCOM commença à dénoncer
les « mensonges américains sur l'armement irakien », affirmant que la commission qu'il avait lui-même dirigée était
manipulée par Washington pour légitimer la reconduction
illimitée des sanctions. Il affirmait également que les inspecteurs américains de l'UNSCOM faisaient de l'espionnage
directement pour les États-Unis. Après avoir été considéré
comme un héros par les médias d'outre-Atlantique, Scott
Ritter, désormais converti à la lutte contre les sanctions, a été
par la suite régulièrement diffamé par ces mêmes médias, qui
n'hésitaient pas à suggérer qu'il devait être payé par Saddam
lui-même pour être à ce point hostile à l'embargo !

## Le retour des « héros » de la guerre du Golfe

Après la victoire à l'arraché du candidat républicain George W. Bush, confirmée le 12 décembre 2000 par la Cour suprême, ceux-là mêmes qui avaient conduit la guerre contre l'Irak dix ans plus tôt sont revenus. Le général Colin Powell, le nouveau secrétaire d'État qui remplaçait Madeleine Albright, avait été le chef de l'état-major des armées pendant la seconde guerre du Golfe en 1991. Le nouveau vice-président Dick Cheney avait été secrétaire de la Défense durant la première administration Bush. Mais qui se rappelait que Donald Rumsfeld, le ministre de la Défense, désormais porte-parole des « faucons » américains contre l'Irak, avait été en 1983 l'artisan du rétablissement des relations diplomatiques entre Washington et Bagdad ? Qui se rappelait que l'une des premières actions de Bush, le père, avaient été de mettre son veto à toute sanction économique contre l'Irak ?

Bush junior inaugure son mandat en faisant bombarder les installations de défense antiaérienne près de Bagdad, le 16 février 2001. Ces attaques, les premières depuis deux ans au-delà du 33$^e$ parallèle, rappelaient à Saddam Hussein qu'il était toujours le vaincu et que le changement à la tête de l'État américain ne signifiait pas une inflection de la politique américaine à son égard. Depuis longtemps déjà, la fermeté à l'égard du régime irakien était en effet l'objet d'une surenchère permanente aux États-Unis entre républicains et démocrates, entre Sénat et présidence. Mais cette fermeté apparente cachait mal le désir de la nouvelle administration de voir le pétrole irakien revenir sur le marché mondial.

Aussi, lorsque, le 17 mai 2001, George W. Bush annonça une nouvelle politique énergétique américaine et que, par la voix de Colin Powell, Washington se mit à préconiser des « sanctions intelligentes » visant exclusivement le régime de Saddam Hussein, il ne fallait pas être grand clerc pour comprendre que c'était là l'aboutissement d'une politique initiée sous Clinton afin d'organiser le retour du pétrole irakien sur le marché mondial sous le contrôle américain. Certes, assurer l'indépendance énergétique des États-Unis était une bonne raison, aux yeux de l'opinion américaine, pour justifier la réinsertion sous condition du pétrole irakien. Mais pour mieux « vendre » cette idée, le lobby pétrolier aux États-Unis n'hésita pas à reprendre à son compte l'argument humanitaire. Certains responsables des pétroliers texans firent ainsi cause commune avec le lobby humanitaire opposé aux sanctions. Dans un pays où le bien et le mal ont autant d'importance dans la chose politique, un tel rapprochement n'était pas étonnant. Cependant, l'opposition de la Russie et des pays voisins fit échouer les « sanctions intelligentes ». Personne, en fait, n'avait cru aux États-Unis à la possibilité de voir les pays voisins de l'Irak accepter des inspecteurs de l'ONU à leurs frontières pour interdire une contrebande dont ils sont, avec le régime irakien, les premiers bénéficiaires. On était là, à nouveau, dans le domaine du faux-semblant. Ayant échoué à faire avaliser les « sanctions intelligentes » en juillet 2001, les États-Unis n'abandonnaient pas pour autant leur projet. Les quantités de pétrole irakien autorisées à la vente devinrent illimitées, mais toujours dans le cadre de « Pétrole contre nourriture ». Le 28 novembre de la même année, donc après les attentats du 11 septembre, l'ONU adoptait une nouvelle version des « sanctions intelligentes ». Une liste renouvelée et très précise des produits et services non soumis à l'embargo était établie, avec l'accord de la Russie. Le pétrole irakien pouvait désormais couler à flots sans restriction.

## L'après-11 septembre : « l'axe du mal »

Les attentats du 11 septembre aux États-Unis ont radicalement modifié la donne. La lutte contre le terrorisme est devenue une cause nationale à laquelle adhère désormais la quasi-totalité de l'opinion américaine. « Croisade », « axe du mal », ces expressions ont été reçues avec consternation par nombre d'intellectuels en Europe, et plus particulièrement en France. Car ces mots nous renvoient aux croisades de la chrétienté contre l'Orient byzantin et musulman, avant d'évoquer l'ère coloniale. Ce n'est pas le cas aux États-Unis. Outre-Atlantique, la croisade évoque davantage l'épopée de la conquête de l'Ouest, et elle signifie autant conquête qu'effort de développement. Quant à l'axe du mal, il n'est compréhensible que si l'on se remet dans le contexte d'une société américaine qui est loin d'être aussi sécularisée que la société française. L'Amérique est imprégnée de religion ; le bien et le mal y légitiment explicitement la politique.

À la suite des attentats, la politique américaine au Moyen-Orient s'est alignée sur le gouvernement israélien dominé par le Likoud. La guerre contre le terrorisme étant devenue commune à Washington et à Tel-Aviv, qu'il s'agisse des kamikazes palestiniens, d'Al-Qaïda ou de l'Irak, les calculs antérieurs n'étaient plus d'actualité. Après avoir été les défenseurs les plus convaincus du *double endiguement*, les Israéliens, par la voie de leur gouvernement, se sont ralliés à une politique offensive contre l'Irak.

Or Saddam Hussein a été le seul dirigeant arabe à ne pas condamner les attentats, tout en niant toute implication de l'Irak. Selon lui, « les Américains ont récolté les épines semées par leurs dirigeants dans le monde entier ». Pour la télévision irakienne, « le cow-boy américain a récolté les fruits de ses crimes contre l'humanité. L'Amérique a goûté l'amertume de la défaite, après ses crimes et son mépris pour la volonté des peuples à mener une vie libre et décente. » Contrairement aux dirigeants iraniens et arabes, l'Irak a mis en exergue la « leçon » que les terroristes ont infligée à l'« arrogante Amérique ». Le journal *Bâbel*, dirigé par Oudaï, le fils de Saddam, a ensuite suggéré que « la main d'Israël » était derrière les attentats. De son côté, Washington a accusé Bagdad d'être à l'origine des lettres à l'anthrax envoyées aux administrations américaines. Toutefois, de l'aveu même des responsables américains, aucun lien n'a pu être mis en évidence entre l'Irak et les réseaux de Ben Laden, désignés comme les auteurs des attentats. Dès octobre 2001, Saddam Hussein dénonçait les bombardements américains sur l'Afghanistan, tandis que *Bâbel* faisait un rapprochement entre les frappes « contre le peuple afghan » et les raids unilatéraux américano-britanniques « contre le peuple irakien ».

Depuis novembre 2001, les avertissements répétés de Washington à Saddam Hussein ont accrédité l'idée que la prochaine cible des États-Unis serait l'Irak. Le Premier ministre britannique Tony Blair annonçait même l'entrée dans la « phase 2 de l'action contre le terrorisme ». En décembre, des responsables américains assuraient vouloir en finir avec le régime de Bagdad. S'appuyant sur la résolution 1368 de l'ONU permettant la légitime défense contre les auteurs d'attentats et ceux qui les soutiennent, Washington affirmait qu'aucun nouveau mandat de l'ONU n'était nécessaire pour frapper d'autres pays après l'Afghanistan. Israël a aussitôt manifesté son soutien à la « phase 2 de la lutte antiterroriste » incluant l'Irak, alors qu'aux États-Unis les partisans de la solution militaire ne jugeaient plus nécessaire de lier formellement Bagdad aux attentats pour attaquer l'Irak. Dans son discours sur l'état de l'Union, le 29 janvier 2002, le président George W. Bush a donc désigné les nouveaux ennemis de l'Amérique, affirmant que l'Iran, l'Irak et la Corée du Nord, « ainsi que les mouvements terroristes qu'ils soutiennent », constituaient un « axe du mal, armé pour menacer la paix du monde ».

Certes, ce n'était pas la première fois que l'Amérique menaçait de lancer une action décisive contre le régime de Saddam Hussein. Qu'y avait-il de nouveau dans cet ultime bras de fer ? Probablement le fait que, pour la première fois, Washington a convaincu tous les protagonistes, sans exception, du sérieux de sa résolution. Qu'il s'agisse des dirigeants des pays voisins, des pays européens et de la Russie, ou encore de l'opposition irakienne, tout le monde semble persuadé que l'attaque américaine aura lieu. La récurrence du discours américain, depuis 1990, mettait Saddam Hussein en ligne de mire. À force de ne jamais passer à l'action, la crédibilité américaine pouvait finir par être menacée. L'acceptation de la domination des États-Unis par tous les protagonistes, qu'ils soient leurs alliés ou leurs adversaires, a ainsi renvoyé à l'Amérique une image de puissance dont elle se serait volontiers passée. Car les raisons qui ont fait que Washington a préféré le statu quo depuis douze ans restent valables. Si l'on fait abstraction de la logique de puissance, du strict point de vue des intérêts américains, la reconduction de ce statu quo semble toujours la meilleure solution pour Washington. Et cela d'autant plus que le pétrole irakien vient tout juste de faire son retour sans restriction sur un marché mondial désormais contrôlé par les États-Unis.

Beaucoup à Washington aimeraient probablement pouvoir profiter de cette opportunité avant de s'engager dans un nouveau conflit dont l'issue est dominée par l'incertitude. Car l'ensemble des pays arabes y est hostile, et les multiples réunions d'opposants irakiens ne font qu'achever de désespérer les responsables américains. Les déclarations américaines contradictoires reflètent cette incertitude. Y a-t-il un plan imminent d'attaque contre l'Irak ? Confirmations et démentis se succèdent. De même que l'irrationnel a pris le dessus depuis le 11 septembre aux États-Unis, la logique de puissance poussera-t-elle la première puissance du monde à commettre un faux pas ?

# CHRONOLOGIE

## LA MÉSOPOTAMIE OTTOMANE

1534 : Soliman le Magnifique fait son entrée à Bagdad.

XVIᵉ siècle : l'Iran se convertit massivement au chiisme.

Les Ottomans occupent définitivement la Mésopotamie en 1638.

(1749-1831) : une dynastie des Mamelouks géorgiens dirige l'Irak depuis Bagdad pour le compte d'Istanbul.

1831 : massacre des Mamelouks, les Ottomans reprennent un contrôle direct de la Mésopotamie. Centralisation de l'empire.

1891 : *Tobacco Protest*, fatwa de l'ayatollah Shirazi, depuis Samarra en Irak, interdisant aux musulmans la consommation de tabac tant que le chah d'Iran n'aura pas annulé la concession octroyant le monopole de son commerce à une firme britannique.

1906-1908 : révolution constitutionnelle en Perse.

1908 : révolution constitutionnelle ottomane. Les Jeunes-Turcs prennent le pouvoir.

1911 : les oulémas chiites organisent la résistance armée aux occupations militaires européennes, russe et britannique en Iran, italienne en Tripolitaine.

## LE DJIHAD DE 1914-1916
### ET LA LUTTE CONTRE L'OCCUPATION BRITANNIQUE

6 novembre 1914 : débarquement des premiers détachements britanniques à Fao.

Novembre et décembre 1914 : appel au djihad lancé par les oulémas chiites contre l'occupation britannique.

3 janvier 1916 : accords Sykes-Picot sur le partage du Moyen-Orient entre la France et la Grande-Bretagne.

11 mars 1917 : l'armée britannique occupe Bagdad.

Mars 1918 : « révolution de Najaf » contre les Britanniques.

30 octobre 1918 : armistice de Moudros, dislocation de l'Empire ottoman.

1919-1920 : révolte de cheikh Mahmoud au Kurdistan.


LE MANDAT BRITANNIQUE (1920-1932)

25 avril 1920 : conférence de San Remo : attribution du mandat sur l'Irak à la Grande-Bretagne par la Société des Nations.

Juin-novembre 1920 : révolution de 1920 contre le mandat britannique et pour l'indépendance de l'Irak, dirigée par les oulémas chiites.

11 novembre 1920 : fondation du gouvernement arabe provisoire par sir Percy Cox, le Résident britannique à Bagdad.

Février 1921 : coup d'État de Reza Khan, avec le soutien britannique, à la tête de ses cosaques qui entrent à Téhéran.

Mars 1921 : la conférence britannique du Caire jette les bases du futur État irakien. Faysal est désigné pour occuper le trône d'Irak.

23 août 1921 :  Faysal est couronné roi d'Irak.

1921 : allégeance conditionnelle de cheikh Mahdi al-Khalisi envers Faysal.

5 février 1922 : traité de Lausanne, qui met fin à la guerre avec la Turquie, sans régler le sort du vilayet de Mossoul, revendiqué par Mustafa Kemal en Turquie.

Septembre 1922 : cheikh Mahmoud Barzinji se proclame « roi du Kurdistan ».

10 octobre 1922 : le gouvernement irakien signe un traité avec la Grande-Bretagne. L'ayatollah al-Khalisi retire son allégeance envers Faysal.

Novembre 1922-juin 1923 : fatwa des plus grands oulémas chiites interdisant aux musulmans de participer aux élections sous un régime d'occupation militaire.

25 juin 1923 : exil de l'ayatollah al-Khalisi par le gouvernement irakien.

29 juin 1923 : en signe de protestation contre l'exil de l'ayatollah al-Khalisi, les plus grands *mujtahid* partent en Iran.

25 février 1924 : élection d'une Assemblée constituante en
Irak.

22 avril 1924 : certains *mujtahid* reviennent d'Iran et
s'engagent à ne plus intervenir dans les affaires politiques.

10 juin 1924 : l'Assemblée irakienne ratifie le traité anglo-irakien de 1922.

14 juin 1924 : première Constitution irakienne, approuvée par
l'Assemblée.

5 avril 1925 : mort de l'ayatollah al-Khalisi à Mashhad en
Iran.

16 décembre 1925 : le vilayet de Mossoul est rattaché à l'Irak
par la SDN.

Janvier 1926 : Ibn Saoud s'empare du Hedjaz, chasse les
Hachémites de La Mecque et se proclame « protecteur des
Lieux saints ».

26 avril 1926 : Reza Khan est proclamé chah de Perse sous le
nom de Reza Pahlavi.

1927 : l'exploitation du pétrole est confiée à l'Iraq Petroleum
Company (IPC).

30 juin 1930 : nouveau traité anglo-irakien qui remplace celui
de 1922.

3 octobre 1932 : indépendance formelle de l'Irak et adhésion
à la SDN.

L'IRAK HACHÉMITE INDÉPENDANT (1932-1958)

8 septembre 1933 : mort de Faysal. Son fils Ghazi le remplace.

1934 : fondation du Parti communiste irakien.

28 octobre 1936 : premier coup d'État militaire du général
Bakir Sidqi.

3 avril 1939 : mort de Ghazi dans un accident de voiture.
Régence de son oncle Abdulillah, du fait du jeune âge de
Faysal II.

31 mars 1940 : coup d'État nationaliste de Rachid Ali Gaylani.

Avril-mai 1941 : courte guerre anglo-irakienne. Nouri Saïd est remis en selle par les Britanniques.

25 août 1941 : les troupes britanniques et soviétiques pénètrent en Iran. Abdication de Reza chah au profit de son fils Mohammad Reza.

Mars 1945 : fondation de la Ligue arabe, à laquelle adhère l'Irak.

1945-1946 : longue révolte au Kurdistan. Création, en décembre 1945, de la république de Mahabad en Iran. L'armée iranienne liquide l'éphémère république kurde en décembre 1946. Fondation du Parti démocratique du Kurdistan d'Irak (PDK).

29 novembre 1947 : l'ONU approuve le plan de partage de la Palestine.

1948 : Londres tente de faire signer à l'Irak un nouveau traité, bien avant l'échéance du précédent en 1957. Émeutes contre le traité.

14 mai 1948 : proclamation d'Israël. Première guerre israélo-arabe.

15 mars 1951 : le Parlement iranien nationalise le pétrole.

1952 : émeutes à l'occasion du renouvellement de l'accord entre l'Iraq Petroleum Company et l'État irakien.

23 juillet 1952 : révolution en Égypte, les Officiers libres prennent le pouvoir. Début du régime nassérien.

19 août 1953 : renversement du gouvernement de Mossadegh par un coup d'État fomenté par la CIA en Iran.

24 février 1955 : l'Irak rejoint le pacte de Bagdad réunissant la Grande-Bretagne, le Pakistan, l'Iran et la Turquie.

1956 : nationalisation du canal de Suez par Nasser. Crise de Suez. Deuxième guerre israélo-arabe.

1957 : fondation du Parti islamique chiitte Da'wa.

1er février 1958 : création de la République arabe unie entre l'Égypte et la Syrie.

L'IRAK DES PREMIERS RÉGIMES RÉPUBLICAINS (1958-1968)

## Régime de Kassem (1958-1963)

14 juillet 1958 : la monarchie est renversée.

15 septembre 1960 : création de l'OPEP.

1961 : reprise de la guerre au Kurdistan.

19-24 juin 1961 : indépendance du Koweit et revendications irakiennes sur l'émirat.

8 février 1963 : premier coup d'État baassiste. Kassem est exécuté.

18 novembre 1963 : Aref chasse les baassistes et prend le pouvoir.

## Régime des frères Aref (1963-1968)

1963-1966 : Abd al-Salam Aref.

4 novembre 1964 : l'ayatollah Khomeiny est exilé d'Iran vers la Turquie. Il arrive en exil à Najaf en 1965.

1966-1968 : Abd al-Rahman Aref remplace son frère, tué dans un accident d'hélicoptère en avril 1966.

5-10 juin 1967 : guerre des Six-Jours entre Israël et les pays arabes.

LE SECOND COUP D'ÉTAT BAASSISTE

17 juillet 1968 : second coup d'État baassiste.

30 juillet 1968 : le tandem Hassan al-Bakr/Saddam prend le pouvoir.

## 1968-1979 : gouvernement de Hassan al-Bakr

11 mars 1970 : accord d'autonomie avec le PDK de Barzani.

1970 : Khomeiny délivre une série de cours à ses étudiants à Najaf, où il prône la *wilâyat al-faqîh*, le pouvoir direct du religieux le plus qualifié.

28 septembre 1970 : mort de Nasser. Sadate le remplace.

13 novembre 1970 : Hafez al-Assad prend le pouvoir à Damas.

Novembre 1971 : charte d'action nationale à laquelle souscrivent le PDK et le Parti communiste.

Avril 1972 : traité d'amitié entre l'Irak et l'Union soviétique.

1ᵉʳ juin 1972 : nationalisation du pétrole irakien.

17 juillet 1973 : Front national progressiste rassemblant le Baas, le PDK et le PCI. Guerre d'octobre 1973 entre Israël et les pays arabes.

26-28 novembre 1973 : le sommet arabe d'Alger rassemble tous les pays arabes sauf l'Irak et la Libye.

1974-1978 : l'Irak dirige le front du refus (Libye, Irak, Algérie, OLP, Yémen du Sud, Syrie).

11 mars 1974 : Bagdad proclame unilatéralement sa loi d'autonomie du Kurdistan. Reprise de la guerre au Kurdistan : Barzani est soutenu par le chah d'Iran.

6 mars 1975 : les accords d'Alger sur le partage des eaux du Chatt al-Arab entre l'Irak et l'Iran provoquent le lâchage des Kurdes par le chah. Défaite de la résistance kurde.

7-9 janvier 1978 : manifestations en Iran en faveur de l'ayatollah Khomeiny.

27-30 mars 1978 : coup d'État communiste à Kaboul, début de la résistance islamique des moudjahidin afghans.

1978 : violentes émeutes en Iran soutenues par les autorités religieuses chiites.

Septembre-décembre 1978 : l'armée iranienne tire sur la foule qui manifeste. Développement rapide du mouvement islamique.

8 octobre 1978 : le gouvernement irakien expulse Khomeiny d'Irak. Celui-ci s'installe en France, à Neauphle-le-Château.

16 janvier 1979 : départ du chah.

1ᵉʳ février 1979 : retour triomphal de Khomeiny à Téhéran.

31 mars 1979 : fondation de la République islamique d'Iran.

### Régime de Saddam (1979-?)

16 juillet 1979 : Saddam met Hassan al-Bakr à la retraite et reprend toutes ses fonctions à la tête de l'État.

Novembre 1979 : début de la crise des otages à Téhéran.

20 novembre 1979 : émeutes à La Mecque parmi les pèlerins.

27 décembre 1979 : intervention soviétique en Afghanistan.

Avril 1980 : exécution à Bagdad de l'ayatollah Muhammad Baqer al-Sadr, représentant de Khomeiny en Irak.

17 septembre 1980 : l'Irak attaque l'Iran. Début de la guerre Iran-Irak (1980-1988).

Octobre 1980 : l'armée irakienne occupe Khorramshahr.

Janvier 1981 : libération des otages américains dès le début de l'entrée en fonction de Donald Reagan.

6 octobre 1981 : Sadate est assassiné.

1982 : les troupes iraniennes entrent en Irak.

25 novembre 1984 : rétablissement des relations diplomatiques entre Bagdad et Washington.

1985 : guerre des villes entre l'Iran et l'Irak.

Novembre 1987 : début de l'*intifâda* palestinienne.

Mars 1988 : importants revers irakiens au Kurdistan. Bagdad utilise l'arme chimique à Halabja.

18 juillet 1988 : l'Iran accepte officiellement la résolution 598 de l'ONU (cessez-le-feu, retour aux frontières, échange de prisonniers).

8 août 1988 : fin de la guerre du Golfe annoncée par Javier Perez de Cuellar.

14 février 1989 : Khomeiny promulgue sa fatwa contre Salman Rushdie.

28 mars 1989 : l'ayatollah Muntazeri est démis de ses fonctions de successeur désigné par l'imam Khomeiny.

3 juin 1989 : mort de l'imam Khomeiny.

L'OCCUPATION DU KOWEIT ET LA SECONDE GUERRE DU GOLFE (AOÛT 1990-MARS 1991)

2 août 1990 : l'Irak occupe le Koweit.

Août 1990 : premières sanctions de l'ONU contre l'Irak. Début de l'embargo.

17 janvier 1991 : la coalition passe à l'attaque contre l'Irak.

26 février 1991 : Saddam annonce son retrait du Koweit.

28 février 1991 : début des opérations terrestres et cessez-le-feu.

Février-mars 1991 : *intifâda* en Irak à partir des régions chiites et kurdes.

5 avril 1991 : résolution 688 de l'ONU visant à protéger les civils « kurdes au nord et chiites au sud ».

10 avril 1991 : création d'une zone de sécurité dans le nord du Kurdistan. Opération alliée « Provide Comfort » avec l'accord de l'ONU.

17 avril 1991 : le président Bush annonce la création d'une zone de sécurité pour les Kurdes. Institution d'une zone d'interdiction de survol pour l'aviation irakienne au nord du 36$^e$ parallèle dans le cadre de « Provide Comfort ». L'armée irakienne se retire du Kurdistan. Début de l'autonomie kurde.

21 avril 1991 : les troupes américaines pénètrent au Kurdistan.


EMBARGO ET SANCTIONS INTERNATIONALES
(1990 À AUJOURD'HUI)

19 mars 1992 : élections au Kurdistan.

Août 1992 : institution d'une zone d'interdiction de survol au sud du 32$^e$ parallèle pour « protéger » les chiites.

8 août 1992 : mort de l'ayatollah Khoï à Najaf.

1993 : début des combats entre partis kurdes dans la zone autonome.

Septembre 1993 : accords d'Oslo entre l'OLP et Israël.

1994 : traité de paix entre Israël et la Jordanie.

1994 : l'Irak reconnaît officiellement l'indépendance du Koweit.

Juin 1996 : arrivée au pouvoir du parti islamiste Refah en Turquie.

9 décembre 1996 : résolution 986 de l'ONU dite « Pétrole contre nourriture ».

23 mai 1997 : élection de Khatami à la présidence de la République en Iran.

16-19 décembre 1998 : l'opération « Renard du désert » vise à forcer Bagdad à coopérer avec la défunte UNSCOM, la commission spéciale des Nations unies chargée du désarmement de l'Irak.

Fin 2000 : fin des combats interkurdes, retour de la paix au Kurdistan autonome.

11 septembre 2001 : attentats aux États-Unis contre les tours du World Trade Center et le Pentagone.

Décembre 2001 : début de la guerre en Afghanistan aboutissant au renversement du régime des talibans.

29 janvier 2001 : l'Irak est désigné, avec l'Iran et la Corée du Nord, comme faisant partie d'un « axe du mal » par le président américain George W. Bush.

# BIBLIOGRAPHIE

Hasan al-'Alawi, *Ash-shî'a wa ad-dawla al-qawmiyya fî al-'Irâq, 1914-1990* (Les chiites et l'État-nation en Irak, 1914-1990), Londres, Dâr az-Zawrâ', 1990, 400 p.

Ali Babakhan, *L'Irak, 1970-1994, déportations des chiites*, Paris, A. Babakhan, 1994, 237 p.

Hanna Batatu, *The Old Social Classes and the Revolutionary Movements of Iraq*, Princeton, N.J., Princeton University Press, 1978, 1 283 p.

Martin van Bruinessen, *Agha, Shaykh and State : the social and political structures of Kurdistan*, Londres, Zed Books, 1992, 373 p.

CARDRI (The Committee against Repression and for Democratic Rights in Iraq), *Iraq since the Gulf War, Prospects for Democracy*, Londres, Fran Hazelton ed., 1994, 260 p.

Gérard Chaliand dir., *Les Kurdes et le Kurdistan*, Paris, François Maspero, 1978, 354 p.

Jacques Ferrandez et Alain Dugrand, bandes dessinées, *Carnets d'Orient, Irak, Dix ans d'embargo*, Paris, Casterman, juin 2001, 73 p.

Samir al-Khalil, *Irak, la machine infernale*, Jean-Claude Lattès, 1991.

Chris Kutschera, *Le Défi kurde ou le rêve fou de l'indépendance*, Paris, Bayard Éditions, 1997, 52 p.

Pierre-Jean Luizard, *La Formation de l'Irak contemporain, Le rôle politique des ulémas chiites à la fin de la domination ottomane et au moment de la création de l'État irakien*, Paris, CNRS Éditions, 2002, 557 p.

—, direction d'un numéro spécial sur l'Irak de la revue *Maghreb-Machrek* (Documentation française), *Mémoires d'Irakiens, À la découverte d'une société vaincue*, n° 163, janvier-mars 1999, 305 p.

—, *Héros de l'islam*, biographie inédite de cheikh Mahdi al-Khalisi par son fils cheikh Muhammad, traduite de l'arabe et annotée par le traducteur, à paraître fin 2002.

Kanan Makiya, *The Monument, Art, Vulgarity and Responsability in Iraq*, Londres, Andre Deutsch, 1991, 153 p.

Kanan Makiya, *Cruelty and Silence*, Londres, Penguin Books, 1994, 367 p.

Chibli Mallat, *The Renewal of Islamic Law, Muhammad Bâqer as-Sadr, Najaf and the Shi'i International*, Cambridge University Press, 1993, 245 p.

Yitzhak Nakash, *The Shi'is in Iraq*, Princeton, N.J., Princeton University Press, 1994, 312 p.

Elizabeth Picard, *La Question kurde*, Bruxelles, Complexe, Collections du CERI, 1991, 161 p.

Yann Richard, *L'Islam chi'ite*, Paris, Fayard, 1991, 303 p.

Philippe Rondot, *L'Irak*, Paris, PUF, « Que-sais-je », 1979.

Marion Farouk-Sluglett, Peter Sluglett, *Iraq since 1958, From Revolution to Dictatorship*, Londres, I.B. Tauris, 1990, 346 p.

Kenneth S. Timmerman, *Le Lobby de la mort. Comment l'Occident a armé l'Irak*, Calmann-Lévy, 1991, 572 p.

Bernard Vernier, *L'Irak d'aujourd'hui*Armand Colin, 1963, 494 p.

Joyce N. Wiley, *The Islamic Movement of Iraqi Shi'as*, Londres, Lynne Rienner Publishers, 1992, 191 p.

# GLOSSAIRE

**Akhbarisme :** école de pensée chiite hostile à l'usage de la raison et favorable au recours direct aux traditions des imams dans la formulation des avis religieux.

*Achoura :* dixième jour du mois musulman de *muharram*, le point culminant du deuil chiite. Cette date marque l'anniversaire du meurtre de Hussein par les soldats du calife Yazid. Ce jour-là, certains groupes chiites parcourent les villes en se flagellant et en s'infligeant en public de sévères mortifications, exprimant ainsi le sentiment de culpabilité des chiites pour avoir abandonné leur imam au moment où il avait besoin d'eux.

*'Asabiyya :* solidarité tribale ou de groupe, face au monde extérieur. Ce sont les observations de Ibn Khaldoun sur la société, dans ses *Prolégomènes*, qui ont rendu le terme célèbre.

**Ayatollah :** « signe de Dieu », titre attribué aux plus grands *mujtahid*.

**Calife :** lieutenant, successeur du Prophète et, à ce titre, chef spirituel de la communauté musulmane.

*Charî'a :* la Loi canonique islamique telle qu'elle est énoncée dans le Coran et la Sunna (paroles et actes du Prophète), élaborée selon les principes des différentes écoles juridiques.

**Cheikh :** terme de respect qui désigne un chef, religieux ou non, ou toute personne respectable par son âge. Appliqué à un religieux, ce qualificatif signifie qu'il n'est pas *sayyid*.

**Cheikhulislam :** titre du grand mufti ottoman, fonctionnaire supérieur du culte à l'époque ottomane.

**Chérif** *ou sharîf* (*ashrâf* au pluriel) : désigne chez les chiites les descendants du Prophète par Hassan, petit-fils de Muhammad et troisième Imam chiite infaillible. Chez les sunnites, le mot désigne tous les descendants du Prophète (par exemple Hussein, le chérif de La Mecque).

**Djihad :** effort sur soi et sur l'environnement pour défendre l'islam, souvent assimilé à la guerre sainte contre les infidèles.

*Faqîh :* docteur de la Loi, expert en *fiqh*, la jurisprudence islamique.

**Fatwa :** décret religieux.

*Hawza :* désigne chez les chiites l'ensemble des centres d'enseignement de la religion.

*Hujjatulislam :* « preuve de l'islam », titre de respect décerné aux *mujtahid* et équivalant à ayatollah au début du siècle. Aujourd'hui, le *hujjatulislam* a un rang inférieur à l'ayatollah.

*Ijtihâd :* effort d'interprétation de la *charî'a* par l'exercice de la raison.

**Imâm :** chez les chiites, l'un des douze successeurs du Prophète descendant d'Ali et chefs légitimes de l'*umma*. Chez les sunnites, celui qui dirige la prière ou dirigeant religieux.

*Marja' :* désigne un *mujtahid* chiite pris comme source ou référence et dont l'imitation par les croyants a été rendue obligatoire avec le triomphe des conceptions usulies.

*Marja'iyya :* désigne la direction religieuse chiite, selon les époques incarnée en un seul *marja'* suprême (le *marja' a'la*) ou composée de plusieurs *marja'*.

*Muftî :* jurisconsulte qui rend les décrets religieux (fatwa).

*Mujtahid :* désigne chez les chiites un religieux qualifié par sa science pour pratiquer l'*ijtihâd*.

*Mukhabârât :* services secrets.

**Ouléma :** lettrés, savants, les religieux en général.

*Sayyid :* désigne chez les chiites plus particulièrement les descendants du Prophète par Hussein. Ils sont reconnaissables à leurs turbans noir ou vert.

**Sultan :** mot arabe qui désigne le détenteur de l'autorité temporelle.

*Umma :* la communauté musulmane.

**Usulisme :** école de pensée chiite qui a imposé l'usage de la raison et de l'*ijtihâd* comme principe fondamental de jurisprudence.

# Index des noms de personnes

## A

Abd al-Aziz, Mulla Ali : 202.
Abd al-Jabbar, Muhammad : 190.
Abd al-Rahman, Sami : 199, 202.
Abdallah : 26, 34, 36.
Abdulillah : 40.
Abou Ghazala : 297.
Aboud, Salah : 129.
Abou Nidal : 292.
Ackerman, Gary : 263.
Aflaq, Michel : 73, 76, 232.
Ahmad, Dayf Abd al-Majid : 127.
Al Gore : 321, 325.
Al Ma'joun, Sami Azzara : 195.
Al Yasin, Murtada : 192.
Albright, Madeleine 242, 321, 331, 333.
Ali (Imam) : 18, 74.
Ali, al-Hakam Hasan : 129.
Ali Hassan al-Majid : 113, 114, 116, 119, 122, 123, 127, 128.
Ali, Salah Umar al- : 214, 215.
Allawi, Ayyad : 209, 214, 215, 279, 318, 322.
Alousi, Muhammad al- : 212.

Amiri, Hassan Ali al- : 115.
Ammash, Kofi Salih Mahdi : 75, 90, 91.
Annan, Kofi : 332.
Ansari, Fadel al- : 208.
Ansari, Ibrahim Abd al-Sattar al- : 128.
Ansari, Ibrahim Faysal al- : 90.
Arafat : 225.
Araki (ayatollah) : 186.
Aref, Abd al-Rahman : 76, 285.
Aref, Abd al-Salam : 61, 63, 75-77, 80, 82.
Arsouzi, Zaki : 73.
Artmitage, Richard : 293.
Asefi, Muhammad Mahdi al- : 186, 188-190, 262-273.
Askari, Ja'far al- : 43, 47.
Askari, Sayyid Murtada al- : 273.
Ayyoubi, Ali Jawdat al- : 43.

## B

Bahr al-Ouloum, Muhammad : 101, 176, 218.
Baker, James : 218.

Bakr, Ahmad Hassan al- : 10, 60, 75, 78, 82, 83, 85, 86, 90, 91, 97, 99, 105, 111, 114, 119, 121, 215, 284, 288.

Bamarni, Ahmad : 201.

Barrak, Fadel al- : 9, 100.

Barzan Ibrahim al-Takriti : 110, 112, 122.

Barzani, Ahmad : 57.

Barzani, Massoud : 87, 151, 166, 176, 194, 198-200, 203, 206, 218, 276, 285.

Barzani, Muhammad Khalid : 203.

Barzani, Mustafa : 57, 58, 63, 67, 68, 83, 84, 86-89, 240.

Barzinji, Mahmoud : 56, 57.

Barzinji, Umar Shaiky Ahmad : 203.

Batatu, Hanna : 10

Bayati, Hamid Majid Musa al- : 213.

Bazoft, Farzod : 304.

Ben Laden : 195.

Bennis, Phyllis : 330, 331.

Bint al-Huda : 106.

Bitar, Salah : 73, 76, 232.

Blair, Tony : 336.

Bouroudjerdi (ayatollah) : 78, 239.

Brennan : 294.

Brzezinski, Zbigniew : 288-290, 323.

Burleigh, A. Peter : 298.

Bush, George (H.W.) : 108, 173, 286, 300-304, 308, 309, 311, 312, 320, 333.

Bush, George W. (junior) : 324, 326, 329, 336.


**C**

Campbell, Tom : 325, 331.

Capaccio, George : 329.

Carter, Jimmy : 288, 289, 332.

Chaderchi, Kamel : 61.

Chalabi, Ahmad : 218, 260, 317, 318, 322, 324.

Cheney, Dick : 333.

Chomsky, Noam : 332.

Churchill, Winston : 36.

Clark, Ramsey : 328.

Clemenceau, Georges : 30.

Clinton, Bill : 215, 253, 266, 318, 320-322, 324, 331, 333.

Conyers, John : 331.

Cox, Percy : 36, 47.


**D**

Davis, Danny K. : 331.

Dawud, Ibrahim Abd al-Rahman al- : 90, 109, 212.

Diza'i, Muhsin : 199.

Dole, Robert : 304.

Dori, Izzat Ibrahim al- : 111, 112, 114, 116, 123, 128, 253.

Dori, Saber Abd al-Aziz al- : 127.

Drogoul, Christopher : 301, 302.

Dulaymi, Muhammad Mazloum : 125, 130.

Dulaymi, Turki Isma'il : 130.


**E**

Eisenhower : 283, 284.

Esquivel, Adolfo Perez : 331.


**F**

Fadl Allah, Muhammad Hussein (ayatollah) : 186, 189, 195.

Fahd (roi d'Arabie saoudite) : 226.

Faysal II : 40, 216.

Faysal, Turki bin : 312.

Faysal : 24, 33, 36, 37, 39, 43, 45, 47, 49, 56, 57, 109, 237.

Fkayki, Hani al- : 218.

# G

Galloway, George : 330.
Gaylani, Abd al-Rahman al- : 30, 48.
Gaylani, Rachid Ali al- : 40, 45, 61, 63, 64, 72.
Geere, Richard : 332.
Gejdenson, Samuel : 331.
Ghaydan, Sa'adoun : 90.
Ghazi (roi d'Irak) : 39, 40, 68.
Glaspie, April : 301-303, 305.
Gulpayegani, Mohammad Reza (ayatollah) : 186.
Gulbenkian, Calouste : 70.
Gumbleton, Thomas : 328.

# H

Ha'iri, Sayyid Kazim al- : 273.
Habbabi, Hatem al- : 112.
Habboubi, Ahmad al- : 209.
Habboubi, Saïd al- : 209.
Hadi, Mizban Khudar : 115.
Hajj Hanta, Bareq Abd Allah al- : 130.
Hajj, Aziz al- : 89.
Hakim, Abd al-Aziz al- : 192.
Hakim, Mahdi al- : 80, 101, 188.
Hakim, Muhammad Baqer al- : 188, 190, 191, 194, 226, 235, 251, 258-262 270, 273, 275, 279, 322, 331.
Hakim, Muhsin al- (ayatollah) : 78-80, 99-101, 185, 187, 188, 190, 218.
Halliday, Dennis : 332.
Hamdoun, Nizar : 296.

Hammadi, Sa'adoun : 115.
Hashimi, Mahmoud al- (Hashemi Shahroudi, Mahmoud) : 186, 192, 216, 235, 270.
Hashimi, Ali bin al-Hussein al- : 216.
Hashimi, Yasin al- : 43.
Hasani, Abd al-Razzaq al- : 12, 31, 179.
Helms, Jesse : 317, 324.
Hilliard, Earl F. : 331.
Horta, Jose Ramos : 332.
Husri, Sati' al- : 53.
Hussein de Jordanie : 215, 227, 240, 289.
Hussein Kamel Hassan al-Majid : 112-114, 119, 121, 122, 127, 128, 131, 297, 298.
Hussein (Imam) : 17, 18, 66, 103, 179, 184.
Hussein (chérif de La Mecque) : 25, 26, 30, 33, 34, 36.

# I

Indyk, Martin : 253, 262, 322.
Isfahani, Fath Allah Shaykh al-Shari'a al- (ayatollah) : 24, 185.

# J

Jasem, Abd al-Sattar Ahmad : 123.
Jawahiri, Ali al- : 53.
Jawahiri, Muhammad Mahdi al- : 53, 179.
Joubouri, Mish'an al- : 210.
Joubouri, Sa'adi Tu'ma al- : 125, 128.
Joubouri, Sultan Hashem Ahmad al- : 127.
Jamali, Fadel al- : 180.

# K

Kassem, Abd al-Karim : 59-71, 73-76, 78, 81, 83, 88, 98, 109, 239, 284.
Kassman, Martin : 325.
Kazzar, Nazem : 91.
Kelly, John : 286, 303.
Kelly, Kathy : 329.
Kémal, Moustafa : 45, 56.
Khalisi, Mahdi al- (ayatollah) : 22, 36, 37, 39, 49, 51, 80, 195, 197.
Khalisi, Muhammad Mahdi al- : 195.
Khamena'i, Ali (Guide de la République islamique) : 187, 190, 249, 251, 259, 262, 270, 271, 273, 275, 279.
Kharrazi, Kamal : 254, 256, 264.
Khatami Mohammad (président de la République islamique) : 253, 254, 259, 261, 267, 270, 272-275, 279.
Khayrallah Tulfah : 86, 100, 111.
Khayrallah Tulfah, Adnan : 114, 119, 121, 297.
Khazraji, Nizar al- : 120, 126, 130, 131, 209.
Khoï, Abou'l-Qasem al- (ayatollah) : 80, 101, 107, 173, 185-187, 192, 270, 310.
Khoï, Abd al-Majid al- : 310, 312.
Khoï, Yousif al- : 186.
Khomeiny (ayatollah) : 10, 20, 80, 84, 102, 103, 106, 186-188, 192, 197, 235, 239, 241, 244, 246, 247, 262, 270, 288, 310.
Khurasani, al- (ayatollah) : 185.
Kilpatrick, Carolyn : 331.
Kissinger, Henry : 299.
Kloske, Dennis : 302.
Kossyguine : 285.
Koussaï Saddam Hussein : 110-112, 115, 118, 121, 124, 128, 326.
Kubba, Layth : 180, 317.
Kucinich, Dennis : 330.

# L

Lawrence d'Arabie : 33, 36, 47.
Lawson, James : 328.
Levin, Carl : 331.
Lott, Trent : 317, 324.
Llyod George : 30.

# M

Ma'rouf, Taha Muhay al-Din : 115, 116.
Ma'soum, Fouad : 201.
MacMahon, Henry : 26.
Maguire, Mairead Corrigan : 330, 331.
Mahdawi (colonel) : 63.
Maksoud, Hala : 329.
Maude (général) : 27, 29.
McKinney, Cynthia : 330, 331.
Midfaï, Jamil al- : 43.
Midhat Pacha : 28.
Mitchell, John : 294.
Mohammad Reza Chah : 238, 239.
Mosaddeq : 238, 243.
Moubarak : 303.
Mudarrisi, Muhammad Hadi : 102, 103, 194.
Mudarrisi, Muhammad Taqi : 102, 194.
Muhammad, Aziz : 213.
Muntazeri (ayatollah) : 247, 262.
Murphy, Richard : 290-296, 298, 303, 323.
Mukhlis, Mawloud : 43, 108.

# N

Na'ini, Muhammad Hussein (ayatollah) : 185.
Nader, Ralph : 330.
Naqib, Hassan al- : 91, 130, 176, 209, 212, 217.

Naqib, Taleb al- : 48.
Nasiri, Muhammad Baqer al- : 192.
Nasser, Gamal Abdel : 41, 46, 60, 62, 67, 69, 70, 76, 77, 83, 239, 283, 284.
Nayef, Abd al-Razzaq al- : 90, 109.
Newton, David : 295.
Nouri, Sabah : 127.


## O

O'Reilly, David J. : 324.
Oudaï Saddam Hussein : 110-113, 117, 121-123, 154, 167, 169-171, 189.
Orabi Pacha : 45.


## P

Perez de Cuellar, Javier : 107, 242, 306.
Perle, Richard : 317.
Pilger, John : 331.
Pope, Lawrence : 298.
Powell, Colin : 261, 309, 311, 333.


## Q

Qabandji, al- : 262.
Qaysi, Riyad al- : 262.


## R

Rachid, Amer Muhammad : 116, 127.
Radjavi, Massoud : 258, 264.
Rafsandjani : 248, 250.
Rankin, Haywook : 298.
Rashid, Latif : 317.

Rawi, al- : 212.
Rawi, Ayyad Futayyih al- : 123, 127.
Reagan : 290, 292- 295, 298, 300.
Reza Khan (Reza Chah) : 11, 45, 238.
Reza'i, Mohsen : 254.
Ribat, Abd al-Wahid Shannan al- : 127.
Ricciardone, Francis F. : 318, 321.
Rikabi, Fouad al- : 85.
Ritter, Scott : 332.
Ruhani, Muhammad (ayatollah) : 186.
Rumsfeld, Donald : 293, 333.


## S

Sa'ad bin Abi Waqas : 244.
Sa'adoun, Abd al-Mushin : 43, 49.
Sab'awi Ibrahim Hassan al-Takiti : 110, 112, 121.
Sabri, Naji : 117.
Sabzivari, Abd al-A'la al-Musawi (ayatollah) : 186.
Sadate, Anouar al- : 84, 140.
Saddam Kamel Hassan al-Majid : 88, 113.
Saddam Hussein : 7, 8, 12, 15, 54, 60, 63, 66, 72, 82-86, 88-91, 93, 94, 100, 105-128, 132, 133, 139, 141, 143, 145, 146, 148, 152, 155, 156, 159, 165, 167, 169, 174, 185, 189, 192, 193, 197, 198, 202, 205, 207, 210, 213, 215, 217, 220, 224, 225, 227, 228, 230, 233, 235, 238, 241, 243-257, 258, 260, 264, 267, 277-279, 281, 284-289, 293-306, 308, 309, 311-315, 317-319, 321-326, 332, 333, 335, 336.
Sadr, Hussein al- : 190.
Sadr, Muhammad Baqer al- (aya-tollah) : 10, 79, 80, 99, 101-103,

106, 179, 185, 188, 190-192, 235, 241, 270.

Sadr, Muhammad Sadeq al- (ayatollah) : 185-187, 190, 262.

Sahhaf, Muhammad Sa'id al- : 117, 254.

Saïd, Edward : 332.

Saïd, Nouri : 40, 41, 43, 45, 47, 59, 68, 69, 76, 77, 117, 283.

Sajida (épouse de Saddam Hussein) : 110-112.

Salem, Ali (président du Yémen) : 303.

Salih, Abdullah Hamed Muhammad : 117.

Salih, Muhammad Mahdi : 117.

Samarra'i, Hazem al- : 195.

Samarra'i, Wafiq al- : 130, 209, 217, 318.

Sanders, Bernard : 331.

Saoud, Ibn : 26, 41.

Sarandon, Susan : 332.

Sayfollah : 276.

Schwarzkopf, Norman : 309, 310.

Scowcroft, Brent : 312, 323.

Seeger, Pete : 330.

Sha'ban, Hamid : 128.

Shabandar, Izzat : 195.

Shaker, Sa'adoun : 114.

Shamkhani, Ali : 236.

Shams al-Din, Muhammad Mahdi : 186.

Shanshal, Muhammad Abd al-Jabbar : 120, 125.

Shawwaf : 43, 64.

Shaykh, Umar Ali al- : 213.

Shaykhli, Salah al- : 214.

Sheen, Martin : 332.

Shirazi, Mirza (ayatollah) : 20.

Shirazi, Muhammad Taqi al- (ayatollah) : 24, 33, 237.

Shirazi, Sayyed : 264.

Shultz, George : 291, 293, 294.

Sidqi, Bakir : 40, 45, 57.

Simon, Paul : 331.

Simpson, Alan : 304.

Sistani (ayatollah) : 128, 187, 189, 256.

Soghenalian, Sarkis : 294.

Solarz, Stephen : 289.

Soliman le Magnifique : 16.

Sourtchi, Hussein Agha : 204.

Sourtchi, Jawhar Hussein : 203, 204.

Sponeck, Hans von : 332.

**T**

Taha Yasin Ramadan al-Jazrawi : 114-116, 130, 249, 253, 254.

Takriti, Hammad Shehab al- : 91.

Takriti, Hardan al- : 75, 86, 90, 91.

Takriti, Hussein Rashid al- : 124, 126, 131.

Takriti, Kamal Mustafa al- : 128.

Takriti, Maher Abd al-Rashid al- : 119, 124, 126.

Takriti, Mazahem Sa'ab Hassan al- : 123, 128.

Takriti, Sabah Isma'il al- : 130.

Talabani, Jalal : 88, 115, 192, 198, 200, 206, 218, 276, 317.

Tarek Aziz : 105, 114-117, 146, 164, 241, 292, 293.

Taskhiri, Muhammad Ali : 236, 270, 271, 273.

Truman, Harry S. : 283.

**U**

Ubayd, Ahmad Hassan : 127.

Umar, Ismat Saber : 129.

Uqayli, Abd al-Aziz al- : 90.

Uthman, Mahmoud : 201.

**V**

Velayati, Ali Akbar : 249, 254.
Veliotes, Nicholas : 290, 292.

**W**

Wardi, Ali al- : 12, 16, 179.
Watban Ibrahim Hassan al-Takriti :
    110-112, 116, 121.
Weinberger, Caspar : 296.
Wiley, Marshall : 298, 302.
Wilson, Arnold T. : 29, 31.
Wilson, Thomas W. : 9, 23, 24, 282.

Winfrey, Oprah : 329.

**Y**

Yousif, Yonadam : 204.

**Z**

Zayd : 34.
Zibari, Hoshyar : 199.
Zschau, Ed : 295.
Zubaydi, Muhammad Hamza al- :
    115.

# TABLE DES MATIÈRES

Introduction ........................................................................ 7

**Chapitre 1 : Des Ottomans aux Britanniques**.................. 15
*Le berceau du chiisme, 17 - L'occupation britannique et le djihad de 1914-1916, 21 - Entre utopie émancipatrice et appétits coloniaux, 23 - La révolution de 1920, 33.*

**Chapitre 2 : Un État construit contre sa société (1921-1958)**................................................................ 35
*La monarchie hachémite (1921-1958), 36 - L'armée, « colonne vertébrale de la nation », 41 - Un « gouvernement local à visage arabe », 46 - La défaite des chiites, 50 - Naissance de la question kurde, 54.*

**Chapitre 3 : La République des illusions perdues (1958-1968)**................................................................ 59
*Kassem choisit l'Irak, 60 - Des alliances politiques, 63 - Le début de la fin des illusions, 68 - L'entrée en scène du parti Baas, 72 - Le début du divorce Baas/chiites, 74 - Du retour à l'affrontement confessionnel au triomphe du clan, 77.*

**Chapitre 4 : L'irrésistible ascension de Saddam Hussein (1968-1979)**................................................................ 83
*Le Baas à la recherche d'alliés, 85 - L'armée au service du Baas et des Takriti, 89 - Boom pétrolier, nationalisation du*

*pétrole et développement économique*, 94 - *Le retour du mouvement religieux*, 99.

**Chapitre 5 : L'inexorable descente aux enfers (1979-?)**................................................................. 105
*Les deux guerres du Golfe, 105 - Le triomphe du clan, 109 - L'armée au service du clan, 118 - Des civils en habit militaire, 121 - Multiplication des corps d'armée et recrutement tribal, 123 - Une armée en ruine sans véritable chef, 126.*

**Chapitre 6 : Le roi pétrole, la banqueroute économique et la guerre** ........................................................ 135
*Le poids de siècles de sous-développement et l'arrivée du roi pétrole, 136 - Le pétrole au service de la guerre et l'échec de la politique de libéralisation, 139 - L'Irak après la guerre contre l'Iran, 143 - Le rôle du pétrole dans l'effondrement économique irakien et dans l'invasion du Koweit, 144 - Quelles perspectives pour le pétrole irakien ?, 149 - Une économie d'embargo : fuite du capital productif, spéculation débridée et contrebande, 152.*

**Chapitre 7 : Un pays sous tutelle internationale, divisé et ruiné**........................................................ 157
*Un marchandage entre vainqueurs et vaincus, 157 - La situation d'exception : une nécessité pour la survie du régime, 164 - Paupérisation et désintégration de la société, 166.*

**Chapitre 8 : L'opposition irakienne entre projets politiques, projets communautaires et patronages étrangers** ........... 173
*L'opposition confrontée à la non-résolution de la question irakienne, 174 - Projets politiques et projets communautaires, 176 - Le retour du mouvement religieux chiite, 183 - Le Kurdistan, entre la tentation du cavalier seul et l'obligation d'une solution irakienne, 197 - Élites arabes sunnites, mouvement nationaliste arabe et armée, 207 - Le petit mouvement religieux sunnite, 211 - Un mouvement communiste en mutation, 212 - Un nouveau venu, le mouvement « démocratique et libéral », 214.*

**Chapitre 9 : L'Irak au milieu d'enjeux régionaux contradictoires** ............................................... 223

*La disparition de l'Irak de la scène politique moyen-orientale, 223 - Une reconnaissance régionale de la suprématie américaine en Irak, 225 - L'Irak et les alliés des États-Unis dans la région, 227 - La Syrie bien seule, 232.*

**Chapitre 10 : La politique irakienne de l'Iran** .............. 235

*L'Iran et la création du nouvel État irakien, 236 - Iran et Irak républicain, 239 - La guerre pour contenir la révolution islamique, 241 - L'Iran de l'après-guerre, la seconde guerre du Golfe et les contradictions de la politique iranienne, 248 - Depuis la mise sous tutelle internationale de Bagdad, 252 - Les principales questions non résolues entre l'Irak et l'Iran, 255 - Des intérêts en guise de politique, 264 - Irakiens d'Iran et Iraniens d'Irak, 267 - L'Iran et le Kurdistan d'Irak, 275 - Le 11 septembre, l'axe du mal et la guerre promise, 277.*

**Chapitre 11 : La politique américaine envers l'Irak** .... 281

*L'Irak vu de Washington : un « trou noir » devenu riche, 282 - Une histoire d'amour de quinze années, 286 - L'alliance stratégique inavouée américano-irakienne, 289 - La fin de la guerre Iran-Irak : l'heure des comptes, 298 - Le piège se referme sur Saddam et sur l'Irak, 305 - La résurrection de Saddam et son prix, 308 - Sanctions et instrumentalisation de l'opposition irakienne, 313 - L'Amérique prête à un retour sous contrôle de l'Irak de Saddam, 319 - La mouvance pacifiste comme lobby, 327 - Le retour des « héros » de la guerre du Golfe, 333 - L'après-11 septembre : « l'axe du mal », 334.*

Chronologie ........................................................ 339
Bibliographie ..................................................... 349
Glossaire ............................................................ 351
Index des noms de personnes ............................. 355

Cartes :
– L'Irak actuel .......................................................... 8
– Les trois vilayets de la Mésopotamie ottomane ............... 19
– Formation politique de l'Irak ............................................ 26
– Sud de l'Irak.................................................................... 158
– Le Kurdistan.................................................................... 161
– La population irakienne.................................................... 177
– Kurdistan autonome (2002)............................................. 196

Cet ouvrage a été composé par
PARIS PHOTOCOMPOSITION
36, avenue des Ternes, 75017 Paris

*Impression réalisée sur CAMERON par*
*BRODARD ET TAUPIN*
*La Flèche*

*pour le compte des Éditions Fayard*
*en février 2003*

*Imprimé en France*
Dépôt légal : février 2003
N° d'édition : 32573– N° d'impression : 17504
ISBN : 2-213-61346-X
35-57-1546-05/7